D1638168

Collection Vos richesses intérieures

Joseph Murphy se raconte à Bernard Cantin, Bernard Cantin
La télépsychique, Joseph Murphy
Votre désir brûlant, W.W. Atkinson et E. Beals
Votre foi totale, W.W. Atkinson et E. Beals
Votre pouvoir personnel, W.W. Atkinson et E. Beals
Votre puissance créatrice, W.W. Atkinson et E. Beals
Votre subconscient et ses pouvoirs, W.W. Atkinson et E. Beals
Votre volonté de gagner, W.W. Atkinson et E. Beals

En vente chez votre libraire ou à la maison d'édition.

*Si vous désirez recevoir le catalogue de nos parutions,
il vous suffit d'écrire à la maison d'édition
en indiquant vos nom et adresse.*

LES LOIS DYNAMIQUES DE LA PROSPÉRITÉ

Cet ouvrage a été publié sous le titre original:
THE DYNAMIC LAWS OF PROSPERITY
par Prentice-Hall, Inc., Englewood Cliffs, New Jersey
Copyright ©, 1962 by Prentice-Hall, Inc.
Tous droits réservés

©, Les éditions Un monde différent ltée, 1980
Pour l'édition en langue française

Dépôts légaux: 1er trimestre 1980
Bibliothèque nationale du Québec
Bibliothèque nationale du Canada

Onzième édition, 1991

Conception graphique de la couverture:
SERGE HUDON

Traduit de l'anglais par:
CLAIRE LYNE AECHERLI

ISBN: 2-920000-26-8

CATHERINE PONDER

LES LOIS DYNAMIQUES DE LA PROSPÉRITÉ

Les éditions Un monde différent ltée
3925, boul. Grande-Allée,
Saint-Hubert (Québec)
Canada J4T 2V8
(514) 656-2660

Table des matières

tion — Invoquez la loi de l'accroissement simplement — Enveloppez les autres de vos pensées d'accroissement — Enveloppez-vous de pensées d'accroissement — Évitez de parler des temps difficiles — Pensez en termes d'abondance — Surmontez le découragement et la déception — Évitez la précipitation — Libérez-vous de toutes pensées insignifiantes — Que la loi de l'accroissement soit votre nouvelle frontière.

Introduction

Il y a de la poudre d'or dans l'air pour vous!

Ce livre est le résultat de plusieurs récessions récentes et de beaucoup d'années de misère. Personne n'aime les récessions ni la misère et à vrai dire, personne ne devrait les aimer. Pendant quinze ans, j'ai essayé de trouver un livre comme celui-ci. Pendant ces années de recherches, je me suis aperçue qu'il existait beaucoup de livres donnant des recettes variées de succès, mais dans aucun d'eux je n'ai trouvé un ensemble de lois concis et simple, pour garantir le succès.

J'ai commencé à rechercher un tel livre à la suite de mon veuvage qui m'a laissée seule avec un jeune fils à élever et à faire instruire. N'ayant aucune expérience sur le marché du travail et aucune source de revenu, j'aurais donné n'importe quoi, à cette époque, pour connaître la puissance du *raisonnement de la prospérité*.

J'ai passé par une période de dépression, de maladie, de solitude, d'insuffisance financière et de sensation d'avoir totalement échoué. Il me semblait que le monde entier était contre moi et que tout ce que j'entreprenais tournait mal. Mais, devant pourvoir aux besoins de mon fils, je ne pouvais m'abandonner à l'échec. Pour son intérêt aussi bien que pour le mien, je devais réussir.

Finalement, au plus profond déclin émotionnel, physique et financier, j'ai découvert le pouvoir de la pensée en tant qu'instrument de succès ou d'échec. J'en ai conclu que l'échec était principalement le résultat d'un raisonnement défaitiste. J'ai appris que l'emploi judicieux de mon esprit pouvait devenir la clé d'une vie saine, heureuse, prospère et réussie.

Dès que j'ai compris le secret du succès, ma vie s'est complètement transformée!

La naissance du raisonnement de la prospérité

Vous avez beaucoup entendu parler ces dernières années de la pensée positive. De ces années de récession et de misère une autre expression s'est formée: *raisonnement de la prospérité*. Le mot *prospérité* signifie: bien-être, réussite, développement, parvenir à de bons résultats. *Vous êtes prospère dans la mesure où vous parvenez à acquérir la paix, la santé et l'abondance dans l'existence.* Alors que: *raisonnement de la prospérité* a une signification profonde pour les gens, il vous procure fondamentalement la puissance de réaliser vos rêves, qu'ils aient trait à une meilleure santé, à un plus grand nombre de réussites financières, à une vie personnelle plus heureuse, à plus de culture et de voyages, ou à une vie spirituelle plus profonde.

Ce livre démontre simplement la façon par laquelle le raisonnement de la prospérité a aidé les gens, dans tous les domaines de la vie, à atteindre ces résultats. De plus, il démontre la façon par laquelle le raisonnement de la prospérité peut faire cela pour vous aussi! En lisant ce livre, de chapitre en chapitre, vous commencerez instinctivement à développer le pouvoir du raisonnement de la prospérité et, presque aussi facilement, à récolter une moisson de résultats florissants.

Le vendeur à la touche d'or

Il y a plusieurs années, un vendeur avait eu recours au pouvoir du raisonnement de la prospérité, bien qu'il n'en était peut-être pas conscient. Lorsque les gens lui demandaient: «Comment vont les affaires?», il donnait toujours la même réponse: «Les affaires sont florissantes, car il y a de la poudre d'or dans l'air!» En ce qui le concernait, tout semblait le prouver, car chacune de ses rencontres se transformait en une vente. Plus tard, chaque fois que l'on mentionnait son nom, les gens disaient: «Vraiment, tout ce qu'il touche se transforme en or.»

INTRODUCTION

Les lois de la prospérité

Lors de ma première année de ministère, l'une des plus critiques récessions économiques depuis la Deuxième Guerre mondiale frappa les États-Unis. Les membres de ma congrégation
réclamèrent des conférences sur la manière de surmonter cette
période difficile. C'est à cette époque que les lois dynamiques de
la prospérité se façonnèrent. Et, d'une rapidité ahurissante, ces
idées profitèrent à tous les types de gens!

Comment les lois ont profité aux autres

Par exemple, une semaine après la première conférence, deux
secrétaires avaient reçu une augmentation de salaire, l'une d'elle
avec une promotion et un nouveau titre. Un agent de change
raconta qu'il effectuait plus de transactions qu'il n'avait osé en
espérer, tandis que la plupart de ses confrères, comparativement
à lui, étaient inoccupés. Un client qu'il n'avait pas revu depuis
plusieurs années réapparut et lui remit un chèque de $200 000 à
investir! Un mois après avoir délibérément invoqué le raisonnement de la prospérité, ses revenus quadruplèrent.

Un avocat qui avait plusieurs clients dans l'industrie, en
chômage ou sans travail, raconta que soudainement pour lui la
récession s'était estompée. Ses revenus grimpèrent en flèche à
$2 000 en moyenne par mois, ce qui à l'époque lui semblait une
importante augmentation, mais après avoir établi un schéma
précis du raisonnement de la prospérité, ceci lui sembla très normal.

L'agent d'un fabricant d'acier, pour qui les affaires furent
réduites par la récession, raconta qu'il reçut sans s'y attendre
une commande de $4 500 qu'il n'avait pas sollicitée. Une femme
était vendeuse dans un magasin à rayons qui employait plus de
cent personnes. Tous ses confrères pensaient aux temps durs et
en parlaient. À la fin du mois, après avoir consciemment pensé
de manière prospère, cette femme, parmi les cent employés et
plus, fut la seule parmi les nombreux employés du magasin à
recevoir un chèque de commission pour avoir dépassé son quota
de ventes du mois. Les autres employés décrétèrent que les

15

temps étaient durs et obtinrent les résultats en conséquence.

Les livres d'un entrepreneur électricien indiquaient une somme de comptes recevables de $750. Lorsqu'il commença à penser à ses débiteurs en termes de prospérité, les comptes lui furent remboursés sans problèmes.

Un joaillier avait un compte qu'il avait essayé de percevoir par tous les moyens, y compris l'envoi de lettres déplaisantes, mais tout cela en vain. Lorsqu'il décida lui aussi de penser en termes de prospérité, en ce qui le concernait ainsi que son débiteur, à sa grande surprise, celui-ci le remboursa rapidement. Une famille qui souhaitait se libérer de ses dettes, hérita soudainement d'une somme d'argent substantielle.

Un employé du gouvernement reçut une augmentation de salaire qui avait été en négociations au congrès pendant plusieurs années. Un employé d'une compagnie de téléphone reçut lui aussi une augmentation qui lui avait été promise plusieurs mois auparavant. Un ingénieur de la construction reçut un nouveau projet de travail de quinze millions et demi de dollars après avoir travaillé sur un projet d'un million et demi de dollars. Un couple reçut même un voyage à l'étranger, toutes dépenses payées!

Voilà quelques exemples du pouvoir du raisonnement de la prospérité.

La prospérité procure une NOUVELLE APPARENCE et une nouvelle santé

Mais il se produisit plus que des bénéfices financiers. En donnant mes conférences chaque semaine sur le raisonnement de la prospérité, je me suis aperçue que mes auditeurs commençaient à rayonner d'un *air nouveau,* un air de paix intérieure, d'équilibre, de bonheur, de sécurité et de stabilité qui n'existait pas auparavant. Cet air défaitiste de la dépression et du découragement faisait place à un air de réussite, d'assurance et de paix intérieure. L'air défaitiste fut remplacé par un air vainqueur, autoritaire et victorieux. C'était merveilleux à voir!

Une nouvelle santé physique et mentale apparut aussi pour un bon nombre de gens. Un homme d'affaires s'était entendu répéter toute sa vie qu'il avait le coeur très malade et qu'il devait constamment se surveiller et se dorloter. En appliquant le raisonnement de la prospérité dans tous les domaines de sa vie, il détendit de plus en plus son corps et son esprit. La tension, autant consciente qu'inconsciente, s'évanouit petit à petit. Après quelque temps, son docteur déclara que ses troubles cardiaques avaient disparu. Maintenant, soit plusieurs années plus tard, il est en meilleure santé et plus heureux qu'il ne l'avait jamais été auparavant.

Plusieurs personnes au tempérament nerveux retrouvèrent une nouvelle santé, la sérénité et la paix spirituelle. Une ménagère de ce groupe avait pendant des années consulté plusieurs médecins, qui n'avaient pu déceler chez elle aucun maux d'ordre physiologique. En mettant consciemment en pratique le raisonnement de la prospérité, elle en vint à aimer plus les gens — y compris son mari! Il n'avait pas senti sa femme l'apprécier autant depuis bien des années. Il se sentit alors plus sûr de lui et se mit à réussir d'autant mieux dans son travail. La réussite au travail amena du bonheur et de la satisfaction dans leur mariage, ce qui leur avait longtemps manqué. La santé de cette femme s'améliora tellement que bien vite elle parut plus jeune, et à mesure que le bonheur s'installait dans les multiples domaines de sa vie, ses maux et ses douleurs disparurent.

Votre apparence tout entière se transforme

Une femme d'affaires, seule et malheureuse, qui avait souvent menacé de se suicider, se passionna tellement pour les lois de la prospérité qu'elle se mit à s'intéresser à d'autre chose qu'à elle-même. Sa vie en devint plus heureuse et plus équilibrée. Elle ne parla plus de suicide. Une maîtresse de maison et aussi un homme d'affaires, pour qui l'habitude de boire à la dérobée s'était développée en un sérieux problème, trouvèrent un nouvel espoir dans la pratique du raisonnement de la prospérité. Ils réalisèrent que leur problème de boisson pouvait être surmonté. En faisant valoir cette conviction victorieuse, ils furent aptes à résoudre et à dissoudre leurs hostilités et leurs conflits intérieurs. Leur alcoolisme diminua progressivement.

Plusieurs ménages furent sauvés, après que l'un ou l'autre des conjoints commença à invoquer les lois de la prospérité. Le conjoint d'une personne divorcée revint et ils se remarièrent. Plusieurs célibataires solitaires firent des mariages heureux, dont l'un après avoir été veuf pendant vingt ans. Un homme d'affaires qui avait toujours détesté son travail, en appliquant ces idées, découvrit une nouvelle perspective dans son travail et graduellement, il apprit à l'aimer.

Notre vendeur avait raison

Notre vendeur avait raison. Il y a de la poudre d'or dans l'air, pour vous, pour moi — pour tous. Les économistes le savent car ils annoncent que nous entrons dans l'ère la plus riche que le monde ait jamais connue et surnomment notre époque *les années prospères*. Les hommes de sciences savent qu'il y a de la poudre d'or dans l'air, car ils disent que l'univers n'est composé que de substances radiantes auxquelles l'homme a un accès illimité. Les psychologues et les métaphysiciens connaissent la poudre d'or. Ils disent que l'homme façonne son univers des substances riches et illimitées qui sont en lui et autour de lui, par ses pensées, ses émotions, ses mots et ses actions.

Alors, allons de l'avant, sachant qu'il y a de la poudre d'or dans l'air et qu'il y a de la poudre d'or partout. En lisant ce livre, peu importent vos conditions de vie, faites-le dans cette optique: **Il y a de la poudre d'or dans l'air — pour moi. À travers une pensée prospère bien déterminée et intentionnelle, je commence maintenant à absorber cette poudre d'or. Et même maintenant, je commence à ressentir les résultats de la poudre d'or!**

Et maintenant, passez rapidement aux pages suivantes où vous découvrirez les secrets passionnants de la poudre d'or que d'innombrables autres personnes ont découverts.

CATHERINE PONDER

CHAPITRE 1

L'étonnante vérité de la prospérité

L'étonnante vérité concernant la prospérité est qu'il est étonnamment bon au lieu d'être étonnamment mauvais pour vous d'être prospère! Russel H. Conwell dans ces fameuses conférences *Acres of Diamonds* (La fortune à votre portée)* insiste sur ce point:

«Je déclare que vous devez être riche, vous n'avez aucun droit d'être pauvre. Vivre et ne pas être riche est un malheur et c'est un double malheur car vous auriez pu être aussi bien riche que pauvre... Si nous le pouvons, nous devons devenir riches par des méthodes honorables et ce sont les seules méthodes qui nous amènent à notre but: la richesse.»

Veuillez noter que le mot *riche* signifie: avoir une abondance de biens ou vivre une vie pleine et plus satisfaisante. En effet, vous êtes prospère dans la mesure où vous ressentez dans votre vie la paix, la santé, le bonheur et l'abondance. Il existe des méthodes honorables qui vous permettront d'atteindre rapidement ce but. Vous verrez que c'est plus facile à accomplir que vous ne le pensez maintenant. Ça aussi, c'est l'étonnante vérité de la prospérité.

Il y a plusieurs décennies, un homme d'affaires prédit que les chefs religieux de l'avenir devraient consacrer plus de temps à aider leurs fidèles à résoudre leurs problèmes économiques et personnels du moment et qu'ils seraient moins concernés par un

* Paru aux Éditions «Un Monde Différent» Ltée

passé défunt et un futur encore inexistant. Je suis d'accord avec cet homme d'affaires et j'espère vous aider à résoudre vos problèmes économiques et personnels actuels. En agissant ainsi, votre passé défunt et votre futur encore inexistant seront sûrement pris en main.

Vous devez désirer la prospérité

Peut-être le plus grand choc que j'aie jamais reçu fut celui qui se manifesta au début de mes conférences sur la prospérité. Je m'aperçus bien vite que beaucoup de gens participant à mes conférences, essayaient toujours de résoudre ce vieux dilemme, à savoir s'ils devaient désirer la prospérité. Bien sûr, ils voulaient la prospérité; toute personne normale la veut. Du point de vue spirituel, ils paraissaient se demander secrètement s'ils devaient la rechercher ou non. La plupart des gens d'affaires participant aux conférences semblaient se sentir coupables de penser à la prospérité, bien qu'ils travaillent ardemment à leur emploi pour l'atteindre. Manifestement, la question subsistait toujours dans leur esprit: à savoir, si la pauvreté était une vertu spirituelle ou un vice courant. Ce conflit dans leur esprit engendrait un conflit dans leurs affaires, ce qui détruisait tous leurs efforts même s'ils travaillaient de toutes leurs forces.

Il devint évident que pour effacer ces croyances étroites qui avaient réduit ces gens à une vie médiocre pendant des années, il fallait employer des idées audacieuses, voire même étonnantes sur le sujet. Réalisant ceci, je consacrai plusieurs heures de conférences à expliquer la relation divine entre Dieu, l'homme et la prospérité. Le choc que ces idées causèrent passa et ces bonnes personnes furent grandement soulagées et très heureuses finalement de ne plus se sentir coupables de vouloir la prospérité. C'est alors qu'elles commencèrent à obtenir les résultats précédemment décrits.

Depuis, dans mes conférences à travers le pays, dans les consultations privées et la correspondance d'innombrables gens sur le sujet, à la radio, la télévision et dans les entrevues avec les journalistes, je retrouve toujours cette même idée. Des gens merveilleux semblent passablement confus, ne sachant pas si la prospérité doit être considérée comme une bénédiction spirituelle. Mais quel soulagement lorsqu'on leur démontre que la prospérité est une bénédiction spirituelle.

La pauvreté est un péché

Et je le redis: il est étonnamment bon, et non étonnamment mauvais, que vous soyez prospère. Évidemment, vous ne pouvez pas être très heureux si vous êtes pauvre, et **vous ne devez pas être pauvre. C'est un péché.** La pauvreté est une sorte d'enfer due à l'aveuglement de l'homme face à la bonté illimitée de Dieu. La pauvreté est en réalité une sorte de maladie qui, à son stade le plus aigu, devient une sorte de folie.

La pauvreté remplit les prisons de voleurs et de meurtriers. Elle pousse l'homme et la femme à la boisson, à la prostitution, à la toxicomanie, au suicide. Elle entraîne des enfants potentiellement brillants, talentueux et intelligents à la délinquance et au crime. Le communisme, l'un des mouvements les plus redoutés de notre époque, bâtit souvent sa forteresse sur la pauvreté. Les gouvernements de pays communistes le sont devenus en général pour des raisons financières; croyant que c'était le seul moyen d'accéder à la sécurité financière. Les résultats scandaleux de la pauvreté n'ont pas de limites. Voilà la raison pour laquelle, en tant que pasteur, je me suis sentie si fortement guidée à faire tout en mon possible pour aider les gens à découvrir la façon d'extirper le péché de la pauvreté de leur vie.

Un docteur de mes connaissances dit qu'il n'aurait que très peu de patients si ceux-ci n'avaient pas de problèmes financiers qui leur causent du souci, de la fatigue et de la tension, et qui les rendent malades. Il déclare que nos hôpitaux psychiatriques sont remplis de gens qui ont reconnu que la tension due à des problèmes monétaires à longue échéance affaiblissait leur esprit et leur corps jusqu'à les paralyser. Il a même été estimé que neuf dixièmes des maladies humaines sont dues à la tension, la misère et le malheur de la pauvreté.

Cessons de penser que la pauvreté est une vertu. C'est un vice ordinaire. Si vous avez vécu dans l'insuffisance financière et dans la restriction, vous avez littéralement vécu dans le vice. Ça aussi, c'est l'étonnante vérité de la prospérité. Mais vous n'avez pas besoin de continuer à vivre dans le vice financier. Il y a un moyen de s'en sortir.

La prospérité est votre héritage divin

La Bible est remplie de riches promesses concernant votre potentiel de prospérité en tant qu'enfant de Dieu. Vous DEVEZ être prospère, bien nanti et avoir une abondance de biens car ceci est votre héritage divin. Votre Créateur vous veut ainsi! Ça c'est l'étonnante bonne vérité de la prospérité.

Du reste, vous ne pouvez pas être utile à vous-même et aux autres, si vous n'êtes pas prospère. La personne qui ne désire pas être prospère est anormale, car sans la prospérité vous vivez anormalement. Sur le **plan physique**, vous ne pouvez pas vivre intensément sans une bonne nutrition, des vêtements confortables, un toit chaud et sans être dispensé des travaux pénibles. Le repos et les loisirs sont aussi nécessaires à votre vie physique.

Pour vivre pleinement sur le **plan spirituel** de la vie, vous avez besoin de moments pour vous recueillir dans la tranquillité, pour méditer, prier, pour des études spirituelles, pour aller à l'église, à des conférences et à des rencontres enrichissantes sur le plan spirituel. Voilà pourquoi il est d'une extrême importance que vous soyez prospère pour votre santé et votre développement physique, mental et spirituel.

N'inventez pas d'excuses pour vous accommoder de l'insuffisance ou pour l'accepter dans votre vie comme un compromis permanent. N'allez pas dans l'autre extrême, non plus, en disant que vous voulez être prospère pour le bien que vous pourrez faire. Ceci est secondaire. Vous voulez être prospère, principalement parce qu'il est juste que vous le soyez. La prospérité est votre héritage divin en tant qu'enfant d'un Roi, en tant que fils de Dieu.

Le succès est un ordre divin

Vous n'avez aucune raison de penser que la prospérité est une chose séparée de votre vie spirituelle ou *bannie de la société* religieuse. N'essayez pas de vivre dans deux mondes, où pendant six jours vous gérez vos affaires et au septième vous donnez une chance à Dieu de vous montrer ce qu'il sait faire. Considérez Dieu, dans vos affaires quotidiennes de la semaine, comme un Père riche, affectueux et compréhensif. Demandez-*lui* conseil, demandez-*lui* de vous diriger dans toutes vos affaires, financières et autres et vous serez agréablement surpris de voir une amélioration dans toutes les phases de votre vie. *Tout est à vous* (I Cor. 3:21), c'est une promesse divine.

Un spécialiste me dit récemment qu'il avait remarqué que la plupart des causes d'échecs des gens étaient dues au dilemme, à savoir si le succès était un ordre divin ou une damnation divine. Il déclara que plusieurs personnes lui avaient certifié que l'échec était plus spirituellement accepté que le succès, en citant ces paroles de Jésus: «*Vous ne pouvez servir Dieu et l'argent*» (Matt. 6:24). De plus, ce docteur déclara avoir passé beaucoup d'heures à expliquer à ces gens qui ne réussissaient pas, que d'être disposé au succès n'est pas servir l'argent et qu'ils devaient cesser de se servir de Dieu comme justification de leurs échecs.

Le dictionnaire décrit l'argent ainsi: une richesse considérée comme un objet de valeur ou un faux dieu. Les gens qui servent l'argent sont ceux qui excluent Dieu de leurs affaires financières et les dirigent tout seuls. Lorsque vous réalisez que Dieu vous veut prospère et que Dieu, en tant que Créateur de ce riche univers, est vraiment la *source* de la prospérité, alors vous n'idolâtrez pas l'argent. Vous ne considérez pas la prospérité comme un faux dieu. Vous réclamez simplement à la *source* de toutes vos bénédictions, votre héritage de prospérité. Dieu insista sur le vrai comportement spirituel face à la prospérité lorsqu'*il* dit à Moïse de rester enfant d'Israël: «Souviens-toi de Yahvé ton Dieu: c'est lui qui t'a donné cette force, qui t'a procuré ce pouvoir.» (Deut. 8:18). Le mot *richesse* signifie *vie magnifique*, ce à quoi un adepte du raisonnement de la prospérité devrait tendre et considérer comme son droit spirituel.

À propos, peut-être vous souvenez-vous de cette phrase que j'ai aussi entendue dans mon enfance et qui a troublé mon idée sur la prospérité en tant que bénédiction spirituelle. Les gens disaient souvent «Je suis pauvre mais je suis un bon chrétien.»

Même si je fais partie d'une famille qui a produit plusieurs pasteurs, je sursautais toujours lorsque j'entendais ces paroles. Ma première réaction était: «Pourquoi les chrétiens ou tout autres groupes de personnes devraient-ils être pauvres? Dieu n'est pas pauvre et il est notre père tout amour.» Mais, aussi, ces paroles semblaient dire que tous les gens riches étaient voués à l'enfer. D'une manière ou d'une autre, je ne pouvais pas imaginer pourquoi les gens riches devaient aller en enfer simplement parce qu'ils étaient prospères. Ceci me semblait plutôt illogique.

La Bible est un manuel de prospérité

Avant d'entrer dans le ministère, je décidai d'éliminer à jamais cette controverse de mon esprit en étudiant le point de vue biblique de la prospérité et de la pauvreté. Il me fut agréable de constater que la Bible est le plus merveilleux ouvrage sur la prospérité qui ait jamais été écrit!

La Bible démontre clairement que vous n'avez pas contenté Dieu en vous accommodant de l'insuffisance et de la restriction dans votre vie pas plus que vous ne vous êtes contenté vous-même. Les tout premiers chapitres décrivent notre riche univers créé pour l'homme; le dernier livre de la Bible décrit en de riches termes symboliques, le paradis. La plupart des grands hommes de la Bible naquirent prospères, le devinrent, ou eurent accès aux richesses toutes les fois qu'ils en avaient besoin. Par exemple, Abraham, Jacob, Joseph, Moïse, Salomon, Isaïe, Jérémie, Néhémie, Élie et Élisée de l'Ancien Testament; et Jésus et Paul du Nouveau Testament.

Les enseignements et la vie de Jésus portent des signes certains de sa compréhension des lois de la prospérité. Tout bébé, les Rois Mages lui offrirent de riches cadeaux. Même si Jésus fut décrit comme étant pauvre, sans endroit pour reposer sa tête, il vivait avec ses parents à Nazareth et était accueilli joyeusement à travers toute la Palestine, dans les maisons des riches et des pauvres. Il utilisa sans hésiter les lois de la prospérité pour nourrir des milliers de gens dans un endroit désertique. Sa parabole du fils prodigue renferme une belle leçon sur la prospérité.

Lorsque Jésus dit: «*Heureux les simples d'esprit car le royaume des cieux leur appartient.*» Il ne faisait pas référence aux gens vivant dans la pauvreté. *Simples d'esprit* fait référence à ceux qui sont humbles et réceptifs, sans orgueil et sans arrogance. Lorsque l'homme riche vint à Jésus pour s'informer sur la vie éternelle, il est rapporté que, *Jésus fixa sur lui son regard et l'aima.* (Marc 10:21) Jésus lui dit de vendre tout ce qu'il possédait pour hériter de la vie éternelle, car *il* vit que l'homme était possédé par ses biens plutôt que d'en être en possession. Plus tard, Jésus dit avec compassion: «*Il est plus facile à un chameau de passer par le trou de l'aiguille qu'à un riche d'entrer dans le Royaume de Dieu.*» (Marc 10:25)

Ses intérêts et ses relations dans le monde financier se caractérisaient par la présence d'un percepteur d'impôts dans le rang des apôtres, la nomination parmi les apôtres d'un trésorier pour tenir les comptes, le paiement de ses taxes au gouvernement romain. Même sa robe sans couture fut jugée si précieuse que les soldats romains, au pied de la croix, la tirèrent au sort. Ce fut un homme riche, Joseph d'Arimathie, qui supplia Pilate de lui accorder le corps de Jésus et qui l'ensevelit dans son propre caveau. Même après sa résurrection, Jésus s'intéressa à la prospérité de ses disciples, en disant aux pêcheurs où aller pêcher fructueusement lorsqu'ils étaient rentrés bredouilles.

Pourquoi la pauvreté n'est pas spirituelle

Vous vous demandez peut-être pourquoi il y a eu tant de propos considérant le sacrifice, la persécution et les temps difficiles comme des phases nécessaires de la vie spirituelle. L'Histoire démontre que les enseignements pratiques inspirés de la Bible continuèrent à être suivis pendant les premiers siècles après Jésus-Christ. Mais rapidement la religion devint plus laïcisée, entraînant des biais et des variations aux enseignements originaux de Jésus. Plus tard, le système féodal du Moyen Âge permit à un petit groupe de privilégiés de contrôler la richesse. Pendant cette période, l'enseignement de *la pauvreté et de la pénitence* était présenté aux masses comme le seul moyen de salut, dans le but de maintenir les gens dans la pauvreté et de faire de l'insuffisance et de la privation une soi-disant *vertu chrétienne.*

Des millions de crédules furent menés à croire qu'il était *pieux d'être pauvre,* une croyance qui était utile pour contrer la révolution parmi les masses. Quelques-unes de ces vieilles croyances féodales sur la pauvreté en tant que vertu spirituelle ont persisté jusqu'à aujourd'hui, mais elles sont fausses.

Ainsi, ne vous trouvez plus d'excuses, à vous-même et aux autres, de vouloir être prospères. C'est un désir divin auquel il faut donner une expression divine. Avec confiance, vous pouvez remercier la prospérité d'être votre héritage divin, le désir du Père qui est pour vous infiniment bon, pas simplement le moyen d'une maigre existence.

Vos bonnes attitudes paieront vos factures

Maintenant, dans le but de vous aider à affermir le comportement majestueux de la prospérité, c'est-à-dire que Dieu, en tant que Créateur de ce riche univers, est la *source* des ressources de l'homme et que, par conséquent, Dieu veut que vous possédiez les richesses de notre univers, je vous suggère de paraphraser ces paroles du Seigneur à Moïse: «*Je me souviendrai de l'Éternel mon Dieu, car c'est lui qui m'a donné le pouvoir de posséder la richesse.*»

Peut-être pensez-vous: «Oui, mais cette façon de penser est-elle pratique? Un tel comportement aidera-t-il à chausser les enfants, à garnir la table, à payer le loyer?» Oui il le peut!

J'ai récemment parlé avec une jeune femme qui semblait avoir tout contre elle. Lorsqu'elle fut atteinte de paralysie, son mari, alcoolique, joueur et chômeur la délaissa avec plusieurs enfants à nourrir et à éduquer. Elle avait un toit, mais il était hypothéqué. Son mari avait été condamné par la cour à payer une petite pension mensuelle pour le soutien des enfants, mais celle-ci ne suffisait pas à leurs besoins. Cependant, toutes les fois que j'ai rendu visite à cette femme, qui avait été clouée au lit pendant des mois et qui récemment avait été confinée à une chaise roulante, elle racontait toujours joyeusement les nouvelles voies de ressources qui s'étaient offertes à elle.

Lors d'une visite, elle déclara avoir reçu suffisamment de nourriture en conserve pour subsister plusieurs mois, que l'argent nécessaire à vêtir les enfants lui avait été fourni par des parents éloignés, que ses frais médicaux étaient couverts par un ami d'outre-mer; ainsi, vraiment, tous ses besoins financiers avaient été réglés. De la peinture fraîche pour l'extérieur de la maison lui était arrivée et un voisin était occupé à la repeindre!

Lorsque je lui demandai quel était son secret de prospérité et comment elle avait pu régler à temps toutes ses factures, étant en chaise roulante et sans revenu abondant ou régulier, elle récita une prière qui lui avait donné beaucoup de force et de ressources. Toutes les fois qu'un besoin d'argent se faisait sentir, elle méditait à plusieurs reprises sur cette promesse du Psaume 46: **Arrêtez, et sachez que je suis Dieu.**

Un jour, elle dut payer $40 sur l'hypothèque de sa maison. Elle n'avait pas un sou, alors calmement elle se concentra sur ces mots: **Arrêtez, et sachez que je suis Dieu. Arrêtez, et sachez que je suis Dieu travaillant maintenant à résoudre ce problème.** Vers midi, elle se sentit plus en paix face à la situation et ainsi, elle termina sa période de méditation. Environ une heure plus tard, alors qu'un parent lui servait son repas, un voisin entra et lui mit de l'argent dans la main. Il dit: «Notre classe de l'école du dimanche a pensé à vous. Il y avait dans la caisse de l'argent en trop et nous voudrions le partager avec vous.» Le montant qu'il lui tendit était de $40.

Cette femme, en reconnaissant Dieu comme *source* de ses besoins, prouva que cette *source* ne la lâcherait jamais, même dans les conditions sérieuses de la maladie, de la déception conjugale, de l'insécurité financière. Bien sûr son plus grand désir est de devenir auto-suffisante et indépendante financièrement des cadeaux des parents, des voisins et des amis. Elle réalisera sûrement ce désir en persévérant dans la voie du raisonnement de la prospérité. Elle commence maintenant à marcher pour la première fois depuis plusieurs années et sera, aussi, bientôt apte à travailler. En attendant, elle prouve que les riches ressources de Dieu peuvent se manifester de beaucoup de façons inattendues pour combler les besoins du moment, sans tenir compte des conditions dures de la vie.

Le psalmiste, en disant: «**Le Seigneur est mon berger, rien ne sauraît me manquer**», reconnaissait en Dieu sa *source* d'approvisionnement. C'est une bonne prière de prospérité à répéter souvent. Une femme de maison avait besoin de $100 pour payer des factures dues à la fin de la semaine. Au début de la semaine, chaque fois que la peur l'envahissait sur la manière dont elle allait s'y prendre pour payer ses factures, elle redisait sans cesse: «**Le Seigneur est mon berger, rien ne saurait me manquer.**» Le vendredi matin, le jour où les factures devaient être payées, elle reçut dans son courrier un chèque de $110 de la part d'une compagnie où son mari avait travaillé des années auparavant. Ils écrivirent une lettre disant qu'ils avaient *trouvé* dans le compte de son mari cette somme impayée; et qu'ils incluaient ci-joint le montant dû afin de fermer le dossier.

Un homme d'affaires qui avait une grande famille, arrivait difficilement à la fin du mois. Il était payé une fois par mois et il restait encore une semaine jusqu'au prochain jour de paie. Les articles d'épicerie diminuaient. Sa femme le lui rappela le vendredi précédant le samedi matin, jour de magasinage. Ensemble ils se mirent d'accord pour s'en remettre à Dieu pour leurs besoins et pour *lui* demander conseil. Ils le firent en disant constamment: «**C'est Dieu qui nous a donné qualité**» (II Cor. 3:5). Le samedi matin dans le courrier, ils reçurent un chèque de $60 en retour d'impôt de l'État. Ce couple attendait un retour d'impôt de plusieurs centaines de dollars du Fédéral mais avait oublié un retour d'impôt de l'État. Ce montant combla agréablement leurs besoins jusqu'au jour de paie.

Une vendeuse qui avait eu beaucoup de dépenses imprévues et dont les ventes avaient diminué décida de considérer Dieu comme *source* de ses besoins en redisant sans cesse la prière de Dieu: **Donne-moi en ce jour mon pain quotidien.** Ce fut comme un raz de marée. Ses ventes augmentèrent considérablement, permettant aux chèques de commission de s'ajouter à sa paye. Ses voisins lui amenèrent des plats cuisinés en témoignage de leur estime pour elle. Une amie lui donna plusieurs vêtements. Quelques clients lui amenèrent des cadeaux en guise d'appréciation de services rendus. Elle reçut d'innombrables invitations à souper de ses amis, où elle eut beaucoup de plaisir. Quotidiennement ses besoins furent comblés comme elle l'avait demandé. Son pain quotidien apparut de différentes façons satisfaisantes.

Comment stabiliser vos finances

Bien sûr, le plus merveilleux, dans la reconnaissance de Dieu comme *source* de toutes les richesses, et dans *son* introduction dans vos affaires financières et dans tous les domaines de votre vie, est que plus vous le faites, plus les domaines de votre vie s'équilibrent. Bientôt, vous n'aurez plus d'urgences financières devant être spectaculairement comblées par la manne du ciel. Au contraire, financièrement les choses iront en s'améliorant, de sorte que vous aurez toujours quelque chose sous la main pour combler vos besoins.

Le psalmiste signale ce qui arrive lorsque vous considérez Dieu comme la *source* de vos besoins: «*Mais se plaît dans la loi de Dieu, mais murmure sa loi jour et nuit! Il est comme un arbre planté près du cours des eaux, qui donne son fruit en la saison et jamais son feuillage ne sèche; tout ce qu'il fait réussit.*» (Psaume 1:2-3)

Mais il est bon de savoir, jusqu'à ce que vous développiez une bonne compréhension pour faire ressortir la substance de cet univers en un jet de ressources ininterrompu et abondant, que les besoins financiers du moment peuvent être comblés en se remettant à la *source* de toutes les richesses, notre riche Père des Cieux.

Le lien entre la pensée et les ressources

Peut-être pensez-vous: «Si ma prospérité vient principalement de Dieu, s'*il* est la *source* de mes besoins, alors pourquoi tous ces propos sur le raisonnement de la prospérité? Qu'est-ce que le raisonnement de la prospérité a à voir avec mes ressources?»

Les riches ressources de Dieu sont universellement tout autour de vous, de même que naturellement en vous, comme des talents, des dons et des pensées qui désirent ardemment s'exprimer. Mais ces riches ressources et substances doivent être prises et utilisées. Votre esprit vous relie à toutes ces choses. Votre attitude, vos concepts mentaux, vos croyances et votre apparence sont les liens avec la riche substance de Dieu et avec son accès. Dieu ne peut faire pour vous que ce qu'*il* peut faire à travers vous, par vos pensées, vos idées qui inspirent vos réactions. De cette façon, le raisonnement de la prospérité ouvre le chemin à des résultats prospères.

Commencez à entrer en relation avec cette riche substance autour de vous et avec cette riche substance en vous, en disant souvent: **Je suscite les dons de Dieu en moi et autour de moi, et je suis béni sur tous les plans par le bonheur, le succès et l'accomplissement véritable.** Simplement en pensant à cette idée, vous susciterez les richesses de cet univers, en vous les attirant et en les exprimant à travers vous.

Le succès adore l'attitude de prospérité

Une autre des vérités frappantes de la prospérité est que vos pensées vous ont fait ce que vous êtes, vous feront devenir à partir d'aujourd'hui ce que vous voulez devenir. Plus vous réalisez ceci, plus vous réaliserez que les gens, les places, les conditions et les événements ne peuvent plus vous éloigner du don divin de la prospérité et du succès, une fois que vous avez décidé d'employer délibérément le raisonnement de la prospérité pour vous attirer le succès. En effet, vous découvrirez que les choses, les gens et les événements qui précédemment travaillaient contre vous, vont soit commencer à travailler pour ou avec vous, soit disparaître de votre vie, et de nouvelles personnes et de nouveaux événements apparaîtront pour vous aider à réussir. Ça, c'est la puissance du raisonnement de la prospérité.

Quelques spécialistes croient qu'une pensée prospère est plus puissante que mille pensées défaitistes; et que deux attitudes prospères détiennent et expriment plus de puissance que dix mille attitudes défaitistes! Le succès adore le comportement prospère — vous pouvez en être certain. Un *père* attentionné semble aussi adorer l'attitude prospère. Assurément, ceux qui vous entourent l'adorent et sont attirés par elle et travaillent pour elle. Nous développerons ces concepts dans le chapitre suivant.

En attendant, souvenez-vous que Dieu est la *source* de tous vos besoins et dès lors, établissez un contact spirituel avec *lui*. *Sa riche substance et ses riches idées attendent que vous les saisissiez:* **Je suis le riche héritier d'un PÈRE aimant. J'accepte maintenant et revendique SON riche produit, pour moi, dans tous les domaines de ma vie. Ma réussite divine prend forme maintenant, en de riches idées et de riches résultats!**

Souvenez-vous souvent de ces vérités frappantes sur la prospérité: qu'il est étonnamment bon, et non étonnamment mauvais, que vous soyez prospère. Que Dieu a créé un riche univers pour vous et veut que vous en profitiez. Que la prospérité peut venir rapidement par votre application rationnelle du raisonnement de la prospérité, qui conduit à l'expression de riches idées, d'actions riches et de riches résultats. Ainsi, osez demander conseil à un Père amical, intéressé, riche et affectueux. Avec Moïse, *souviens-toi du Seigneur ton Dieu, car c'est* **lui** *qui t'a donné ce pouvoir d'être riche.*

Lancez-vous désormais avec joie et concentration dans les lois dynamiques de la prospérité — les lois spirituelles et mentales qui peuvent et vont transformer votre vie. Salomon prit conscience du besoin de les approfondir, lorsqu'il expliqua: «*Misère et honte à qui abandonne la discipline.*» (Prov. 13:18)

Vous pouvez, à partir de la page suivante, commencer à vous libérer de l'insuffisance, de la restriction et de l'échec. En acceptant et en utilisant ces simples mais puissantes idées élaborées dans les pages qui suivent, vous vous trouverez sur le chemin royal de la réussite. De plus, vous y trouverez une expérience plaisante qui donne des résultats satisfaisants.

Ça, c'est le pouvoir du raisonnement de la prospérité et *ça* c'est son étonnante et plaisante vérité.

CHAPITRE 2

La loi fondamentale
de la prospérité

J'ai appris à travers les difficultés de la vie, la loi fondamentale de la prospérité. J'ai donc, depuis longtemps, acquis le droit de vous en parler. Il y a quinze ans, ma vie me semblait sans espoir. Veuve et seule avec un petit garçon, je n'avais aucune formation pour aucun type de travail et, par conséquent, aucune source de revenus. Ma famille, pendant cette période, ne fut pas en mesure de m'aider financièrement. Si vous aviez pu me voir en ce temps-là, vous auriez sûrement dit: «Avec ou sans le raisonnement de la prospérité, c'est un cas désespéré.»

Ce fut pendant cette période de misère que j'appris à considérer le pouvoir de la pensée comme un instrument de succès ou d'échec. Il devint vite évident que mes échecs précédents étaient dus principalement à ma façon de penser négative; mais ce même pouvoir de la pensée, orienté correctement, pouvait être la clé d'une vie heureuse, saine et réussie.

Quelle prise de conscience ce fut le jour où je lus ces mots de Salomon: «*Car l'homme est tel que sont les pensées dans son âme.*» Et plus tard ces mots de Job: «*Toutes tes entreprises réussiront et sur ta route brillera la lumière.*» (Job 22:28)

Du philosophe James Allen, j'appris:

À travers ses pensées, l'homme détient la clé de toutes les situations et détient en lui-même cet agencement de transformation et de régénération par lequel il peut devenir celui qu'il désire être.

Dès lors, j'en conclus avec émotion que mon potentiel de richesse, de santé et de bonheur était réellement *en moi,* prêt à se propager dans ma vie en bonheur, en richesse, en pensées heureuses, en sentiments, en espérance et en lois, qui à leur tour attireraient des résultats dans ma vie.

Aussitôt que je saisis ce simple mais puissant secret de la réussite et que je commençai à l'appliquer, le courant changea et mes bateaux rentrèrent au port.

Une voie s'ouvrit à moi dans une école d'administration. Je devins plus tard la secrétaire de Joe Tally, un jeune avocat qui devint maire de notre ville, un candidat au congrès, et qui plus tard agrandit le bureau d'avocat Tally en y engageant plusieurs avocats et secrétaires qui avaient été au service de clients prospères. Plus récemment, monsieur Tally occupa le poste de président pour le Club Kiwanis International. Au plus haut niveau de ma carrière avec cet avocat, je me sentis guidée vers le ministère afin d'aider les autres à réaliser et à appliquer les clés spirituelles et mentales qui ont eu tant d'importance pour moi, menant à une vie saine, heureuse et prospère.

En repensant au passé, je réalise maintenant que consciemment et inconsciemment, j'ai invoqué la loi fondamentale de la prospérité, du *rayonnement, et de l'attraction* à tous les niveaux. Récemment, en rencontrant de vieux amis qui ne m'avaient pas vue depuis plusieurs années, ils s'exclamèrent tout étonnés: «Catherine, que t'est-il arrivé? Tu sembles si éloignée de la personne sérieuse, insécure et malheureuse que tu étais! Tu sembles maintenant heureuse et rayonnante, même victorieuse! Dis-nous ton secret - comment t'es-tu transformée ainsi?»

Je leur ai alors expliqué la loi fondamentale de la vie qui est exposée dans ce chapitre et tout au long de ce livre. C'est en appliquant personnellement cette loi de base que j'ai appris à l'aimer si intensément et que je crois sincèrement qu'elle peut fonctionner pour vous, de façon plus merveilleuse encore que pour moi. Un bon nombre de gens qui sont venus à mes conférences sur la prospérité l'ont utilisée, obtenant un succès extraordinaire.

La Loi des lois

Vraiment, les lois qui régissent la prospérité sont aussi garanties et réalisables que les lois qui régissent les mathématiques, la musique, la physique et les autres sciences. La Bible décrit cette loi fondamentale de la prospérité lorsqu'elle parle de semences et de moissons, ou de donner et de recevoir. Les scientifiques la décrivent comme une action et une réaction. Certains l'ont nommée la loi de l'offre et de la demande. Emerson la décrit comme la loi de la compensation, selon laquelle le semblable attire le semblable. Il dit que la loi de la compensation est *la Loi des lois!*

On n'a rien pour rien

Je suis d'accord avec Emerson pour que la loi de la compensation soit considérée comme la loi fondamentale de la vie. J'aimerais considérer cette loi de la prospérité comme la loi du rayonnement et de l'attraction: ce dont vous rayonnez extérieurement par vos pensées, vos sentiments, vos mots et vos images mentales, vous l'attirez dans votre vie et vos affaires. Mais vous ne pouvez rien obtenir pour rien.

La raison pour laquelle la pauvreté existe toujours dans cet univers de grande abondance est que beaucoup de gens n'ont toujours pas compris cette loi fondamentale de la vie; ils n'ont pas encore réalisé qu'ils doivent rayonner pour attirer, et que ce dont ils rayonnent, ils l'attirent constamment. La plupart des gens d'aujourd'hui doivent apprendre qu'ils ne peuvent rien obtenir pour rien, mais qu'ils doivent donner avant de recevoir, ou semer avant de moissonner. Lorsqu'ils ne donnent ni ne sèment au sens de la prospérité, ils ne prennent pas contact avec l'abondance somptueuse de Dieu et dès lors ils n'établissent aucun lien à travers lequel la riche substance illimitée de l'univers puisse leur déverser ses richesses.

Cette vérité me fut récemment confirmée lors d'une rencontre avec des gens venant d'un quartier pauvre. Je découvris rapidement que ces gens voulaient seulement un *coup de main*. Ils n'étaient pas intéressés à invoquer la loi fondamentale de la prospérité, en donnant ou en moissonnant en premier. Au contraire, ils essayaient d'obtenir quelque chose pour rien, ce qui ne pouvait se faire. Ainsi, ils continuaient à vivre dans la pauvreté.

Vous avez toujours quelque chose à donner

Peut-être pensez-vous: «Qu'est-ce qu'une personne qui est dans le besoin peut donner?» Une personne peut toujours donner *quelque* chose, soit concrètement, soit abstraitement, ce qui la mettra en contact avec la riche substance de Dieu. Une veuve, dont la maison était remplie d'enfants, téléphona un jour à un travailleur social. Elle n'avait pas d'argent ni de nourriture pour ses enfants. C'était l'heure du dîner et ses enfants n'avaient pas mangé depuis le jour précédent. Elle était désespérée. Le travailleur social qui prit son appel savait pertinemment ce que c'était de se trouver dans une telle situation. Il avait appris durant une période de détresse financière, que le pouvoir du raisonnement de la prospérité pouvait littéralement amener la *manne du ciel*. Avec beaucoup de compassion, il lui expliqua le pouvoir magique de donner, qui déclencherait le reflux de la substance dans sa forme appropriée.

Bien sûr, lorsqu'il expliqua à la veuve qu'elle devait donner pour recevoir, sa première réaction fût très semblable à la vôtre ou à la mienne la première fois où nous nous sommes fait dire que nous devions donner pour recevoir. Elle gémit: «Mais c'est justement ça - je n'ai rien à donner.» Ce à quoi le travailleur social répondit gentiment: «Ma chère, bien sûr que vous avez quelque chose à donner. Nous avons toujours quelque chose à donner. Vraiment nous avons plus à donner que nous ne le réalisons.» Alors il encouragea cette veuve frénétique à regarder autour d'elle et à demander des conseils divins sur ce qu'elle pouvait donner.

La veuve fut assurée par le travailleur social qu'il prierait avec elle dans la certitude d'être guidée divinement quant à la manière de donner, et par la suite, quant à la manière de recevoir. Le travailleur social lui dit aussi qu'après avoir, par le don, déclenché le reflux de la substance, elle devait se préparer à recevoir en mettant la table pour ce dîner qu'elle avait tant espéré pour ses enfants; et en dressant sa liste des emplettes pour aller au magasin avec la certitude que l'argent se manifesterait bientôt pour ses emplettes.

Avec foi, la veuve s'assit et demanda en priant ce qu'elle

pouvait donner de ce qu'elle possédait. Soudainement, elle se souvint des fleurs qui poussaient dans son jardin, elle les cueillit joyeusement et les donna à un voisin malade qui sembla très heureux de les recevoir. Ensuite, elle dressa la table de sa plus belle vaisselle, de son argenterie sur sa plus belle nappe. Ceci rendit joyeux ses enfants qui attendaient dès lors impatiemment un bon repas. Au moment où elle finissait sa liste d'emplettes, une personne qui lui devait de l'argent depuis longtemps, passa et lui remit $30 sur cette dette. Trente dollars qu'elle n'espérait plus revoir...

Si je pouvais crier un seul message au monde entier sur les secrets de la vie, ce serait ceci: **Que vous n'avez rien pour rien, mais que vous pouvez obtenir le meilleur de tout, en donnant à pleine capacité pour le bien que vous souhaitez obtenir.** Depuis que j'écris sur la prospérité, j'ai reçu beaucoup de lettres de gens qui n'avaient pas encore compris cette loi et qui essayaient toujours d'obtenir quelque chose pour rien. Une femme demanda qu'on lui envoie immédiatement $30 000 pour payer ses anciennes dettes. Elle n'écrivit pas une fois, ni deux fois, mais trois fois, avant d'être convaincue d'utiliser cette loi fondamentale de la prospérité et de subvenir à ses propres besoins.

Rayonnez et vous attirerez

Emerson décrivait certainement cette loi de donner et de recevoir, ou de rayonner et attirer, lorsqu'il écrivit: «Les grands coeurs envoient constamment des forces secrètes qui créent continuellement de grands événements.» Et qui sont ces *grands coeurs*? Ces gens qui osent penser et rayonner de grandes idées et des espoirs de réussite et de prospérité au lieu d'échecs, de problèmes et de restrictions. Il n'y a rien de grand, d'inhabituel et d'élogieux à propos de l'échec, des problèmes et de la restriction. Tout le monde peut vivre ces choses en suivant la voie du moindre effort et en cultivant les pensées habituelles d'échec que l'on entend constamment tous les jours.

Que de fois entendons-nous ces plaintes: «Tout m'arrive à moi. Je n'arrête pas de perdre. Nous vivons dans une vraie jungle. La chance est toujours pour les autres.» Ce qui amène habituellement à des conversations sur les moments déplaisants de la journée, à des critiques sur le travail, sur les confrères de travail, la famille, le gouvernement, les grands chefs du monde, la guerre, le crime, la maladie et les temps difficiles, les temps difficiles, les temps difficiles.

Chacun de nous, consciemment ou pas, utilise la loi du rayonnement et de l'attraction. Mais si vous voulez jouir de plus de prospérité et de réussite dans votre vie, vous devez consciemment, audacieusement et délibérément prendre en main vos pensées et vos sentiments et les rediriger vers la prospérité et la réussite. C'est à vous d'oser choisir et de rayonner par votre pensée ce que vous voulez vraiment vivre, plutôt que de vous enliser dans des expériences déplaisantes et des échecs passagers. Les conditions peuvent changer aussi rapidement que vous pouvez en changer votre conception.

Un ami travaillant dans les relations publiques utilisa récemment la loi du rayonnement et de l'attraction et obtint des résultats satisfaisants. Depuis longtemps, il avait souhaité obtenir un contrat peu ordinaire et avait fait tout ce qui était possible pour l'obtenir. Finalement, il décida qu'il cultiverait et rayonnerait mentalement, fortement, délibérément et audacieusement le désir pour ce contrat, assuré qu'en temps et lieu il recevrait ce contrat ou un plus grand.

Il s'assit calmement et pensa à ce contrat comme s'il le détenait déjà. Il repensa sans arrêt à ce contrat et il pensa à tous les moyens qu'il prendrait pour servir au mieux les intérêts du client, s'il s'occupait de leurs relations publiques. Il pensa longtemps et en détails aux personnes impliquées. Il redit souvent: *Je ne suis pas découragé. Je suis persistant. J'irai de l'avant. Je suis déterminé à parvenir à la réussite par la voie merveilleuse que Dieu a pour moi.* Lorsqu'une sensation de paix l'envahit, il chassa le sujet de sa tête.

Quelques semaines plus tard, il assista à une convention à laquelle participaient certains de ses clients. En nageant avec plusieurs d'entre eux dans la piscine du motel, il rencontra par hasard l'homme qu'il avait essayé de connaître depuis des mois et le porteur de ce contrat peu ordinaire. Ils négocièrent en plein milieu de la piscine! Lorsqu'il me raconta cette expérience en riant, il me dit: «C'est sans aucun doute cette loi de la prospérité du rayonnement et de l'attraction qui a amené d'aussi heureux résultats.»

J'ai remarqué en parlant avec des centaines de gens qui ont passé de l'échec à la réussite, que c'est la plupart du temps réellement ce que l'on pense profondément à l'intérieur de nous-mêmes, plutôt que cette *façade* que nous affichons pour les autres qui, inconsciemment, nous amène à des résultats semblables. Il y a un vieux proverbe qui dit: «Nous sommes où nous sommes car nous sommes ce que nous sommes; nous sommes ce que nous sommes par notre pensée quotidienne!»

Beaucoup de gens travaillent fort pour attirer de meilleures choses par des moyens superficiels, sans habituellement rayonner avant tout de l'équivalent mental et ils sont alors amèrement déçus lorsque leurs grands efforts se résument à un échec ou à une déception. Un jour, alors que je parlais avec une femme qui désirait beaucoup se marier, je lui suggérai de rayonner en répétant sans arrêt: **Amour divin, exprime-toi à travers moi maintenant, montre-moi tout ce dont j'ai besoin pour me rendre heureuse et pour combler ma vie.**

Un peu plus tard, je reçus des nouvelles d'amis que nous avions en commun me disant qu'elle travaillait le côté de l'attraction, mais qu'elle ne rayonnait pas plus loin que des téléphones, des invitations douteuses de tous les hommes qu'elle connaissait. Plus tard elle revint et dit que la méthode de prière suggérée n'avait pas fonctionné. Gentiment, je lui rappelai qu'elle n'avait pas rayonné de la méthode de prière suggérée, mais qu'elle avait rayonné de la méthode de panique qui ne lui avait pas été suggérée. La méthode avait fonctionné à l'envers, car elle avait inversé le processus.

Une veuve d'âge moyen osa, récemment, pour la même raison, utiliser la méthode du rayonnement et de l'attraction. En flottant dans la piscine, elle dit et redit en silence: **Amour divin, exprime-toi à travers moi maintenant, montre-moi tout ce dont j'ai besoin pour me rendre heureuse et pour combler ma vie.** Au même moment, elle entendit une voix d'homme l'appelant du bord de la piscine, lui demandant la température de l'eau, ce à quoi elle répondit qu'elle était merveilleuse. Rapidement il fut dans l'eau et un peu plus tard, dans sa vie; il devint son mari.

La préparation mentale avant tout

Quelle joie de constater que tout peut se réaliser mentalement d'abord; que votre esprit est votre pouvoir divin définitif. La raison pour laquelle tout peut être accompli mentalement est que l'esprit est le lien entre le monde tangible et l'intangible.

C'est à vous en cette époque merveilleuse, de revendiquer, par-dessus tout, votre royaume spirituel de grand bien, et d'oser assujettir, changer et réformer votre monde comme vous le voulez! Évidemment, tout ce pouvoir vous a été donné pour faire le bien et uniquement le bien. Les difficultés de l'homme surgissent lorsqu'il utilise ce pouvoir à l'inverse.

Mais quelle sensation de liberté vous envahit, lorsque vous réalisez que ce sur quoi vous centrez votre attention régulièrement, constamment et délibérément dans vos pensées, vos sentiments et vos espoirs, vous façonnez les expériences de votre vie! Lorsque vous réalisez ceci, la vie devient plus facile, plus simple et plus abondamment satisfaisante. Vous ne ressentez plus le besoin de vous débattre, de supplier, de raisonner, d'intercéder ou de demander à quiconque ce que vous désirez. Au lieu de cela, vous allez calmement au travail avec l'intention de choisir mentalement, d'accepter mentalement et de rayonner mentalement ce que vous souhaitez vivre dans la vie. Ce qui vous donne un sentiment victorieux avant même que les résultats abondants commencent à paraître.

Demandez délibérément la richesse

Vous devez rayonner délibérément pour attirer les choses que vous désirez; autrement, vous entrez dans un champ de pensée limitée et obtenez des résultats limités. Ce que vous rayonnez ou concevez intentionnellement et mentalement, vous l'attirez constamment. Il peut sembler que cette loi ne fonctionne pas exactement de cette façon lorsque vous voyez des gens qui semblent réussir et qui ne le méritent pas, mais en temps et lieu leur santé, leur richesse et leur bonheur s'écroulent s'ils ne sont pas soutenus par une solide base de pensées et de sentiments justes. Les moulins des dieux broient lentement. Au lieu de vous inquiéter afin de savoir si la loi de l'attraction et du rayonnement fonctionne correctement dans la vie des autres, commencez tranquillement à vous prouver les lois du raisonnement de la prospérité.

Un courtier de change, dont les associés examinaient le bulletin des cours de la bourse et constataient la lenteur des choses, entra furtivement dans son bureau privé et se détendit. Ce faisant, il commença à rayonner cette pensée: **Toutes choses et toutes personnes me font prospérer maintenant.** Soudainement, le téléphone se mit à sonner et à sonner. En peu de temps, il avait reçu plus d'affaires par téléphone qu'il n'en avait reçues par d'autres voies depuis plusieurs jours.

L'entreprise d'un réparateur de montres allait mal. Comme il montait dans son autobus un matin, lui aussi se souvint de la loi de la prospérité du rayonnement et de l'attraction et il dit tout bas: **Toutes choses et toutes personnes me font prospérer maintenant.** En quelques jours, il eut beaucoup de nouveaux clients qui vinrent faire réparer leurs montres et leurs bijoux. Bientôt, il eut assez de travail pour se tenir occupé pendant des semaines.

Vous êtes magnétique

Chacun de nous est un aimant! Et comme un aimant, vous n'avez pas besoin de forcer à vous le succès et la prospérité. Au contraire, vous pouvez développer cet état d'esprit exalté et prospère qui est un aimant qui attire à vous toutes les bonnes choses de l'univers, au lieu d'entretenir cet état d'esprit tendu, critique, anxieux, déprimé, rancunier, possessif qui est un aimant attirant toutes sortes de problèmes et d'échecs.

Puisque vous pouvez avoir l'équivalent tangible et intangible de tout ce que vous choisissez, entretenez et rayonnez mentalement, cessez de penser que les gens, les choses, les circonstances et les conditions ont le pouvoir de vous blesser ou de vous faire mal. Commencez à réaliser que rien ne peut se mettre entre vous et cette chose que vous avez osé choisir mentalement et rayon-

41

nez à travers vos pensées, vos sentiments, vos mots et vos espoirs.

Choisissez et rayonnez mentalement; choisissez et rayonnez émotionnellement; choisissez et rayonnez constamment et avec persistance.

Une femme me dit récemment que, depuis qu'elle avait invoqué intentionnellement le pouvoir du raisonnement de la prospérité, tous les membres de sa famille avaient reçu des bénédictions merveilleuses: son mari avait reçu plusieurs augmentations de salaire, son frère était devenu président de sa compagnie; deux de ses soeurs avaient pris leur retraite avec de bonnes rentes, une autre de ses soeurs était devenue la première femme de sa compagnie à accéder à un poste exécutif; un autre de ses frères avait obtenu un poste de directeur. Un peu de levain avait fait lever tout le pain dans cette famille.

Les étapes extérieures se dérouleront facilement

Bien sûr, je ne veux pas dire, en relatant les expériences de ces gens, que vous entretenez et rayonnez simplement l'équivalent mental de la chose désirée et que dès lors, vous ne faites plus rien. Bien souvent, vous devez entreprendre aussi des démarches extérieures bien définies. Mais vous découvrirez qu'en travaillant en premier l'image mentale de la chose désirée, les étapes extérieures se présenteront facilement - presque automatiquement - sans que vous ayez besoin de faire des efforts ardus. Plus vous orientez votre esprit dans des directions riches, moins vous aurez besoin de déployer des efforts humains inutiles pour obtenir des résultats. Vous travaillerez, bien sûr, mais ce sera du travail d'expression personnelle satisfaisant plutôt qu'une corvée pour assurer votre survie. Votre esprit riche de pouvoir et de rayonnement semble avoir un plan pour aller de l'avant et pour déclencher les moments opportuns, les événements, les circonstances, vers la prospérité et le succès, pour que vous y entriez presque inconsciemment.

Libérez votre substance refoulée

Nous sommes tous remplis d'une substance refoulée, d'énergie et d'une capacité divine qui souhaitent travailler pour nous, à travers nous et autour de nous. Les psychologues disent qu'une personne moyenne utilise seulement 10 pour cent de son énergie cérébrale. Les autorités médicales disent qu'une personne moyenne utilise seulement 25 pour cent de son énergie physique. Les psychologues disent en outre que l'homme peut produire plus en une heure de concentration intense qu'en vingt-quatre heures de travail physique; quelques psychologues croient même que l'homme peut produire plus en une heure de concentration intense qu'en un mois de travail physique.

Il y a sûrement une grande énergie mise à notre disposition en nous et autour de nous. Vous pouvez libérer cette substance refoulée, l'énergie et le pouvoir qui sont en vous pour une vie de prospérité, en libérant intentionnellement des pensées, des sentiments et des images mentales de réussite, de prospérité et de richesse. Ce faisant, vos riches pensées, sentiments et images mentales rayonnent dans ce riche et puissant éther de notre univers, où ils entrent en contact avec la riche substance universelle. Cette riche substance universelle est remplie d'un pouvoir et d'une intelligence divine qui se déplacent parmi les gens et créent à travers eux les conditions et les bonnes occasions afin d'attirer ce qui correspond aux riches rayonnements que vous avez envoyés et dès lors les résultats prospères apparaissent. Vraiment, notre merveilleux univers est riche et disponible pour tous. Il désire que toute l'humanité soit prospère, bien portante et heureuse et que les affaires de l'homme et du monde soient en harmonie divine.

À ce stade, quoiqu'il en soit, ne soyez pas trop préoccupé par la théorie du rayonnement et de l'attraction. Commencez simplement à l'accepter et à l'utiliser comme un secret de la prospérité. Toutes les lois de la prospérité énoncées dans ce livre ne sont que de multiples façons d'invoquer cette loi de base du rayonnement et de l'attraction. Vous trouverez que leur application est un travail délicieux, fascinant, excitant et abondamment rémunérateur!

Je vous invite maintenant à aller de l'avant à travers les pages de ce livre en vous souvenant de ces vérités:

Je suis un aimant irrésistible, ayant le pouvoir d'attirer à moi tout ce que je désire divinement, selon mes pensées, mes sen-

timents et mes images mentales que je nourris et rayonne constamment. Je suis le centre de mon univers! J'ai le pouvoir de créer tout ce que je désire. J'attire tout ce dont je rayonne. J'attire tout ce que je choisis et accepte mentalement. Je commence à choisir et à accepter mentalement le plus beau et le meilleur dans la vie. Je choisis et accepte maintenant la santé, la réussite et le bonheur. Je choisis pour moi et pour l'humanité l'abondance somptueuse. Notre univers est riche et disponible, et j'ose accepter ses richesses, son hospitalité et en jouir dès maintenant.

CHAPITRE 3

Les lois de la prospérité:
Le vide

Vous avez entendu dire que la nature a le vide en horreur. Ceci est particulièrement vrai dans le domaine de la prospérité. La loi du vide vers la prospérité est l'une des plus puissantes, même si pour en profiter au maximum, il faut de la confiance, une foi audacieuse pour l'appliquer, ainsi qu'un sentiment d'aventure et d'espérance. Lorsqu'une personne essaie honnêtement de devenir prospère en pensant aux règles de la prospérité, et qu'elle échoue toujours, c'est parce qu'habituellement, elle a besoin d'invoquer la loi du vide vers la prospérité.

Voici en quoi consiste la loi du vide vers la prospérité: si vous voulez de bonnes choses ou plus de prospérité dans votre vie, commencez à faire le vide pour la recevoir! Autrement dit: **débarrassez-vous de ce que vous ne voulez plus, pour faire de la place pour ce que vous voulez.** S'il y a des vêtements dans votre garde-robe ou des meubles dans votre maison ou dans votre bureau qui ne vous semblent plus appropriés, s'il y a des gens parmi vos connaissances et vos amis qui ne vous sont plus sympathiques — commencez à sortir le tangible et l'intangible de votre vie, en étant convaincu que vous pouvez obtenir ce que vous voulez et désirez vraiment. Souvent il est difficile de savoir ce que vous voulez vraiment jusqu'à ce que vous vous débarrassiez de ce que vous ne voulez plus.

Laissez aller le moindre

Inévitablement, vous trouverez dans votre vie que lorsque les choses que vous souhaitez ne sont pas apparues, c'est qu'habituellement vous devez libérer et laisser aller quelque chose pour faire de la place. Les nouvelles substances n'apparaissent pas aisément dans une situation embrouillée.

Si vous voulez de meilleures choses, qu'allez-vous libérer ou débarrasser pour leur faire de la place? La nature a le vide en horreur, et lorsque vous commencez à sortir de votre vie ce que vous ne voulez plus, automatiquement vous tracez le chemin pour ce que vous voulez. En laissant aller le moindre, automatiquement vous faites place à de meilleures choses.

Récemment un homme et sa femme utilisèrent cette loi du vide vers la prospérité pour meubler leur nouvelle maison. De leur ancienne maison, ils amenèrent les meubles qu'ils aimaient vraiment et qu'ils estimaient appropriés à la nouvelle ambiance. Ils donnèrent sans inquiétude beaucoup de leurs vieux meubles et laissèrent des espaces vides dans leur nouvelle maison, en imaginant ces espaces remplis par les meubles qu'ils désiraient vraiment. Pendant un certain temps rien ne se produisit, mais ils s'accrochèrent fermement à leur idée d'un beau mobilier approprié.

Un jour, le mari, qui travaillait pour une grande compagnie, fut classé selon un système de points de mérite. Comme il avait obtenu pour sa compagnie des résultats fructueux, ses points de mérite augmentèrent; ces points correspondaient à de nombreuses récompenses concrètes, dont l'une était un mobilier tout neuf.

Un homme d'affaires avait depuis plusieurs mois essayé de vendre sa maison, car il était muté dans un autre État. Il entendit parler de la loi du vide vers la prospérité et réalisa que même s'il avait fortement désiré vendre sa maison depuis plusieurs mois, il n'avait rien fait pour créer un vide de quelque sorte à travers lequel la chose désirée aurait pu se manifester. Et alors, un jour il s'assit calmement dans son cabinet de travail et mentalement imagina chaque pièce de la maison vide comme si la maison avait été vendue et qu'ils aient déménagé. Il imagina un vide partout. Dès lors, il prit note du déménageur qu'il désirait engager et mentalement pensa à tous les détails concernant le déménagement, comme si la maison était déjà vendue. Quelques jours plus tard, un acheteur qui aimait tout de la maison, apparut et lui remit un chèque en paiement initial.

Créez un vide pour la santé

Chaque fois que vous osez créer un vide, la substance de l'univers se hâte de remplir cet espace libre. Ceci s'applique aux domaines spirituel, mental et physique de la vie.

Un homme d'affaires tomba malade et pendant des semaines, il fut sous les soins de son médecin. Celui-ci était excellent et il fit tout ce qui était médicalement possible pour le guérir. Mais tout semblait sans effet; cet homme s'affaiblissait de jour en jour. Son corps semblait rempli d'un poison que rien ne pouvait détruire. Finalement, une nuit, transpirant à cause d'une grande fièvre et d'une toux profonde, il se souvint de la loi du vide et réalisa qu'il avait besoin de relâcher quelque chose. Sachant que l'esprit et les émotions avaient un tel impact sur le corps, peut-être devait-il se débarrasser d'une attitude mentale ou d'un sentiment émotif pour éliminer cette douleur, cette fièvre et cette faiblesse?

Il devint très calme et silencieusement demanda à l'intelligence divine ce qu'il avait besoin de relâcher. Tout à coup, il pensa à une personne contre laquelle il avait nourri une grande rancoeur. Alors, il se *rappela* mentalement les événements qui avaient causé cette rancune et son désir profond de blesser la personne. Comme il y repensait sincèrement, il réalisa que l'autre personne n'avait peut-être pas été consciente qu'il avait été blessé par les événements qui avaient eu lieu et que peut-être n'avait-il aucune raison de lui tenir rancoeur. (Il n'y en a jamais!)

Alité par une grande fièvre, il commença à dire et à redire: **Je te pardonne entièrement et librement. Je te délivre et te laisse partir. En ce qui me concerne, cet incident entre nous est clos à jamais. Je ne veux pas te faire mal. Je ne t'en veux plus. Je suis libre et tu es libre et tout va de nouveau bien entre nous.** Peu de temps après, une sensation de paix, de tranquillité et de soulagement l'envahit. Pour la première fois depuis plusieurs nuits, il dormit calmement. Le lendemain matin, sa fièvre avait disparu, et son médecin lui dit que le poison s'était envolé miraculeusement de son système pendant la nuit. Il était enfin sur le chemin de la guérison. Par le pardon, cet homme avait créé le vide nécessaire pour qu'une vie nouvelle remette son corps en santé et son esprit en paix.

Le pardon est votre réponse

La plupart des gens sont effrayés par le mot *pardon,* pensant que par cela ils doivent faire quelque chose de déplaisant et de spectaculaire; mais ce mot signifie simplement *remettre* — laisser partir de vieilles idées, des sentiments ou des conditions et donner quelque chose de mieux pour les remplacer. Le processus de *remettre* crée un vide et trace le chemin à de nouvelles choses.

Je me suis rendu compte en parlant avec des centaines de gens de leurs problèmes et en correspondant avec une centaine d'autres qu'inévitablement lorsqu'un problème ardu refuse de se résoudre, c'est qu'il y a un besoin de pardonner. De plus, j'ai remarqué que si une seule personne impliquée dans le problème commence à pardonner, tout ce qui est impliqué répondra, sera béni et la solution arrivera.

Par exemple, une femme très riche se vit impliquée dans une bataille juridique à propos d'affaires appartenant à son mari décédé. Ceci lui était très désagréable, car dans ce cas le défendeur qu'elle poursuivait était un ancien ami de la famille. Très affligée, elle se rendit un soir à un groupe de prières et raconta son problème à ceux qui y étaient présents. À sa consternation, les membres du groupe de prières ne furent pas bouleversés par son problème; et personne ne paraissait la plaindre. En fait, ils la surprirent totalement en lui disant que son problème ne se règlerait que si elle pardonnait à la personne qu'elle poursuivait. Agacée, elle répondit: «Lui pardonner? Je voulais simplement prier pour que je gagne ma cause contre lui. Il a fait tant de choses horribles!» Mais le groupe de prières resta impassible. Elle partit dégoûtée mais retourna la semaine suivante et fut de nouveau assurée que le pardon était la seule solution. Pendant les jours qui suivirent, elle se mit à penser sérieusement au pouvoir du pardon. Un jour, alors qu'elle était au volant de sa voiture, en pensant à ce vieil ami avec qui elle était en procès maintenant, elle cria: «Dieu, humainement je ne peux pas pardonner à cet homme. Mais si *tu* le peux, pardonne-lui à travers moi.» Soudainement, un sentiment de grande paix l'envahit et elle rendit grâces et chassa le sujet de sa pensée.

Quelques jours plus tard, cet homme vint en ville et rendit visite à son avocat. Il lui demanda s'il pouvait rendre visite personnellement à cette dame. Hésitant, l'avocat lui répondit: «Je pense que oui, mais cela ne vous donnera rien. Si vous voulez régler ce cas, vous devrez discuter avec moi car je suis son avocat.» Le défendeur répondit: «Oh, je ne veux pas rendre visite à cette dame pour discuter de la cause. Je veux lui rendre visite simplement parce que nous étions amis, et que j'ai toujours beaucoup admiré son mari. Je voudrais juste là voir comme dans le bon vieux temps pour parler du bon vieux temps.» Et alors, amicalement, il lui rendit visite et ils se mirent entre autres à parler du procès. Ils se mirent d'accord pour régler le problème calmement et hors cour à la satisfaction des deux parties impliquées. Ainsi, ce pouvoir de se défaire de vieilles idées, des attitudes et des préjugés ouvre la voie à de meilleures expériences.

La technique du pardon

Voici une technique de pardon qui peut créer un vide pour tout ce dont votre vie semble avoir besoin maintenant: asseyez-vous pendant une demi-heure chaque jour et pardonnez mentalement à tous ceux avec lesquels vous êtes brouillé, fâché ou préoccupé. Si vous avez accusé quelqu'un d'injustice, si vous avez parlé méchamment de quelqu'un, si vous avez critiqué ou comméré sur quelqu'un, si vous êtes légalement impliqué contre quelqu'un, demandez son pardon mentalement. Inconsciemment, ces gens répondront. De même, si vous vous accusez d'avoir échoué ou fauté, pardonnez-vous. Le pardon peut créer le vide qui peut libérer votre prospérité et votre réussite. Dites mentalement aux autres: **L'amour indulgent de Dieu nous a délivrés. Amour divin, donne-nous maintenant des résultats parfaits et tout entre nous est de nouveau harmonieux. Je te regarde**

avec les yeux de l'amour et je rends gloire à Dieu de ta réussite, ta prospérité et ton bonheur total. Il est bon de se dire aussi: **Je suis pardonné et guidé par le seul amour de Dieu et tout va bien.**

Je parlais un jour avec une femme qui avait beaucoup de problèmes dans son mariage. Son mari s'attendait de perdre un très bon emploi à cause de son problème d'alcoolisme et de son instabilité. Lorsque je lui suggérai d'abandonner ces idées à propos de son mari et de créer un vide pour que de meilleures choses viennent à eux par le pardon, elle dit vertueusement: «Il n'y a aucune raison pour que j'essaie le pardon. Il n'y a rien à pardonner. J'aime mon mari!»

Mais je lui dis que manifestement un certain vide était à faire; qu'il y avait beaucoup de choses dans leur situation présente dont elle voudrait être débarrassée; et que peut-être ce n'était pas à son mari qu'elle devait pardonner, mais que chacun de nous avions besoin de pardonner chaque jour à cause des nombreuses attitudes négatives inconscientes enfouies dans nos émotions et dont nous ne sommes même pas conscients.

Plutôt à contre-coeur, elle accepta finalement de s'asseoir chaque jour pendant une demi-heure et de pratiquer le pardon. Plus tard elle racontait, stupéfaite, que les noms de gens qu'elle avait oubliés depuis longtemps lui revinrent pendant ces moments et que des expériences déplaisantes et malheureuses du passé lui étaient revenues à la mémoire. À tout ceci, elle déclara des mots et des pensées de délivrance, de dégagement et de pardon, ainsi que pour le comportement récent de son mari. Quand elle se sentit soulagée et délivrée de beaucoup de comportements et d'attitudes hostiles, vieilles et à moitié enfouies, l'alcoolisme de son mari cessa. Et la réussite vint si rapidement qu'elle put arrêter de travailler et aménager un beau foyer pour son mari, ce dont ils avaient longtemps rêvé. Voilà le pouvoir du pardon.

La libération est magnétique

Vous attachez-vous à l'idée de savoir comment des situations troublées dans votre vie peuvent être réajustées, quelle apparence et quelle forme la solution doit-elle prendre? Alors libérez, relâchez, laissez aller. Dites à la situation ou aux personnes impliquées: **Je libère, relâche, laisse aller et laisse Dieu agir.** N'ayez pas peur du laisser-aller. Rien ne peut être perdu à travers la délivrance spirituelle. Au contraire, votre propre bien, et le bien de toutes les personnes impliquées est plus libre d'entrer dans votre vie. À travers la délivrance, votre pouvoir d'attirer le bien est grandement augmenté.

Mais voici un mot d'avertissement à propos des attitudes face aux choses concrètes que vous libérez. Une fois, je me suis sentie guidée vers ma garde-robe et j'ai donné la plupart de mes vêtements à ma soeur. Ces vêtements étaient en bonne condition mais j'en étais lassée et comme aucun nouveau vêtement n'était apparu depuis longtemps, je sentis qu'en les donnant, je préparais un chemin pour de nouveaux habits.

Après les lui avoir envoyés, je me sentis heureuse et attendis les nouveaux vêtements, assurée qu'ils arriveraient. Mais pendant plusieurs semaines, rien n'apparut. Finalement, je me rendis compte que j'étais toujours mentalement accrochée à ces vêtements que je lui avais envoyés, pensant: «Si j'avais cette robe ou cet ensemble que j'ai envoyé à ma soeur, je pourrais le porter aujourd'hui.» Il était alors nécessaire que je libère à nouveau ce que je pensais avoir déjà libéré. Dans ma tête, je me remémorai tous les vêtements que je lui avais envoyés et je disais mentalement pour chaque vêtement: **Je te délivre complètement et librement. Je te libère et te laisse aller complètement. En ce qui me concerne, tu as servi dans ma garde-robe et je n'ai plus besoin de toi. Tu es maintenant où tu dois être.** Après quoi, de nouveaux et de plus beaux habits apparurent très rapidement dans ma garde-robe.

C'était comme si une *influence magnétique* s'était mise à travailler pour moi. Une amie qui ne savait rien de ma garde-robe vint à moi tranquillement et me dit: «J'ai de l'argent que je désire partager avec toi. Lorsque je me demandais que faire avec ce montant, la seule pensée qui me venait était de le partager avec toi, peut-être pour de nouveaux vêtements. Tu sembles bien garnie en vêtements, mais cette idée persistait et, tiens, voilà, avec tous mes voeux.»

Ceci engendra le courant de substance qui vint à moi, de ci, de là, et de partout. Quelques articles que j'avais écrits n'avaient pas été acceptés et je décidai, en doutant mais en espérant, de les re-corriger et de les représenter. Dès lors ils furent acceptés et je fus payée. Plusieurs personnes, en apercevant certaines choses dans les magasins, s'étaient dit: «Ceci est fait pour Catherine.» Ils me les achetèrent pour m'en faire cadeau. Chaque fois, c'était un vêtement que j'avais imaginé suspendu dans ma garde-robe! Une amie alla faire un voyage dans sa ville natale pour magasiner. Nous n'avions pas communiqué ensemble depuis longtemps, donc elle ne pouvait rien savoir de mon histoire de garde-robe. Néanmoins, un colis rempli de vêtements m'arriva. Elle avait écrit une lettre qui disait: «J'avais toujours le sentiment que tu pouvais avoir besoin de ces différents articles, d'une façon ou d'une autre, et je n'ai pu m'empêcher de te les acheter. Je serais très heureuse que tu leur trouves une utilité.»

Cette expérience fut pour moi une bonne leçon. Rien de ceci n'était arrivé avant que je ne libère complètement les vêtements que j'avais envoyés à ma soeur. Un cadeau qui n'a pas été libéré entièrement après avoir été donné n'est pas un cadeau. Si vous ne pouvez donner librement, ce n'est pas la peine. Mais si vous donnez, soyez sûr de relâcher gracieusement ce que vous avez donné. Sinon rien de bon n'a été fait, aucun vide ne s'est créé.

Utilisez la substance que vous avez sous la main

Une autre manière d'invoquer la loi du vide vers la prospérité est d'utiliser une substance visiblement présente sans la retenir; vous créez ainsi la voie de votre nouvelle prospérité. Quoiqu'il en soit, vous devez faire ceci dans une certaine optique de pensée pour obtenir de riches résultats.

Lorsqu'il ne semble pas y avoir assez de prospérité sous la main pour faire face aux besoins du moment ou lorsque vous semblez empêché d'atteindre une plus grande prospérité, prenez le contrôle de la situation; prenez-en le contrôle par vos pensées et vos émotions. Plutôt que de vous sentir démuni, sans défense ou de vous plaindre, dites à ces aspects financiers: **Paix, restez tranquilles.**

Prenez votre porte-feuille, votre carnet de chèques ou tout autre objet de ressources financières dans vos mains et dites à leur sujet: **Vous êtes maintenant emplis de cette riche générosité de Dieu qui pourvoit maintenant à tous mes besoins.** Alors il est temps, sans crainte et audacieusement, de prendre la substance qu'ils contiennent jusqu'à épuisement. S'il y a des factures à payer, n'attendez pas d'avoir *assez d'argent* pour toutes les payer, mais allez-y avec confiance et payez ce que vous pouvez. Ainsi, vous séparez la substance disponible et la renvoyez pour qu'elle se multiplie.

Levez les yeux vers la prospérité

À ce stade, il est important d'affermir et d'entretenir une attitude de prospérité comme si votre générosité était déjà totalement apparente. Ce n'est pas le moment de parler d'insuffisance, de retenir, ou de faire des économies rigoureuses. Mais au contraire, c'est le moment de dépenser jusqu'au dernier sou, si nécessaire. Si, à ce stade, vous retenez ou parlez d'insuffisance financière, il vous en coûtera le double. Au lieu de cela, levez les yeux mentalement et remerciez la substance que vous auriez déjà dû envoyer. Ensuite, envoyez-la audacieusement accompagnée d'abondantes fioritures et de nombreuses bénédictions. Dites joyeusement: **Ceci est la générosité de Dieu et je l'envoie avec sagesse et joie.** Lorsque vous *levez les yeux* sans vous soucier des apparences du contraire, vous êtes toujours à l'abri du besoin.

Peut-être la personne qui m'apprit le plus sur cet aspect de la loi du vide vers la prospérité, fut une maîtresse de maison calme et modeste, qui *levait les yeux* constamment et donnait sans gêne l'argent de sa poche généreusement. Infailliblement, grâce à son opulence, elle se trouve toujours à l'abri du besoin.

Il y a plusieurs années, elle eut l'idée d'embellir l'église dans laquelle je servais. Doucement, elle vint à moi et parla des différentes améliorations qu'elle voulait faire, m'assurant qu'elle avait des *fonds privés* pour les effectuer. Ce fut quelques mois plus tard que j'appris que les *fonds privés* dont elle disposait étaient son argent consacré à ses provisions, qu'elle avait généreusement utilisé pour acheter de jolies choses pour l'église.

De cette manière, elle envoyait généreusement son argent. Elle continuait à *lever les yeux* et ses besoins personnels furent comblés. De nouvelles ressources s'ouvrirent à elle et à son mari de manières inattendues; ainsi, pour la première fois de sa vie, elle eut une bonne à son service, reçut en cadeau une nouvelle voiture et une allocation mensuelle.

Quant à la redécoration de l'église, cela fit *boule de neige* et dès lors, beaucoup de cadeaux arrivèrent, tout cela grâce à une maîtresse de maison qui osa tranquillement *lever les yeux* et utiliser sans honte, sans peur et abondamment la substance qu'elle avait sous la main — même si cette substance était son argent d'épicerie. Ceci me confond encore maintenant lorsque je réalise la foi qu'elle avait en la loi du vide vers la prospérité et tous les résultats abondants qu'elle continue de recevoir. Elle a souvent dit que depuis qu'elle a commencé à faire un vide, elle n'a jamais eu un besoin d'ordre financier qui n'ait été comblé.

Utilisez votre meilleur atout

Une autre façon de *lever les yeux* sans se soucier des aspects financiers, est d'utiliser votre meilleur atout. Portez vos plus beaux vêtements; paraissez de votre mieux. Vivez aussi grassement que possible de ce que vous avez déjà. Je me rappelle d'une fois où j'avais besoin de nouveaux vêtements pour aller donner une conférence, mais je n'avais pas d'argent disponible pour m'en acheter. Alors que je priais pour cela, je ressentis le besoin de porter mes plus beaux habits pour me sentir riche. Tous les jours pendant une semaine je mis et remis ma plus belle robe. Un jour je reçus une somme d'argent en cadeau pour des services que j'avais rendus dans le passé. Évidemment, la première chose que je fis fut de sortir acheter les nouveaux habits que je voulais.

Lorsque vous avez relâché, libéré et créé un vide pour une nouvelle prospérité, il est temps de faire tout ce que vous pouvez pour réaliser ce riche sentiment, cette riche atmosphère, cette riche apparence avec la substance présente. Ne mentionnez cette insuffisance apparente ou ce vide à personne. Parler d'insuffisance économique et de restriction maintient beaucoup de gens dans la misère financière. Ne pensez jamais que vous êtes pauvre ou dans le besoin. Ne parlez pas des temps difficiles, ou de besoin et de restriction économique. Ne pensez pas au peu que vous avez, mais à l'abondance que vous avez. C'est le moment de vous servir de votre plus belle argenterie, et de manger à la chandelle même si votre menu consiste simplement en un repas de fèves au lard.

En créant un vide et en libérant ce que vous ne voulez plus, en vous servant de vos ressources concrètes disponibles pour pallier le mieux que vous pouvez aux besoins et en vivant aussi richement que possible malgré les apparences — les résultats abondants commenceront à venir. Presque mystérieusement, de nouvelles ressources apparaîtront pour répondre à vos besoins. Dans votre misère vous trouverez d'autres ressources financières que vous ne connaissiez pas, pour satisfaire vos besoins. D'autres gens, sans le savoir, accompliront des choses qui alimenteront vos ressources.

Le calme et la confiance, voilà votre force lorsque vous avez besoin d'une plus grande prospérité, si vous osez *lever les yeux,* bénir et prendre la substance qui est sous la main comme bon vous semble. Demandez toujours des conseils divins autant sur le plan pratique que sur le plan spirituel dans lesquels vous pouvez créer un vide pour une nouvelle prospérité lorsque les problèmes financiers vous menacent. Ne paniquez pas; ceci n'est pour vous qu'une occasion de prouver que les lois invisibles de la prospérité peuvent donner des résultats concrets et satisfaisants. Ceci est seulement votre initiation au pouvoir du raisonnement de la prospérité.

Si vous apprenez rapidement à faire le vide dans votre apprentissage du raisonnement de la prospérité, vous ne paniquerez pas devant les défis financiers, mais sachez que vous pouvez et devez les combattre et à la longue, vous en ressortirez enrichi d'avoir appris à vous servir des lois invisibles pour répondre à vos besoins concrets.

Bien souvent, lorsque vous créez un vide en vous servant de ce que vous possédez, vous trouvez que le montant disponible est suffisant, que trop serait perdu ou gâté et que ce montant qui paraissait petit ou même insuffisant, devient approprié lorsque vous l'utilisez sans crainte. Il semble même vous soutenir pendant la période où aucune substance n'apparaît, si vous continuez à l'utiliser sans crainte et sachant avec foi que chaque besoin est comblé.

Faites de la place pour votre bien

Nous voulons tous des conditions financières meilleures et nous devons les avoir. Voici un moyen de les obtenir: Ne parlez pas d'insuffisance financière mais commencez à penser en fonction de la riche abondance universelle qui est partout. Ensuite, apprenez à libérer, à donner et à faire place aux choses pour lesquelles vous avez prié, travaillé, et que vous avez si ardemment désirées. En abandonnant et en rejetant de vieilles idées, d'anciennes attitudes et de vieux biens et en mettant à leur place de nouvelles idées de prospérité et d'accomplissement successifs, votre condition s'améliorera continuellement. Vous voulez toujours quelque chose de mieux que ce que vous avez déjà. Ceci est la nécessité du progrès. Comme des enfants qui sont trop grands pour leurs habits, vous grandissez par rapport à votre ancien idéal, en élargissant l'horizon de votre vie à mesure que vous avancez.

Il *doit* y avoir une constante élimination du vieux pour maintenir le pas avec cette croissance. Lorsque vous vous accrochez à l'ancien, vous entravez votre croissance ou l'arrêtez entièrement.

Pourquoi n'oseriez-vous pas faire le vide maintenant et inviter cette prospérité totale et cette réussite pour lesquelles vous avez tant langui et qui sont si divinement faites pour vous?

CHAPITRE 4

Les lois de la prospérité: La créativité

Maintenant, parlons sérieusement de prospérité. Maintenant que vous avez formé un vide, vous êtes prêt à remplir ce vide d'un bien riche et tout nouveau grâce à la loi créatrice de la prospérité. En fait, la loi de la création vers la prospérité implique les trois étapes fondamentales exposées dans ce chapitre et dans les deux chapitres suivants: (1) se faire un plan, inscrire ses désirs par rapport à ce plan, et allonger constamment ce plan; (2) se faire une image mentale de ce plan et des plans que l'on désire voir se réaliser; (3) affirmer constamment de façon positive l'accomplissement parfait de ces plans.

Cependant, la première partie de cette loi créatrice, celle qui est exposée dans ce chapitre, est la partie la plus importante, car sans plan et sans les notes qui s'y rapportent, les deux autres étapes sont inutiles.

Le désir ardent est la puissance du succès

La première étape de la loi créatrice vers la prospérité est le désir, ainsi que l'art d'en faire quelque chose de constructif. Un homme d'affaires me racontait il n'y a pas longtemps que dans son travail, lorsqu'un client venait à lui en désirant ardemment certains produits, il réussissait toujours à servir cette personne mieux que les autres. Il ajoutait que même si lui-même aurait préféré un autre produit, lorsque son client a déjà décidé qu'il désire ardemment certains produits, il ne cherche jamais à le faire changer d'idée, parce que le désir commande avec trop de puissance. Il déclarait qu'un désir ardent indique que le client a foi en ce produit, qui le satisfera alors presque inévitablement.

Le vrai désir n'a rien de faible ni de tiède. Il est intense et puissant. Lorsqu'on le développe et l'exprime de façon adéquate, le désir ardent rayonne de la puissance qui mène au succès. Plus vos désirs de bien sont forts, plus ces désirs auront de puissance pour vous amener ce bien.

En conseillant des gens troublés par différents problèmes, j'ai remarqué qu'un juste désir saura dissoudre tous les obstacles qui entravent votre chemin vers l'accomplissement. En fait, un désir juste est la première étape à suivre pour résoudre vos problèmes et vous lancer vers la prospérité.

Comment libérer ses désirs profonds de prospérité et de succès? En ne concentrant votre attention que sur un grand but à la fois. Chaque grand but se compose toujours d'un certain nombre de petits désirs qui se réalisent automatiquement dès que vous atteignez votre but. Les psychologues affirment que nos grands désirs et nos grands objectifs influencent les gens et les événements. On dirait que tout et tout le monde s'entend sur la teneur de nos grands désirs et objectifs et se met à nous aider à les réaliser.

Il est très étonnant de constater que parmi les millions de gens qui pensent qu'ils désirent le succès, très peu d'entre eux nourrissent des désirs puissants et ardents. Ils se sont contentés de dériver paresseusement au fil de petits événements et de petits espoirs. Les gens qui font vraiment quelque chose dans la vie sont généralement animés d'un désir intense d'obtenir les meilleures choses que la vie ait à leur offrir. Voici une déclaration que je suggère souvent aux gens afin de les aider à agrandir et à intensifier leurs désirs constructifs: **Je désire les choses les meilleures et les plus élevées dans ma vie et j'attire maintenant à moi les choses les meilleures et les plus élevées.**

Inscrivez vos désirs

La loi de la création vers la prospérité vous apprend à contempler vos désirs profonds et, au lieu de les refouler en les considérant comme des rêves impossibles, de vous mettre à les exprimer de façon constructive en les définissant, puis en faisant une chose très simple, mais très puissante: *Inscrivez-les!* C'est-à-dire, faites-en la liste, ou élaborez un plan, que vous devez pouvoir changer, réviser, modifier et réarranger à mesure que vos idées évoluent à ce sujet. Inscrire vos désirs et élaborer un plan *sur une feuille de papier* vous permet de les clarifier dans votre esprit, et l'esprit ne produit des résultats définis que lorsqu'il reçoit des idées précises à partir desquelles il peut agir.

Nombreux sont ceux qui travaillent fort extérieurement pour atteindre la prospérité, mais qui ne l'atteignent pas parce qu'ils n'osent pas définir leurs pensées et leurs désirs de façon précise. Ils veulent améliorer leur mode de vie et leur compte en banque, mais ils ne précisent jamais *quelles* améliorations ni de *combien* d'argent ils ont besoin. En fait, beaucoup de gens hésitent à demander avec précision, craignant de sembler indiquer à Dieu ce qu'*il* doit faire. Mais comme l'écrivait le docteur Emilie Cady: «Le désir, c'est Dieu qui frappe à la porte de votre esprit, cherchant à vous donner le meilleur». Si vous refoulez ces désirs profonds, ils ne trouveront aucun débouché constructif et se transformeront souvent en canaux destructifs se manifestant par des tendances à la névrose, aux phobies, à la tension, à l'alcoolisme, les troubles mentaux, la drogue, le déséquilibre sexuel, ou autres activités négatives.

J'ai découvert la puissance que possède l'action d'écrire ses plans et ses désirs, il y a quelques années, grâce à mon patron, Joe Tally. Un jour, comme il venait de perdre une campagne électorale, au lieu de se désespérer, il s'attaqua immédiatement à l'élaboration d'un plan nouveau. Il déclara qu'il désirait de plus grands bureaux d'avocats; il voulait agrandir le personnel de sa firme de deux hommes à cinq ou six hommes; enfin, il désirait que le revenu annuel de sa firme augmente d'année en année au cours des cinq prochaines années.

À cette époque, il ne savait pas qu'il était en train d'utiliser l'une des méthodes de succès les plus puissantes. Cette façon d'agir lui semblait si simple! J'eus cependant l'occasion de voir cette ébauche de plan se réaliser et donner d'excellents résultats. Sa firme juridique grandit bientôt en une association entre cinq avocats qui se spécialisaient dans cinq domaines différents. La firme fut transférée de son petit bureau de deux pièces à un bureau spacieux occupant tout l'étage d'un édifice bancaire tout neuf.

«Rien ne réussit mieux que le succès»; cette phrase se concrétisa certainement pour Joe Tally, une fois qu'il eut élaboré son plan, osé le formuler par écrit et qu'il se soit mis à agir pour le concrétiser.

La prospérité est un résultat planifié

L'histoire d'un agent de voyages prouve elle aussi avec quelle puissance le fait d'élaborer des plans attire la prospérité et le succès. Il y a quelques années, le président d'une grande société mourut. À ce moment-là, la société éprouvait des difficultés financières. Le vice-président, qui était excellent dans le domaine financier, prit alors les choses en main. La société se mit immédiatement à prospérer, et aujourd'hui elle est l'une des compagnies les mieux cotées en bourse. Ces dernières années, ses chiffres de vente ont dépassé ceux de tous ses plus grands concurrents. Quel fut le secret d'une telle prospérité? Eh bien, il semble que *depuis des années*, le vice-président travaillait à un plan qu'il avait sagement élaboré pour la croissance et la prospérité de la société. Le jour où il fut nommé président, il sortit son plan de son tiroir et se mit à l'exécuter. Aujourd'hui, sa société n'est plus une entreprise médiocre écrasée par les dettes. C'est l'une des compagnies les plus prospères au pays! *Il a prouvé que la prospérité est un résultat planifié.*

La prospérité est un résultat provenant de la réflexion et de l'action délibérées. On ne remet pas une vie prospère entre les mains du hasard. C'est un résultat planifié, tout comme le bridge, ou la construction d'un édifice. Sans un plan délibéré et prospère, on n'obtient pas de résultats prospères durables et réguliers.

Les étudiants de mes cours sur la prospérité ont beaucoup apprécié la loi de la création vers la prospérité. Un grand nombre d'hommes d'affaires qui en faisaient partie me racontèrent que cette seule idée transforma leurs efforts chancelants vers la prospérité en résultats étonnamment heureux. Ils y travaillaient très fort depuis longtemps, mais pas de façon précise et définie. Puis, ils avaient découvert qu'ils n'avaient aucune raison de ne pas

oser demander ce qu'ils désiraient vraiment. La Bible l'a promis:
«*Demandez et l'on vous donnera; cherchez et vous trouverez;
frappez, et l'on vous ouvrira.*» (Matt. 7:7)

Vous pensez peut-être que vous ne savez pas vraiment ce que
vous voulez, que vos désirs ne sont pas encore assez bien définis.
Dans ce cas, mettez-vous tout simplement à penser et même à
faire des listes de ce que vous ne voulez plus dans votre vie.
Faites une liste des choses que vous voulez débarrasser et
éliminer de votre vie. Puis, déclarez à cette liste: **Ceci aussi va
passer** ou **Dissous-toi.**

Je connais un électricien qui appliqua cette méthode. Son
associé était mort quelques mois auparavant, laissant sa part de
l'entreprise à des héritiers peu coopératifs qui ne voulaient ni
acheter, ni vendre. L'associé, presque au bord du désespoir,
s'était mis à appliquer le raisonnement de la prospérité. Il
désirait soit acheter l'autre moitié de l'entreprise, soit vendre sa
part. Il voulait tout simplement dissoudre le *statu quo* qui
coûtait si cher à l'entreprise; et il désirait en outre éliminer le
caractère déplaisant, confus, et incertain de sa situation en affaires. Un mois après qu'il ait écrit des notes affirmant qu'il
voulait dissoudre cette atmosphère déplaisante et incertaine, il
reçut une note d'avocat lui annonçant que les héritiers de son
associé étaient prêts à vendre! Ce qu'ils firent immédiatement et
sans histoires.

Une formule de prospérité

Voici ce que fit un groupe de gens qui testaient avec moi le
raisonnement de la prospérité pendant une période récente de
récession. D'abord, ils écrivirent les désirs qu'ils voulaient voir se
réaliser dans les six mois, puis ils inscrivirent ce qu'ils voulaient
accomplir au cours de chacun de ces six mois. Chaque jour, ils
allongeaient ou modifiaient leurs listes de désirs, comme leur intuition le leur dictait. Certains changèrent complètement leur
liste, s'étendant sur certains désirs et en annulant d'autres qui ne
leur disaient plus rien.

Chaque semaine, ils apportaient leurs listes au cours. Ils ne
montrèrent leurs listes à personne. Au début de chaque cours,

chacun prenait sa liste et nous déclarions tous ensemble à haute voix:

Je suis l'enfant d'un père riche et plein d'amour. Tout ce que possède mon père, il le partage avec moi et me permet d'en jouir. L'intelligence divine me montre maintenant comment revendiquer la richesse, la santé et le bonheur que Dieu a préparés pour moi. L'intelligence divine ouvre même maintenant la voie pour les bénédictions que je dois recevoir immédiatement. Je crois avec foi que tout ce qui m'appartient de droit divin m'arrive maintenant avec une riche abondance. Les riches bénédictions que je reçois n'affectent la propriété de personne, puisque la riche substance de Dieu est illimitée et partout, disponible pour tout le monde. Il n'y a aucun délai! Tout ce qui ne contribue pas à mon plus grand bien s'évanouit maintenant de ma vie et je ne le désire plus. Dieu exauce maintenant avec abondance les désirs qu'il avait mis en moi, selon ses voies merveilleuses.

Je demandais également aux étudiants de consacrer au moins 15 minutes par jour à déverser sur leurs listes de désirs des prières et des bénédictions verbales (dont nous parlerons dans le sixième chapitre) et de retravailler chaque jour leurs listes, les révisant, les modifiant, les allongeant. Je leur demandais de faire des choses précises, comme d'inscrire le montant d'argent qu'ils voulaient gagner cette journée, cette semaine, ou ce mois-là. Je leur demandais également de fixer une échéance, et des dates précises auxquelles ils voulaient que leurs désirs se soient réalisés. Je leur disais également de ne pas s'étonner, ni de douter, ni de se demander de quelle manière leur bien abondant se manifesterait, mais de continuer à lancer à l'action les lois créatrices vers la prospérité en suivant ces méthodes simples.

Ils obtinrent des résultats fabuleux, et je reçois de toutes les parties du monde des lettres de gens qui, ayant lu quelque article sur cette méthode pour créer la prospérité, l'ont essayée et en ont retiré des résultats tout aussi prospères! Lorsque les membres de mon groupe travaillaient à leurs listes, les revoyant et les modifiant, nous affirmions souvent les paroles de Goethe: «Ce que vous pouvez faire, ou ce que vous rêvez que vous pouvez faire, commencez à le faire. L'audace se compose de génie, de puissance et de magie.» Nous déclarions souvent: **Tout ce que**

nous pouvons concevoir, nous pouvons l'accomplir avec l'aide de Dieu. Et nous nous rappelions souvent la vérité suivante: les obstacles fuient devant l'homme qui sait où il va et le monde entier semble du côté de l'homme qui cherche à s'élever.

Le fait de penser à ses désirs, de les exprimer de façon constructive en les écrivant, de fixer une date à laquelle vous désirez qu'ils se réalisent et enfin de demander à Dieu que *sa* volonté soit faite quant à la question, semble presque dégager une puissance magique. Cette méthode vous semble-t-elle trop simble pour être efficace? Les grandes vérités et les secrets puissants semblent souvent très simples. Tellement simples, en fait, que les gens ordinaires ne les voient pas et cherchent une voie plus compliquée.

Écrivez une lettre à Dieu

Une femme d'affaires invoqua la méthode créatrice de la prospérité d'une façon légèrement différente. Le premier de l'An, au lieu de faire toutes sortes de résolutions du Nouvel An, elle écrivit à Dieu une lettre dans laquelle elle fit une liste honnête de tout ce qu'elle désirait pour la nouvelle année. Puis elle scella l'enveloppe et la plaça dans sa Bible. Vers la fin de l'année, elle me montra sa lettre qui contenait une liste de choses bien précises. Tous ses grands désirs s'étaient réalisés: étant veuve, elle avait demandé de refaire un mariage heureux. Vers la fin de l'année, je présidais à une cérémonie de mariage privée pour elle et son nouveau fiancé, que des amis lui avaient présenté après qu'elle eut écrit ce désir. Dans sa lettre, elle exprimait également son désir d'une plus belle maison. Son nouveau mari la lui donna! Elle avait également demandé un meilleur emploi. Vers le milieu de l'année, on lui avait offert un poste plaisant, satisfaisant, mieux rémunéré.

Mais laissez-moi vous avertir: soyez honnête avec vous-même, en écrivant vos désirs. Comme le fit cette femme, exprimez vos sentiments les plus profonds. N'inscrivez pas ce que quelqu'un d'autre désire pour vous, ni ce que vous pensez que vous *devriez* désirer. Montrez-vous honnête avec vous-même et votre Créateur, si vous désirez vraiment obtenir des résultats heureux.

Je connais une autre femme d'affaires qui écrivit une lettre semblable à Dieu au premier de l'An, mais au lieu d'y inscrire ses désirs les plus profonds et les plus ardents, elle y fit une liste de ses plus petits désirs superficiels d'un ton tiède et peu enthousiaste. Elle ne mentionnait même pas les plus grands désirs de son coeur. Et rien ne se passa.

Comme elle avait gardé au fond d'elle-même ses plus profonds désirs, elle n'avait ouvert aucune voie par laquelle la substance de Dieu aurait pu lui déverser son bien abondant. Votre Père qui vous aime voit toujours que vous ayez mieux que ce que vous avez actuellement. «Le royaume de Dieu est proche», et si vous voulez que Dieu vous aide à en jouir dès maintenant, vous vous devez au moins d'être honnête envers *lui* et envers vous-même. Sinon, vous bloquez toute possibilité de réalisation.

Vous pensez peut-être: «Oui... mais si mes désirs ne sont pas des plus élevés? Est-ce que je dois quand même me montrer honnête et les inclure dans ma liste?» Certainement, car en vous montrant honnête, vous les libérez au lieu de les refouler et dès que vous les libérez et que vous les regardez en face, votre père aimant peut vous aider à les réarranger pour en faire de bons désirs.

J'ai observé l'efficacité de ce principe dans le cas de gens que je conseillais spirituellement, mais qui pensaient que leurs problèmes étaient gênants ou scandaleux. Ils parlaient alors de leurs problèmes secondaires, tout en refoulant au fond d'eux-mêmes la chose qui les troublait vraiment. La réponse et la solution divine n'apparaissait que lorsqu'ils arrivaient au coeur de leurs problèmes.

Faites une liste quotidienne

La méthode créatrice d'écrire ses désirs se révéla si efficace pour l'une de mes amies qui dirige une école de mannequins, qu'elle enregistra sur bande magnétique les instructions précises indiquant la manière d'établir des listes, de les revoir quotidiennement, etc. Cette bande fait maintenant partie de son cours d'entraînement de mannequin. Résultat? La plupart de ses étudiantes ont trouvé les emplois de mannequin qu'elles désiraient, ainsi que des engagements à la télévision et à la radio, après avoir établi des listes sincères du travail qu'elles désiraient, du salaire qu'elles voulaient, ainsi que des heures et des conditions de travail qu'elles espéraient obtenir.

Vous pouvez également invoquer la loi créatrice de la prospérité d'une façon simple, mais efficace: commencez et finissez votre journée en écrivant des notes et des listes. Chaque matin, je m'assieds calmement, le plus souvent avec une tasse de café, et je consacre quelques minutes à penser à ma journée et à toutes les choses, importantes ou secondaires, qui doivent se faire, soit par moi-même, soit par quelqu'un d'autre. Je fais des listes de ce travail que je désire voir accompli. Ces minutes sont précieuses, car elles me permettent de sentir ma journée sous contrôle. En général, j'ajoute à la fin de ma liste une note de remerciement adressée à Dieu pour *tous les accomplissements divins*. Vous seriez étonné de voir le nombre de choses qu'*il* accomplit pour moi, sans que je n'aie d'autre chose à faire que ces listes et ces notes de remerciement pour leur réalisation divine.

De même, je consacre de nouveau quelques minutes à la fin de la journée à revoir tout ce qui s'y est passé et à écrire à Dieu des *notes de remerciement* pour les bénédictions qu'il m'a accordées et le bien qu'*il* a accompli. Je commence aussi à penser au lendemain et à faire des notes sur son accomplissement parfait. Je m'assure ainsi une nuit de sommeil paisible et profond. Ces listes du début et de la fin de la journée m'apportent tant de satisfaction et de lumière - parce qu'on trouve toujours plus de bénédictions à y ajouter qu'on ne s'y attendait - que je ne pourrais plus me passer de ce rite quotidien. Lorsque je fais ces listes, mes journées ne comptent pour ainsi dire pas d'incidents désagréables.

Beaucoup de gens utilisent cette méthode

Si cette technique de liste vous semble futile, permettez-moi de vous assurer qu'un grand nombre de gens se servent de cette technique pour atteindre le succès - plus qu'on pense, parce qu'ils ne font pas de publicité pour le secret de leur succès.

Deux grands ingénieurs m'ont montré confidentiellement de

petits livres qu'ils gardent dans leur poche intérieure et qu'ils sortent quand les choses commencent à se gâter au cours de leur journée d'affaires et dans lesquels ils inscrivent vite de quelle manière ils désirent que les choses s'arrangent. Personne n'en a connaissance et c'est ainsi qu'au milieu de tous les autres, ils réussissent à maîtriser rapidement grâce à leurs listes, les problèmes auxquels ils doivent faire face.

Une mère de famille qui suivait l'un de mes cours demandait récemment à son fils, jeune homme d'affaires, quel cours de perfectionnement il suivait actuellement dans sa compagnie. Il lui expliqua qu'on lui avait appris à se servir d'une nouvelle technique psychologique pour résoudre ses problèmes d'affaires. Dans ce cours, on lui avait appris que la meilleure méthode de résoudre un problème était de s'asseoir dans un endroit calme, d'écrire la nature du problème ainsi que ce que l'on considérait comme la meilleure solution, puis de déchirer ses notes et de se détendre, sachant que le problème allait se résoudre de cette façon, ou mieux encore, puisqu'il avait été en mesure de l'imaginer et de l'écrire! Ce jeune homme d'affaires sembla très surpris d'entendre sa mère lui dire qu'elle se servait de cette méthode depuis des mois, après l'avoir apprise dans notre classe d'étude.

Un médecin augmenta considérablement son revenu en quelques semaines après s'être mis à inscrire la somme qu'il désirait gagner d'une semaine à l'autre. Il avait essayé auparavant de penser en terme d'augmentation mensuelle de son revenu, mais son esprit n'avait pas réussi à accepter des montants aussi énormes. En les ramenant à un niveau hebdomadaire, il lui était devenu plus facile d'accepter l'idée d'une augmentation hebdomadaire, qui se manifesta alors aussitôt.

L'auteur du livre des Proverbes nous enseigne très justement: *Que bienveillance et fidélité ne te quittent! Fixe-les à ton cou, inscris-les sur la tablette de ton coeur. Tu trouveras ainsi faveur aux regards de Dieu et des hommes.* (Prov. 3:3,4) Dès que vous cherchez à acquérir la grâce et une raison saine aux yeux de Dieu et des hommes, la technique des listes se révèle alors des plus puissantes.

Écrivez à leur ange

Lorsque vous cherchez de la compréhension en ce qui concerne une question financière, il est bon d'écrire des notes aux personnes impliquées, de les sceller et de les placer dans votre Bible pour l'instant. Les grands mystiques enseignaient que tout le monde a un *ange*, ou un moi plus élevé, et que lorsque vous ne réussissez pas à atteindre cet ange par des voies ordinaires, vous devriez lui écrire en secret. En fait, ces sages allaient jusqu'à décrire sept types de personnes avec lesquelles il est plus aisé et plus efficace de communiquer en écrivant à *leur ange* que de chercher à les raisonner de la façon habituelle.

Vous pensez peut-être, «Oui, oui, c'est du très beau mysticisme, mais à quel point est-ce que cette méthode d'écrire à un ange est-elle pratique?» Rendez-vous à l'évidence que dès que vous avez des difficultés avec une personne, c'est que vous n'avez pas réussi à l'atteindre par des voies ordinaires. Alors qu'avez-vous à perdre en essayant secrètement de l'atteindre par son moi supérieur, ou *son ange*?

Un homme d'affaires éprouvait de la difficulté à conclure une affaire qui traînait depuis longtemps. Toutes les personnes impliquées étaient très coopératives et voulaient régler la question, sauf un homme qui ne cessait de changer d'idée et qui ne semblait sûr de rien. C'est lui qui empêchait que les choses se règlent. Désespéré, notre homme d'affaires décida d'essayer d'écrire une note à son ange. L'homme en question était d'une nature timide, inquiète, craignant toujours quelque chose. En secret, l'homme d'affaires écrivit exactement le contraire: «À l'ange de (disons) Luc Roy, je te bénis et rends grâce de ce que tu amènes cette question à une conclusion parfaite, et que toutes les personnes impliquées sont ainsi bénies et satisfaites.» Il écrivit cette déclaration quinze fois, parce qu'il avait entendu dire que les anciens utilisaient le chiffre quinze pour briser et dissoudre une situation difficile. Quelques jours plus tard, cet homme d'affaires m'appelait par interurbain pour me raconter que la personne qui lui causait des problèmes était venue le voir à son bureau pour lui dire: «Venez à mon bureau demain matin, et les documents seront prêts à être signés. Cette situation dure depuis trop longtemps, il faut vraiment en finir.» La transaction se conclut rapidement.

Écrivez des notes... et vos factures se paieront

Voici un autre type de notes qui se révèle toujours très efficace pour le paiement des factures: lorsque ces factures commencent à vous arriver par le courrier, au lieu de les maudire silencieusement, écrivez sur les enveloppes: **Je rends grâces de ce que tu te paies immédiatement et complètement. Tu es immédiatement et entièrement payée par les voies riches de la substance divine.** Lorsque les factures se sont déjà accumulées, il est également bon de faire des listes des montants dus, à côté desquels vous inscrivez cette déclaration pour leur paiement immédiat.

Un homme d'affaires apporta un jour une chemise pleine de factures en disant: «Comment le raisonnement de la prospérité pourrait-il m'aider à payer ces factures? Certaines datent de plusieurs mois.» Puis, pendant à peu près une heure, nous nous sommes occupés à dresser une liste de ses créanciers et des montants dus, en commençant par les factures les plus anciennes et les plus urgentes. Puis nous avons inscrit la déclaration concernant leur paiement immédiat. Comme il semblait humainement impossible de payer tant de factures immédiatement, nous avons dressé une seconde liste de celles qui devaient absolument se payer dans la semaine qui venait, avec la déclaration suivante: **Je rends grâces de ce que vous êtes immédiatement et entièrement payées d'ici au...** avec la date de la semaine suivante.

Cet homme d'affaires revint une fois par semaine avec son paquet de factures et nous pouvions les voir se payer graduellement. Il fallut à peu près deux mois pour remettre ses affaires financières à jour. Une fois que tout fut en ordre, il décida de se servir de la même technique le premier de chaque mois pour payer à temps ses factures courantes. Par cette méthode, il apprit à maîtriser ses questions financières dans son esprit. Dès qu'il sut les contrôler mentalement, il réussit à maintenir un ordre constant dans ses finances.

Malheur à ceux qui écrivent leurs problèmes

Isaïe disait: «Malheur aux législateurs de législations impies, aux scribes de rescrits oppresseurs.» (Isaïe 10:1) Ceci s'applique parfaitement aux questions financières. Je connais un homme qui éprouvait des difficultés dans ses affaires. Au début, les choses n'étaient pas si urgentes, et en changeant d'attitude, il aurait certainement pu les arranger. Mais ne le sachant pas, cet homme paniqua et se mit à écrire à un certain nombre de ses amis pour leur décrire ses difficultés dans tous les détails. Il amplifiait ainsi la difficulté dans son esprit, qui s'amplifia à son tour dans ses affaires. Lorsqu'il se mit à appliquer à sa situation le raisonnement de la prospérité, il lui fallut plusieurs mois pour régler sa situation. Il dut cesser de parler de ses problèmes aux autres et cesser d'écrire l'aspect négatif de sa situation. Dès qu'il se mit à faire le contraire, c'est-à-dire à écrire en secret l'état dans lequel il désirait voir son entreprise, ses difficultés commencèrent à diminuer pour la première fois depuis des mois.

Ainsi, il est bon de faire face à l'aspect hostile des choses en écrivant chaque jour l'état dans lequel vous désirez voir vos affaires, établissant ainsi un contraste avec l'état dans lequel elles vous semblent être. Ceci aide votre esprit à accepter l'amélioration que vous désirez et de plus, votre désir écrit monte dans les sphères invisibles et s'accorde inconsciemment à l'esprit des autres, qui commencent alors à coopérer et à vous aider. Cette méthode peut sembler mystique, mais de nouveau, si elle produit des résultats pratiques et efficaces, pourquoi n'auriez-vous pas l'audace d'être un mystique des temps modernes?

Maîtrisez votre passé et votre avenir

Il est également bon de maîtriser son passé et son avenir en écrivant des déclarations à leur propos. En conseillant les gens, je me rends compte qu'un bon nombre d'entre eux vivent toujours dans le passé, regrettant encore leurs erreurs passées; mais le fait de fixer ainsi votre regard en arrière vous empêche d'aller de l'avant et de progresser dans votre présent et votre avenir. J'ai aussi remarqué que beaucoup de personnes merveilleuses ont peur de l'avenir. Dans tous les cas, écrivez de quelle manière vous voudriez que les événements entourant une erreur passée soient survenus; écrivez aussi le mode de vie que vous désirez dans le présent et dans l'avenir.

Écrivez des notes pour décrire certains événements passés désagréables comme vous voudriez qu'ils soient arrivés; vous aurez ainsi l'impression de *retirer l'aiguillon* de ces mauvais souvenirs. J'ai vu dans plusieurs cas les personnes impliquées dans des incidents malheureux du passé, écrire, téléphoner, ou surgir pour affirmer qu'ils pardonnaient et oubliaient complètement cet incident. Dans certains cas, des liens plus heureux que jamais se reformaient entre des personnes qui avaient été séparées par la rancoeur et le malentendu.

De même, lorsqu'un événement à venir semble vous menacer, maîtrisez-le mentalement en dressant une liste des façons dont vous désirez qu'il survienne. Lorsque vous ressentez de l'incertitude en pensant à une réunion d'affaires, écrivez les noms de toutes les personnes impliquées avec des déclarations d'harmonie, de compréhension, et de résultats parfaits. Comme le temps n'existe pas dans le royaume de l'esprit, votre esprit peut se projeter dans l'avenir et préparer à l'avance une expérience à venir harmonieuse et produisant de bons résultats, de façon à ce que tout se passe avec facilité, rapidité, et succès. L'esprit est un serviteur merveilleux de l'homme, à condition que ce dernier s'en rende compte et qu'il l'entraîne à travailler en sa faveur.

Un jeune homme d'affaires qui savait réussir de façon étonnante me dit que, alors qu'il n'était encore qu'un adolescent, il s'était élaboré un plan de progrès sur une période de douze ans, qui s'était réalisé d'une façon merveilleuse. Bien qu'il n'ait pas encore trente ans, on le considère déjà comme étant riche, et l'on prédit qu'il sera certainement millionnaire dans moins de dix ans.

Cette méthode est toute-puissante!

La loi créatrice de la prospérité est toute-puissante pour produire le succès et le bonheur dans votre passé, votre présent et même votre avenir. Nous avons tous des désirs que nous voudrions voir se manifester et produire d'excellents résultats.

Pourquoi ne vous uniriez-vous pas doucement à d'innombrables autres personnes pour amener plus de bien dans votre vie grâce à ces méthodes de création vers la prospérité? Commencez dès maintenant en vous demandant honnêtement ce que vous désirez le plus dans la vie. Soyez précis, exact et sincère avec vous-même. Puis inscrivez vos plus grands désirs. Déclarez ensuite pour vous-même, sans mentionner à qui que ce soit ce que vous faites, la réalisation divine de vos désirs. Déclarez: **Je rends grâces pour l'accomplissement divin immédiat et complet de ces désirs. Je suis en train de recevoir ceci, ou mieux, selon un horaire parfaitement planifié et par la riche bonté de Dieu pour moi.** Puis, modifiez et révisez chaque jour votre liste, comme vous sentez votre intuition vous inspirer.

Consacrez au moins quinze minutes chaque jour à travailler sur votre liste. Ayez le courage de persister dans cette simple procédure et préparez-vous à recevoir une avalanche de résultats heureux. Vous en recevrez plus que vous ne le pensiez possible, car l'univers plein d'amour de Dieu désire vous faire prospérer et vous bénir.

Permettez-moi de vous rappeler à nouveau la promesse de Goethe: *Ce que vous pouvez faire, ce que vous rêvez que vous pouvez faire, commencez à le faire. L'audace se compose de génie, de puissance et de magie.* Pourquoi ne pas le prouver dès maintenant? Comme me l'a souvent répété une personne qui sait penser prospérité: «J'ai remarqué que les résultats ne commencent à venir à moi que lorsque j'ai commencé à aller vers eux.» Les méthodes de créativité que je vous ai présentées sont simples, mais elles se sont révélées efficaces: elles vous aideront à *démarrer* vers votre bien. Mais une fois que vous serez en route vers votre bien, ne vous étonnez pas de le voir se précipiter vers vous en faisant plus que la moitié du chemin!

CHAPITRE 5

Les lois de la prospérité:
L'image mentale

Une fois que vous avez établi vos listes et que jour après jour vous les avez modifiées, allongées et révisées, vous êtes prêt à vous engager dans la prochaine étape. Vous allez invoquer le pouvoir spirituel de l'image qui possède une puissance presque magique et le prier de travailler pour vous.

À notre ère moderne, les spécialistes qui étudient l'esprit humain nous affirment que l'homme est capable de créer tout ce qu'il peut imaginer; que l'image mentale génère bel et bien les conditions et les expériences de la vie et des affaires de l'homme; que la seule limite de l'homme réside dans le fait qu'il utilise son imagination de façon négative. Autrement dit, s'il y a un échec ou une insuffisance dans votre vie, c'est que vous l'aviez imaginé mentalement. C'est vous qui créez dans votre esprit les limitations de votre vie; ainsi, c'est vous qui, dans votre esprit, pouvez commencer à dissoudre ces limitations et à remodeler votre vie telle que vous désirez qu'elle soit.

Le médecin français Émile Coué fut le premier à déclarer que l'imagination est une force bien plus puissante que la volonté; et qu'en cas de conflit entre l'imagination et la volonté, l'imagination remporte toujours la victoire.

L'hypnose nous l'a d'ailleurs prouvé. Bien souvent, lorsqu'on lui présente une image mentale, la volonté refuse de l'accepter. Mais si l'on répète l'image mentale assez souvent, l'imagination ne peut que l'accepter et la faire passer, aussi invraisemblable que l'image mentale puisse paraître à la puissance logique de la volonté. Cependant, notre étude de ces différentes lois du raisonnement de la prospérité ne nous hypnotise pas. Au contraire, elle nous déshypnotise, nous débarrasse des croyances ignorantes, supersticieuses et limitées que nous avons accumulées au cours des siècles où l'on ne pensait que pauvreté.

Puisque vous espérez grandement améliorer votre vie, vous devriez commencer à former dans votre esprit une image mentale de cette nouvelle vie. Si votre pouvoir de raisonnement vous dit que cela ne vous arrivera jamais, ne l'écoutez pas. Votre volonté vous dira peut-être que votre rêve est trop ambitieux pour se réaliser; qu'il est impossible qu'il se concrétise. Mais si vous avez l'audace de continuer à l'imaginer quand même, votre imagination se mettra à travailler pour vous, pour produire le résultat visible de ce que vous aviez imaginé, et bientôt votre volonté se mettra elle aussi à travailler en votre faveur. Tout ce que vous direz à votre esprit d'espérer, il le construira, le produira et le réalisera pour vous.

L'Histoire démontre la puissance de l'image mentale

L'Histoire nous l'a prouvé bien des fois. Peut-être vous rappelez-vous les faits se rapportant à la guerre du Péloponèse, au temps de la Grèce antique. Cette guerre fut très importante: elle dura 27 ans. Vous vous souvenez probablement pour quelle raison l'on pense qu'elle a duré si longtemps. Les historiens affirment que des deux côtés, on manquait de détermination et de stratégie. N'ayant aucun plan de victoire, on laissa les événements partir à la dérive, sans jamais vraiment perdre, ni jamais vraiment gagner la guerre; on se contentait de combattre.

Enfin, un Spartiate ambitieux et talentueux qui, très évidemment, savait se faire une image mentale de la victoire et du succès, fit son apparition, se lança à l'action et conduisit les siens à la victoire. Les historiens écrivent qu'en une heure seulement, il mit un terme à cette guerre interminable. Comment s'y était-il pris? En combattant, ou en versant le sang? Absolument pas. Au contraire, il fit croire à l'ennemi que ses bateaux et ses hommes étaient restés bloqués à l'entrée des Dardanelles. Il attendit patiemment à cet endroit pendant quatre jours que l'ennemi se soit assuré que son silence indiquait qu'il était faible et incapable de combattre. Le cinquième jour, lorsque ses ennemis envoyèrent la plus grande partie de l'équipage à terre pour se restaurer, l'amiral Lysandre se ranima subitement, largua les amarres et captura presque toute la flotte de 180 navires sans frapper un seul coup.

Nous nous sommes souvent montrés semblables à ces Grecs de l'Antiquité. N'ayant aucun plan ni image de la victoire, nous nous laissons partir à la dérive sans jamais vraiment gagner, ni jamais vraiment perdre dans la vie - nous contentant de lutter. Sun Tze écrivait en 500 avant J.-C.: *Dans tout combat, on peut se servir de la méthode directe pour se jeter dans la bagarre, mais pour nous assurer de la victoire, il nous faudra utiliser des méthodes indirectes.*

En vous servant du pouvoir spirituel de l'image mentale pour le bien que vous désirez, vous utilisez la méthode indirecte qui vous assurera la victoire sur les problèmes de votre vie quotidienne. Au lieu de lutter contre la pauvreté, l'échec et l'insuffisance financière qui ne font souvent qu'augmenter vos problèmes, mettez-vous à utiliser la méthode indirecte celle par laquelle vous vous faites une image tranquille, délibérée et persistante du bien que vous désirez.

Le succès se crée d'abord mentalement

Dans le livre de la Genèse, l'histoire de Joseph nous prouve que l'imagination a la puissance de créer le succès et la prospérité. Joseph nous enseigne ce que nous devons faire et ne pas faire de notre imagination. Dans le rêve qu'il fit à l'âge de 17 ans, il maîtrisait la situation que lui présentait son rêve. Dans l'un de ses rêves, les gerbes de ses frères se prosternaient devant la sienne. Dans un autre rêve, le soleil, la lune et les étoiles rendaient hommage à Joseph. Ces rêves symbolisaient le règne que Joseph allait posséder lorsqu'il serait premier ministre de l'Égypte.

Joseph rêvait qu'il régnait et c'est ce que vous devez faire. Joseph rêvait de règne lorsqu'il semblait ne pas en avoir du tout et c'est ce que vous devez faire. Le succès se crée d'abord mentalement. Mais Joseph fit l'erreur de raconter ses rêves à ses frères qui étaient si jaloux et qui, ne voulant pas se faire dominer par lui, le vendirent pour 20 pièces d'argent à des marchands ismaëlites qui s'en allaient en Égypte. Ne faites pas comme Joseph, ne racontez pas vos rêves et vos images mentales du bien que vous désirez à d'autres gens qui ne sauront que détruire vos images de grandeur par leurs doutes et leur manque de foi.

Même après avoir été vendu comme esclave aux Égyptiens, il semble bien que Joseph continua à se faire une image mentale de l'amélioration qu'il désirait dans sa vie. Il prouva que l'image mentale amène la victoire; il prouva également qu'une victime peut vaincre! Une fois en Égypte, il dut faire face à de nombreuses injustices avant que le vent commence à tourner en sa faveur. C'est seulement après des années de prison et d'innombrables tribulations que Joseph devint premier ministre de toute l'Égypte et se retrouva second à la tête de l'empire le plus puissant de son époque.

Accrochez-vous à votre image mentale

Parfois, le pouvoir d'image mentale de l'esprit produit immédiatement des résultats. Mais si, comme dans le cas de Joseph, il lui faut plus de temps, vous pouvez être sûr que les résultats seront d'autant plus merveilleux quand ils arriveront, à condition que vous ne vous découragiez pas et que vous n'abandonniez pas. Plus il faut de temps à vos images mentales pour produire des résultats, plus ces résultats seront merveilleux, à condition que vous vous accrochiez à eux.

Cette vérité me fut récemment révélée par un homme d'affaires qui me raconta comment, grâce à la loi de l'image mentale vers la prospérité, il passa en dix ans d'un emploi de chauffeur de camion à une retraite de richissime! En 1940, cet homme était chauffeur de camion. Il habitait avec sa femme et ses enfants dans une maison qu'il louait; ils n'avaient même pas de voiture. Ses $25 par semaine lui permettaient à peine de joindre les deux bouts. Mais un jour, il entendit parler du pouvoir spirituel de l'image mentale et décida de voir par lui-même si ce pouvoir était aussi puissant qu'on le disait.

Il se fit une image mentale du niveau de vie qu'il désirait pour lui-même et pour sa famille. Il décida qu'il voulait posséder sa propre entreprise; qu'il voulait être indépendant financièrement; qu'il voulait être propriétaire d'une maison spacieuse et confortable; qu'il désirait posséder au moins deux voitures; qu'il voulait que sa femme se sente absolument libre d'acheter ce qu'elle désirait quand elle le voulait, sans devoir épargner sur son argent d'épicerie ou accumuler des comptes dans toute la ville. Il trouva toutes les façons possibles et imaginables de se faire une image mentale d'un haut niveau de vie et d'un salaire élevé pour lui-même et pour sa famille. Un an plus tard, sa société le promouvait d'un emploi de chauffeur de camion au poste de gérant de ventes!

Mais il ne possédait toujours pas sa maison, ses voitures, ni sa propre entreprise et son indépendance financière. Cette année-là, à Noël, il déclara à sa famille: «Je crois que d'ici à l'année prochaine, en cette même saison, nous posséderons notre propre maison et notre propre voiture dans l'entrée de garage.» Mais un an plus tard, à la même saison des fêtes, ils vivaient toujours dans leur maison louée et n'avaient toujours pas de voiture. Ses enfants lui rappelèrent alors sa prédiction de l'année précédente, à quoi il répliqua «Ne cessez pas d'espérer. J'ai peut-être fait cette prédiction un peu trop tôt, mais nous *posséderons* toutes ces bénédictions, et bientôt».

À Noël l'année suivante, ils avaient déménagé dans une nouvelle maison, et dans l'entrée de garage se trouvait non pas une seule voiture, mais deux! Plus tard, cet homme affirmait qu'après s'être mis à faire une image mentale du niveau de vie prospère qu'il désirait, alors qu'il ne gagnait toujours que $25 par semaine à son emploi de chauffeur de camion, il lui avait fallu en réalité deux ans pour se convaincre que ceci était possible, et pour inciter son esprit à accepter ces images mentales pleines de richesse. Mais il déclarait que, dès que son esprit fut parfaitement convaincu qu'il pouvait vraiment devenir prospère, il eut l'impression de briser une dure carapace; soudain, le succès arriva si vite qu'il put à peine le suivre. C'est alors que la maison et les deux voitures apparurent. De plus, cet homme affirmait qu'il lui avait fallu six ans à partir de la date où il s'était mis à faire une image mentale d'un haut niveau de vie pour atteindre entièrement son but. Mais six ans après s'être mis à faire une image mentale d'une immense prospérité, il l'atteignait en travaillant dans le domaine de l'assurance. Dix ans plus tard, il avait fait tant d'argent qu'il ne lui resta plus qu'à prendre sa retraite!

En fait, il conclut son histoire sur le pouvoir de l'image mentale vers la prospérité en affirmant:

> *En dix ans, je suis passé de chauffeur de camion sans un sou à un richissime dans le domaine de l'assurance. Mais ceci n'est que ma première fortune. Je suis maintenant lassé d'être à la retraite, et j'ai bien l'intention de faire une seconde fortune dans les dix années qui viennent en utilisant la même méthode - en l'imaginant!*

La puissance d'un plan directeur

Charles Fillmore décrivait la puissance extraordinaire de l'imagination lorsqu'il écrivait: *L'imagination permet à l'homme de se projeter à travers le temps et l'espace et de s'élever au-dessus de toutes limitations.*

L'un des fils de monsieur Fillmore, un architecte, et l'un des directeurs de Unity School of Christianity, prouva la véracité de cette déclaration. En 1926, Rickert Fillmore établit un plan directeur pour le développement de Unity Village. Dans son plan général, il avait dessiné tous les immeubles, tous les sentiers de promenade, les fontaines et même les arbustes qui allaient embellir Unity School. Finalement, en 1929, on terminait deux des immeubles, Unity Tower et Silent Unity Building. Les difficultés économiques causées par la période de Dépression qui suivit entravèrent les travaux pendant onze ans. Mais Rickert Fillmore n'abandonna pas son rêve; il continua malgré tout à aménager le terrain, plantant même les arbustes autour des immeubles à venir.

Je l'ai même entendu raconter à une réunion des pasteurs que, pendant toutes ces années d'arrêt de la construction, il avait contemplé l'emplacement de Unity où allaient être construits les immeubles futurs, depuis son bureau du haut de Unity Tower. Il s'imaginait les édifices déjà érigés, dans tous leurs détails. Il resta fidèle à son image mentale pendant des années et, au début de 1940, on construisit plusieurs beaux édifices. Les visiteurs viennent maintenant du monde entier contempler la beauté de Unity Village, qui témoigne de la puissance spirituelle de l'image mentale.

Faites-vous une roue de fortune

C'est vrai, rien n'est impossible à l'imagination; elle peut tout accomplir. Mais peut-être pensez-vous: «Je ne suis pas encore assez fort dans la puissance spirituelle de l'image mentale pour obtenir des résultats aussi magnifiques que ceux que vous venez de décrire. Y aurait-il une façon simple de développer mon imagination pour en arriver à produire de tels résultats?»

Oui, il en existe une!

Un ingénieur qui suivit mon premier cours sur la prospérité a élaboré une méthode pratique de développer l'imagination afin qu'elle produise des résultats magnifiques. Il s'est fait une *roue de fortune* qui l'aidait à projeter son esprit à travers le temps et l'espace, s'élevant ainsi au-dessus de toutes les limitations présentes et lui amenant des résultats merveilleux. Quelques temps après qu'il se soit mis à utiliser la puissance spirituelle de l'image mentale par sa *roue de fortune,* il obtint un contrat de construction de plusieurs millions de dollars, sur lequel il travaille encore aujourd'hui dans l'Ouest du pays.

La *roue de fortune* qu'il a créée a déjà fasciné et aidé des milliers de personnes. Par exemple, un couple de mes amis pasteurs m'ont dit qu'ils avaient utilisé cette *roue de fortune* pendant une courte période et qu'elle leur avait permis de réaliser le rêve de leur vie, un voyage en Europe. Une autre amie de mon ministère m'a raconté que, après s'être fait une *roue de fortune* pour ses vacances, elle fut en mesure d'emmener sa mère malade en Floride en plein milieu de l'hiver, pour qu'elle y reçoive la chaleur du soleil que les médecins lui avaient recommandée. Par une suite d'événements concurrentiels qui leur amena ce voyage en Floride, un de leurs amis leur offrit une maison sur la plage en pleine saison hivernale et ceci gratuitement! Pendant leur séjour, elles se firent des amis parmi les voisins qui les invitèrent chez eux à de petites fêtes où elles eurent beaucoup de plaisir. Et pour couronner le tout, une de ces nouvelles amies *donna* à cette femme pasteur un splendide manteau de fourrure, juste avant qu'elle ne reparte dans son coin de pays froid.

En réalité, cette idée de la *roue de fortune* est une méthode très simple de faire travailler pour vous votre imagination. Voici de quelle façon l'ingénieur fabriqua sa *roue de fortune:*

Sur un grand morceau de carton, il traça un cercle qui englobait presque tout l'espace. Au centre du cercle, il plaça l'image de quelque idée ou scène religieuse symbolisant une puissance supérieure. (On peut y mettre une photo de la Bible, une image du Christ, le Notre Père ou le symbole religieux que vous avez le plus à coeur.) Il inscrivit en-dessous de ce cercle central: **L'intelligence divine a pris charge de ma vie. Je suis maintenant ouvert, réceptif et obéissant à sa riche instruction et à ses bons conseils.** C'était la partie intérieure de sa *roue de fortune,* son *noyau.*

À partir de cette section centrale, il tira quatre lignes jusqu'à la circonférence du cercle. Il intitula les quatre sections qu'il venait de former ainsi: *affaires, famille, vie spirituelle, vie sociale et loisirs.* Ensuite, il plaça dans chacune des sections des images des résultats qu'il désirait atteindre dans chacune de ces quatre phases de sa vie.

Par exemple, dans la phase *affaires,* il plaça des images du *parfait emploi d'ingénieur* qu'il désirait obtenir à la suite d'un transfert qu'il était sur le point de recevoir. Sous cette image, il plaça les mots suivants: **Je suis maintenant stimulé par l'intelligence divine, motivé par l'amour divin, et guidé par la puissance divine dans l'emploi qui m'est destiné, que je vais accomplir ce travail d'une façon parfaite pour un salaire parfait. Le plan divin de ma vie se réalise maintenant en expériences concrètes et définies, m'apportant une parfaite santé, le bonheur, le succès, et la prospérité.**

Dans la phase *famille* de sa *roue de fortune,* il plaça une photo de sa maison actuelle, sous laquelle il inscrivit, puisqu'il allait devoir vendre cette maison à cause de son transfert:

L'intelligence divine dirige le bon acheteur vers cette propriété. Toutes les parties impliquées sont bénies et reçoivent un échange de valeurs juste et correct. Il y plaça également l'image d'une nouvelle maison, sous laquelle il inscrivit: **L'intelligence divine connaît notre besoin, sait où se trouve la bonne maison, et sait comment nous la montrer au moment opportun.** Pour aider sa femme à passer la période de transition, de déménagement et de réadaptation qu'allait causer le transfert, il plaça également une photo d'elle dans cette section, sous laquelle il inscrivit: **Mon épouse est maintenant motivée par l'intelligence divine et l'amour divin. Elle est également guidée par la puissance divine, qui embellit chacune de ses expériences par une santé parfaite, le bonheur, l'abondance, et le succès.** Pour recevoir la force de se lancer avec foi dans de nouvelles expériences, il plaça sur leur *roue de fortune* l'image d'une porte, sous laquelle il inscrivit ce qui suit: **Chaque fois qu'une porte se ferme, une autre porte s'ouvre, plus grande et plus belle.**

Dans les sections *vie sociale et loisirs* de sa *roue de fortune*, il plaça la photo d'une plage de sable au bord de l'océan, sous laquelle il inscrivit les prières suivantes: **Nous rendons grâces pour nos vacances divinement planifiées, dans des conditions divinement planifiées, avec les provisions divinement accumulées et divinement planifiées.** Pour sa prospérité générale, il ajouta ce qui suit: **Je suis maintenant guidé par l'intelligence divine, pour que l'ordre divin soit établi et maintenu dans toutes mes questions financières.**

Dans la dernière section de sa *roue de fortune*, la phase spirituelle de sa vie, il plaça l'image d'une église sous laquelle il écrivit: **Je rends grâces de ce que la foi occupe constamment et fidèlement mon coeur, et de ce que je suis divinement guidé vers la bonne église dans le nouveau quartier que je vais habiter.** À côté de cette déclaration, il plaça également la photo d'une Bible.

Puis il plaça cette *roue de fortune* avec toutes ses images et ses déclarations à un endroit où il pouvait la contempler en privé et la relire chaque jour. Ces affirmations simples et ces images incitèrent sa puissance spirituelle de l'image mentale à travailler en sa faveur. Quelques semaines plus tard, on lui annonça que son transfert allait être la plus grande promotion qu'il n'avait jamais eue de toute sa vie! Pour la première fois de toute sa carrière d'ingénieur, il allait jouir d'une entière liberté d'actions et n'aurait à rendre des comptes qu'au vice-président de la société.

En contemplant sa *roue de fortune,* il devint si sûr que sa maison actuelle allait se vendre à temps, qu'il emmena sa femme dans la ville de son nouvel emploi, à l'autre bout du pays, où ils trouvèrent immédiatement la maison qu'il leur fallait. Puis ils décidèrent d'une date à laquelle ils étaient sûrs que leur maison serait vendue. Ils avaient tant de foi qu'ils prirent déjà leurs billets d'avion pour cette date, pour être sûrs d'être présents lors de la vente de leur maison.

Une fois qu'ils eurent fixé les dates et établi leur plan avec confiance, les choses se mirent à s'arranger d'elles-mêmes, sans aucun retard. Leur maison se vendit à temps et leurs meubles entrèrent dans leur nouvelle maison aux dates qu'ils avaient fixées. Une fois qu'ils furent bien installés dans leur nouvelle résidence, ils partirent en vacances dans un endroit tropical adorable, sur de longues plages de sable au bord de l'océan, comme leur roue de fortune l'avait indiqué.

Plus tard, ils furent amenés à une église du quartier qui était parfaite pour eux, tel qu'indiqué sur leur roue de fortune. C'est ainsi que cet ingénieur prouva, en se servant de la puissance spirituelle de l'image mentale, ce que sa profession d'ingénieur lui avait déjà enseigné lorsqu'il travaillait sur des projets - les résultats doivent être planifiés, puis contemplés visuellement, avant de pouvoir se réaliser.

Napoléon se servait de la loi
de l'image mentale

Avant que vous m'affirmiez que ceci n'est que la méthode qu'un seul homme utilisa pour faire travailler son imagination en sa faveur, permettez-moi de vous assurer que l'une des plus puissantes personnalités de l'Histoire se servit de la *roue de for-*

tune pour gagner plus d'une bataille et pour se tailler une renommée mondiale. Napoléon avait toujours devant lui une carte immense couverte de petits drapeaux de couleur indiquant les différentes attaques qu'il avait projetées pour ses armées, des mois à l'avance. Il se servait même de la technique de la prospérité en inscrivant ses désirs et ses plans, pour se les préciser et pour les lancer à l'action dans le royaume invisible. Les historiens racontent que dans l'un des cas, il avait dicté en détails l'ordre et la longueur des marches, les lieux de rencontre des deux armées, l'attaque, les mouvements de l'ennemi, et même les erreurs qu'il prévoyait que l'ennemi allait faire - tout ceci deux mois avant que cela ne se produise dans la réalité, et à une distance de plus de neuf cents kilomètres du champ de bataille! Mais Napoléon dut tomber à Waterloo, car il utilisait de façon terriblement destructive les techniques qui produisent le bien d'une façon si puissante lorsqu'on s'en sert d'une façon positive et constructive.

Le courant de vos pensées change de direction

Alors, si vous désirez de tout votre coeur quelque chose qui vous semble irréalisable, faites-vous une roue de fortune! Ces roues sont puissantes, car elles retournent le courant de votre pensée et de vos attentes du *Je ne peux pas avoir* à *Je peux avoir,* du désespoir à l'espoir, du découragement à l'encouragement; de la défaite au succès. Si vous ne voulez pas faire une roue de la fortune pour chaque section de votre vie, faites-en une pour votre plus grand désir - peut-être la plus grande expérience que vous voudriez vivre dans votre vie et qui jusqu'à présent n'a pas su se concrétiser. L'une de mes amies fait ce qu'elle appelle des *petites roues de fortune* pour une période d'un mois, sur lesquelles elle place des images et des phrases sur les choses dont elle a besoin au cours de cette brève période. Elle dit que lorsqu'elle s'attend à des résultats immédiats, son esprit semble travailler beaucoup plus rapidement en sa faveur, pour produire des résultats immédiats; alors que lorsqu'elle fait des roues de fortune pour des périodes plus longues, il lui semble que son imagination n'est pas assez stimulée pour y faire grand-chose.

Ouvrez un livre sur vos désirs

Si vous n'avez pas le temps de faire une roue de fortune qui vous aiderait à modifier vos images mentales, peut-être pourrez-vous faire ce qu'a fait une enseignante que je connais, qui s'est ouvert un cahier semblable à ceux qu'elle tient chaque jour dans son travail. Seulement, ce cahier contenait des images qu'elle avait découpées dans des revues et qui décrivaient le bien qu'elle désirait, ainsi que des phrases attrayantes qu'elle avait découpées et collées au-dessous des images. Dès que sa journée lui offrait un petit moment de liberté, elle feuilletait son cahier de désirs pour garder son pouvoir de l'image mentale actif, plein d'espoir, et pour qu'il continue à travailler sans cesse à son plus grand bien. Personne, dans son entourage, ne savait ce qu'elle faisait, et cette méthode toute simple l'empêchait de se laisser envahir par la dépression, le découragement ou les doutes.

Imaginez tous les détails

Une maîtresse de maison, qui sait obtenir des résultats éton-nants grâce au pouvoir spirituel de l'image mentale, m'a souvent dit qu'il lui fallait du temps pour que son esprit réussisse à s'imaginer le résultat désiré *dans tous les détails*. Mais elle af-firme qu'une fois qu'elle a pu se faire une image complète et détaillée du résultat, elle peut entièrement chasser la question de son esprit, sachant que le résultat se manifestera dans les plus brefs délais. Elle déclare qu'il vaut la peine de consacrer le temps et l'effort nécessaires à se faire quotidiennement, autant que possible, une image mentale de ses désirs. Petit à petit, son imagination réussit à s'en faire une image complète et détaillée. Elle affirme même que souvent elle n'a personnellement que très peu d'effort physique à faire pour produire ces résultats. Le plus souvent, ils se réalisent pour elle, étant donné qu'elle a déjà ac-compli la tâche la plus importante de la question.

Je m'aperçois que la loi de l'image mentale vers la prospérité est des plus fascinantes. Plus vous la développez, plus il vous semble que le monde entier se précipite vers vous de façon amicale, n'étant que trop heureux de réaliser vos désirs.

Vous vous faites constamment des images mentales

Une femme *très vertueuse* me dit un jour d'un ton indigné, à la fin d'une conférence que j'avais donnée sur l'imagination; «Je ne crois pas à l'image mentale. Ce n'est que de la force mentale». J'essayai de lui expliquer qu'elle se faisait constamment des images mentales, qu'elle le veuille ou non, car notre esprit pense par images mentales; c'est une action naturelle de l'esprit. Mais elle sortit d'un pas indigné sans sembler m'écouter. Plus tard, on commença à me parler des terribles difficultés financières auxquelles elle faisait face. Finalement, elle parla à un conseiller de l'église de ses difficultés financières et le conseiller lui dit: «Vous aurez des problèmes financiers tant que vous ne changerez pas vos images mentales. Vous pensez insuffisance d'argent, vous parlez de votre insuffisance d'argent et vous vous imaginez votre insuffisance d'argent et votre esprit produit ce que vous imaginez. Changez d'images et pensez, parlez et imaginez votre abondance et vous l'aurez.» Cette fois-ci, désespérée, cette femme se mit à imaginer des résultats prospères. Bientôt, ils se manifestèrent à elle. Son attitude changea complètement et elle devint belle, harmonieuse, prospère, aimée de tous; alors qu'auparavant, tout le monde l'évitait, car elle ne parlait que de sa plaie financière.

Cette femme avait raison de dire que l'on peut utiliser la loi de l'image mentale vers la prospérité comme une force mentale: ceci se produit lorsque nous essayons de nous emparer par la force d'un bien qui appartient à quelqu'un d'autre. Lorsque nous nous imaginons mentalement que le bien de quelqu'un d'autre nous appartient, nous nous préparons beaucoup d'ennuis. Il ne nous est jamais nécessaire d'imaginer que le bien d'autrui leur est enlevé pour nous être donné. Ce qui appartient à autrui n'est pas à nous de droit divin. S'il l'était, Dieu nous l'aurait donné avant. Et comme ce bien ne nous appartient pas de droit divin, nous n'en profiterions aucunement.

Comment se faire une image
mentale sans égoïsme

Vous n'avez pas besoin de convoiter les bénédictions de quelqu'un d'autre, car ses bénédictions ne vous satisferaient pas même si vous les possédiez. Les possessions des autres ne répondent pas exactement à vos besoins. Lorsque vous voyez que quelqu'un d'autre possède quelque chose que vous désirez, ne la convoitez pas, n'essayez pas de vous en faire une image mentale ou de vous l'approprier de force. Réalisez plutôt que le bien de cette personne, que vous désirez aussi, vous montre simplement qu'un bien similaire est en train de vous être donné et que vous *pouvez* le recevoir. Pour l'aider à venir à vous, déclarez positivement: **Je suis moi aussi en contact avec la source de ce bien. L'équivalent divin de ce bien est maintenant en train de venir à moi, et je l'accepte avec reconnaissance.** Il est une chose certaine: on ne court aucun danger en utilisant le pouvoir spirituel de l'image mentale d'une façon désintéressée. Vous ne vous créez des problèmes que lorsque vous l'utilisez d'une façon égoïste, en essayant de vous approprier de force le bien d'autrui.

De même, vous ne devriez jamais vous faire pour quelqu'un d'autre une image mentale d'une expérience que vous ne voudriez pas vivre vous-même, car l'image mentale que vous lui envoyez vous revient inévitablement. Vous devriez au contraire faire une image mentale de santé, de richesse et de bonheur, pour les autres comme pour vous-même.

Imaginez la solution heureuse de vos problèmes familiaux

Une mère désespérée du comportement particulièrement troublant de son fils se mit à méditer chaque jour dans la tranquillité, l'imaginant mentalement tel qu'elle désirait qu'il soit. Elle se l'imaginait enveloppé de lumière et d'amour, calme, paisible, confiant, harmonieux, heureux. Elle cessa de chercher à le *forcer* par des actions ou des paroles extérieures à devenir ainsi. Petit à petit, il commença à exprimer ces qualités et devint calme, paisible, confiant, et harmonieux, et en quelques mois il avait totalement changé.

En parlant avec des épouses dont les maris s'intéressaient à *d'autres femmes,* j'ai remarqué que presque inévitablement, ceci arrivait après que la femme se soit mise à imaginer son mari *s'intéressant à une autre femme.* L'une de ces épouses, dont le mari lui avait été infidèle dès le début de leur mariage, vint à moi en s'apitoyant sur son sort parce qu'elle traversait l'expérience de sa troisième *AUTRE femme*. En la questionnant bien, je me rendis compte qu'elle avait commencé à se demander ce qu'elle ferait si une telle chose lui arrivait dès le début de leur mariage; et la chose arriva aussitôt. Il lui fallut traverser trois de ces expériences avant qu'elle se rende compte qu'à chaque fois, elle avait imaginé la chose pour son mari, l'aidant ainsi à la réaliser. Faites très attention aux images mentales que vous vous faites pour vous-même ou pour ceux qui y sont réceptifs, car elles se réaliseront sûrement!

Vous ne devriez faire profiter les autres que de bonnes images mentales. Bien souvent, les résultats de votre vie découlent directement des images mentales constructives ou destructives que vous nourrissez pour vous-même ou pour autrui. Un auteur décrivait certainement la puissance des images mentales lorsqu'il écrivait: *Deux hommes jetèrent un coup d'oeil à travers les barreaux de leur prison; l'un d'eux aperçut la boue, l'autre les étoiles.* Ce que nous voyons dépend surtout de ce que nous cherchons.

Imaginez le succès de vos affaires financières

Je vous suggère également de commencer à développer chaque jour le pouvoir de l'image mentale qui vous amènera prospérité et succès, en consacrant un peu de temps au début ou à la fin de la journée - peut-être lorsque vous inscrivez vos projets et vos notes - à les imaginer mentalement d'une façon précise. Autrement dit, si les factures à payer s'accumulent, dès que vous avez fini d'écrire vos notes, restez très tranquille et faites-vous une image mentale des chèques déjà signés que vous allez envoyer à chacun de vos créanciers. Imaginez-vous mentalement en train d'insérer ces chèques dans des enveloppes et de les jeter dans la boîte aux lettres. S'il vous manque une somme d'argent précise, imaginez mentalement un chèque que l'on vous aura fait, avec la date en cours, ainsi que le montant d'argent dont vous avez besoin. Votre imagination aime que vous lui donniez des images définies à partir desquelles elle pourra construire et modeler et les passer à votre subconscient qui les acceptera avec reconnaissance, et qui s'affairera aussitôt à les transformer pour vous en résultats définis.

En fait, vous avez toujours utilisé votre pouvoir de l'image mentale, et peut-être vous en êtes-vous servi pour vous faire une image d'une insuffisance d'argent, d'un manque de succès, et de toutes les choses que vous ne voulez pas vraiment dans votre vie. Pendant votre période de méditation, tenez dans la main votre portefeuille et votre carnet de chèques. Fermez les yeux et faites-vous une image mentale de votre portefeuille regorgeant de gros billets de banque. Faites-vous une image mentale de bordereaux de dépôt indiquant d'énormes sommes d'argent que vous déposez dans votre compte en banque. *Imaginez, imaginez, imaginez* tout le bien que vous désirez recevoir.

Je connais un homme d'affaires qui, ayant traversé une terrible période d'insuffisance financière, sentait qu'il ne pouvait plus supporter les privations. Connaissant la puissance spirituelle de l'image mentale, il s'acheta de l'argent de *Monopoly* et en plaça le plus gros billet dans son portefeuille, de façon à ce que chaque fois qu'il l'ouvre, ses yeux tombent avant tout sur ces gros chiffres. Il affirme que sa puissance d'image mentale accepta bientôt l'image de grosses sommes d'argent dans son portefeuille, plutôt que l'image qu'il s'était faite avant de son insuffisance financière. Il ajoute que depuis lors, il n'a plus jamais manqué d'argent pour joindre les deux bouts.

Imaginez vos voyages

Une de mes amies qui désirait faire le tour du monde, se souvint de la puissance spirituelle de l'image mentale. Elle s'acheta une robe sur laquelle était imprimée une carte du monde. Elle la porta souvent, pensant à tous les voyages qu'elle allait faire. Bientôt, quelqu'un ouvrit pour elle un *fonds de voyage* en lui faisant un don d'argent. Comme ce fonds augmentait, elle se rendit dans une agence de voyages et décida de faire un voyage en Europe. Elle fit ce voyage six mois après avoir commencé à porter sa robe internationale. Elle porte toujours cette même robe, car, maintenant elle se fait des images mentales d'autres voyages dans d'autres parties du monde!

Imaginez la beauté et le bien-être

Faites-vous une image mentale de l'habillement, de l'apparence, du comportement et des réactions que vous désirez pour vous-même. Offrez aux personnes qui vous entourent une cure de succès et de beauté en les imaginant prospères et pleines de succès. J'offre souvent aux gens une cure de beauté privée en me les imaginant mentalement dans de plus beaux vêtements. Je suis souvent abasourdie de les voir bientôt apparaître dans les vêtements que j'avais imaginés pour eux. Voilà un bon moyen pour un homme d'inciter sa femme à porter des chapeaux plus attrayants - au lieu de la quereller sur ceux qu'elle porte habituellement, il devrait se faire une image mentale des chapeaux et de l'apparence dans lesquels il désire la voir. Il sera étonné de voir avec quelle rapidité elle lui obéira inconsciemment!

Plus vous utiliserez la puissance spirituelle de l'image mentale, plus elle travaillera agréablement en votre faveur. Vous vous faites constamment des images mentales, que vous en soyez conscient ou non. Alors, pourquoi ne pas contrôler consciemment votre pouvoir de l'image mentale, et produire la santé, la richesse et le bonheur qui vous appartiennent de droit divin?

Imaginez vos vrais désirs

Permettez-moi de vous rappeler un point mentionné dans le chapitre précédent: ne faites pas de compromis dans vos images mentales. Imaginez ce que vous désirez vraiment, et non ce que vous pensez que vous pourrez probablement obtenir. N'écoutez pas votre volonté et votre raison, qui essaieront de vous faire renoncer à vos images mentales. Votre imagination active prendra bientôt le contrôle de votre volonté et la remettra à sa place, à condition que vous preniez vous-même le contrôle de votre imagination en la nourrissant d'images mentales de ce que vous désirez profondément et sincèrement. Si vous nourrissez votre imagination d'images mentales désabusées, tièdes, vous ne recevrez que des résultats désabusés et tièdes. Comme ces résultats ne vous satisferont pas, vous devrez tout recommencer, en vous faisant une image mentale de ce que vous désirez vraiment. Alors faites-le dès le début, pour éviter de faire le double de travail.

Il est vrai que l'image crée la condition, mais c'est à vous de créer l'image. Sachant cela, vous pouvez maintenant être sûr que vous n'avez pas besoin de lutter pour obtenir votre bien de force. Au contraire, il vous suffit de vous activer et, tranquillement, de vous faire une image mentale *détaillée* de votre bien tel que vous le désirez et puis de déclarer sur ces images: **Ceci, ou mieux, Père; que Ton bien illimité s'accomplisse!**

Il est certain que l'homme devient ce qu'il imagine être et que l'imagination continuelle de cet homme suffit à remodeler ou à créer n'importe quoi! Mais ne vous contentez pas de me croire sur parole. Joignez-vous plutôt à moi et à tous ceux qui découvrent que le pouvoir de l'image mentale vers la prospérité est l'un des pouvoirs les plus merveilleux et les plus puissants de tous.

CHAPITRE 6

Les lois de la prospérité: Le commandement

Shakespeare écrivit: *Il y a dans les affaires de l'homme une marée qui, prise à son flux, amène à la fortune.* C'est par la loi du commandement que vous libérez ce flux de la marée du bien que vous avez accumulé grâce à vos listes et vos images mentales.

La loi du commandement vers la prospérité est pour vous la clef des grandes possessions. Le mot commandement signifie *avoir autorité ou contrôler.* En adoptant une attitude d'autorité, vous pouvez prendre le contrôle du bien que vous désirez dans votre vie. Beaucoup de gens contemplent la vie d'en bas, comme s'il s'agissait d'une immense montagne se dressant au-dessus de leur insignifiance. La loi du commandement vous permet de vous hisser au sommet et de regarder votre monde de haut avec un sentiment d'autorité et de contrôle qui produit alors des résultats tout aussi impressionnants.

Le secret de la loi du commandement est le suivant: la plupart du temps, il vous suffit de faire une déclaration positive du bien que vous désirez pour changer la direction de la marée des événements et leur faire produire votre bien rapidement et facilement. Les portes s'ouvrent rapidement comme par miracle dès que nous osons prendre le contrôle d'une situation et ordonner à nos grands espoirs de se manifester. Mais la loi du commandement n'est pas nouvelle. Dans la Genèse, on nous dit que Yahvé créa la terre en ordonnant: *Que cela soit... et cela fut.*

En réalité, la loi du commandement est l'une des plus faciles à utiliser. Une fois que vous avez établi la liste de vos désirs et que vous les avez imaginés mentalement comme s'ils étaient déjà réalisés, il est temps d'en libérer le contenu par des mots d'ordre et de commandement qui lanceront ces esprits à l'action. Tout ce que vous désirez, vous l'obtenez, tel que promis dans la Bible, car *toutes tes entreprises réussiront et sur ta route brillera la lumière.* (Job 22:28)

Vous commandez par des mots

Vous utilisez maintenant la loi du commandement, car vous prenez constamment des résolutions, même si bien souvent ce sont de mauvaises résolutions qui produisent ce que vous ne désirez pas. Un homme d'affaires me racontait récemment l'histoire de l'une de ses connaissances qui avait des problèmes avec son bras droit. Les médecins s'entendaient pour déclarer qu'organiquement, cette personne n'avait rien. Finalement cet homme, conscient de la puissance des mots, se rendit compte qu'il avait pris l'habitude de s'écrier: «Je donnerais mon bras droit si je pouvais...» Dès qu'il cessa d'utiliser cette expression, son bras guérit. D'ailleurs Isaïe nous a avertis: «*Malheur aux législateurs de législations impies.*» (Isaïe 10:1) Nous prononçons souvent de telles ordonnances sans même penser à ce que nous disons.

Un jour, j'eus à prier avec une femme qui avait des problèmes aux pieds et aux jambes. Elle semblait désirer ardemment guérir. Son médecin lui avait dit qu'il avait fait tout ce qu'il lui était possible. Elle se mit à prier et son état s'améliora, mais elle ne semblait pas guérir entièrement. Un jour, dans l'une de nos réunions de prière, je lui dis: «Maintenant, demande tout simplement: *Père, quelle est la vérité sur cette situation? Que dois-je faire pour guérir complètement?*» Et elle le fit.

Quelques instants plus tard, elle déclarait tranquillement:

> *J'ai la réponse! Je me suis récemment lancée en affaires et cette entreprise ne marche pas encore tout à fait à la perfection. Je disais bêtement: «Si seulement je pouvais me remettre sur pieds financièrement.» J'étais physiquement sur pieds lorsque j'ai commencé à faire cette affirmation et bientôt mes pieds commencèrent à me faire mal. Mon subconscient*

doit avoir pris ces paroles à la lettre et fait en sorte que je ne sois plus sur pieds, ce qui était en fait ce que j'ordonnais sans y penser.

Puis elle déclara: «Je vais changer d'affirmation et déclarer que je suis en toute sécurité financière; que je suis financièrement *sur* pieds.» Elle s'y retrouva bientôt, autant physiquement que financièrement!

Je connais une femme qui est très sourde d'une oreille. Elle dit toujours lorsqu'elle ne veut pas entendre parler de quelque chose: «Je vais faire la sourde oreille à ceci».

À tous les gens qui étudient l'esprit, on enseigne toujours la puissance des mots. Les maîtres spirituels de l'Égypte, des Indes, de la Perse, de la Chine et du Tibet, enseignent tous à leurs étudiants de ne parler que lorsqu'ils ont quelque chose de constructif à dire. Connaissant le danger des paroles en l'air, ils établirent des règles déterminant s'il était sage de dire une chose: «Est-ce vrai? Est-ce charitable? Est-ce nécessaire?» Si la chose est vraie et qu'elle n'est pas charitable, alors elle n'est certainement pas nécessaire!

J'ai eu l'occasion de donner conseil à des centaines de personnes écrasées par leurs problèmes d'argent et j'ai remarqué que 99 fois sur 100, ces gens ne réussissaient à résoudre leurs problèmes que lorsqu'ils apprenaient à connaître, mais surtout à utiliser à fond la loi du commandement. Dès qu'ils se mettent à affirmer quotidiennement, consciemment et délibérément le bien qu'ils veulent, leurs ordres semblent le susciter.

Les affirmations sont une forme de commandement

À notre ère moderne, nous entendons beaucoup parler d'*affirmations* qui sont un commandement. Nombreux sont ceux qui prouvent que le fait de répéter des affirmations, oralement ou silencieusement, est la façon la plus simple d'invoquer la loi du commandement dans le but de susciter le bien. En fait, l'utilisation des affirmations est une façon si simple de produire des résultats prospères, que bien des gens n'y croient pas, cherchant une voie plus compliquée vers la prospérité.

Le mot *affirmer* signifie *rendre ferme*. En affirmant ou en déclarant verbalement le bien que vous désirez, plutôt que de parler continuellement de ce que vous ne voulez pas, vous rendez ferme dans votre esprit et dans les sphères invisibles de l'esprit le bien que vous désirez. Lorsque vous persistez à affirmer le bien désiré, il se précipite à vous sous forme de résultat visible.

Vous formez votre monde avec des mots

Ne sous-estimez jamais la puissance des mots. Vous formez votre monde par vos mots, comme Dieu l'a fait au commencement. Mais si vous n'aimez pas le monde que vous avez créé par des paroles de discorde, d'insuffisance, de limites et de temps difficiles, vous pouvez commencer dès maintenant à édifier un monde nouveau de bien et de prospérité illimités en modifiant vos mots d'ordre et vos décrets.

Les étudiants de mes cours sur la prospérité ont remarqué que la loi du commandement était l'une des méthodes les plus faciles à appliquer et qui leur apportait des résultats prospères le plus rapidement. Ils rédigèrent des déclarations affirmatives qui répondaient à leurs besoins et se mirent à les répéter sans cesse pendant au moins quinze minutes par jour; peut-être le faisaient-ils cinq minutes trois fois par jour. Lorsqu'ils n'avaient pas l'occasion de le faire à haute voix dans un endroit privé, ils les écrivaient alors une douzaine de fois. L'un des commandements les plus utilisés était: **J'aime ce qu'il y a de mieux et de plus élevé chez toutes les personnes. J'attire maintenant vers moi ce qu'il y a de mieux et de plus élevé chez toutes les personnes** (clients, patients, etc.).

Un vendeur remarqua qu'en utilisant cette déclaration, il attirait à son rayon seulement les gens qui avaient vraiment l'intention d'acheter sa marchandise. L'utilisation persistante de ce commandement l'aida également à effectuer un certain nombre de ventes qu'auparavant il pensait avoir perdues.

Dans un autre cas, une vendeuse répéta cette déclaration quinze minutes par jour pendant plusieurs semaines et en retira un tel succès qu'elle en devint la meilleure vendeuse de tout le magasin. Ses employeurs la félicitèrent d'avoir vendu pour $44 000 de marchandise en une période si brève. Pendant la même période, seulement trois autres vendeurs (tous des hommes) réussirent à vendre pour $33 000 de marchandise. Cette vendeuse travaillait dans un rayon de marchandise à bas prix, ce qui signifie qu'elle avait vendu beaucoup plus que les autres.

Voici un autre commandement que les étudiants de mon cours sur la prospérité trouvèrent tout particulièrement puissant: **Tout et tout le monde me fait prospérer maintenant et je fais maintenant prospérer tout et tout le monde.** En déclarant ceci chaque jour à haute voix, un employé du gouvernement prit bientôt connaissance d'un héritage qui n'avait pas été réclamé depuis des années. Un autre étudiant qui avait utilisé ce commandement, devint l'un des onze héritiers d'une carrière de gravier. Étant donné le nombre d'héritiers, on s'attendait à ne retirer qu'un très petit montant de cet héritage. Mais en continuant à déclarer quotidiennement: **Tout et tout le monde me fait prospérer maintenant, et je fais maintenant prospérer tout et tout le monde,** cet homme commença à recevoir chaque mois du revenu de cette carrière des chèques d'une somme importante. C'est pendant les mois d'hiver, alors que la vente du gravier devait être à son plus bas, que cet étudiant reçut les plus gros chèques.

Ordonnez à votre bien d'apparaître!

Vous pouvez utiliser des centaines d'affirmations pour ordonner à votre bien d'apparaître; mais il est nécessaire d'utiliser des commandements spécifiques pour chacun de vos besoins. N'hésitez pas à vous en servir. Par exemple, si vous commencez à manquer d'argent et que votre portefeuille vous semble vide, prenez-le entre vos mains et déclarez à haute voix un bon nombre de fois (en privé, bien sûr): **Je te bénis encore et encore pour la richesse de Dieu qui se manifeste maintenant en toi et à travers toi.** Au cours de vos repas, il est bon de penser à des déclarations de bénédiction et d'appréciation, après avoir rendu grâces comme il convient. Il est également bon, en vous habillant, d'avoir des pensées de bénédiction et d'appréciation pour vos vêtements. Au cours de l'une de mes dernières conférences, j'avais donné les déclarations suivantes pour répondre à des besoins définis, et je fus étonnée du nombre d'hommes et de femmes qui, après coup, commentèrent ces affirmations et m'en demandèrent la formule exacte. Voici ce que toute personne pensant prospérité devrait déclarer pour obtenir une garde-robe et des vêtements parfaits: **Je rends grâces de ce que je suis merveilleusement et adéquatement revêtue de la substance riche de Dieu.**

Pour un foyer parfait et beau, qu'il s'agisse d'une seule chambre, d'un appartement, ou d'une maison: **Je rends grâces de ce que je suis merveilleusement et adéquatement logé dans la riche substance de Dieu.**

Et pour un mode de transport parfait, voici ce que toute personne pensant prospérité devrait déclarer: **Je rends grâces de ce que la riche substance de Dieu me transporte merveilleusement et adéquatement.**

Les dames aiment beaucoup cette affirmation: **Je rends grâces pour ma santé, ma jeunesse et ma beauté croissantes.** Je suppose que l'on pourrait me traiter d'extrémiste du domaine des déclarations affirmatives, car j'en ai collé dans toute ma maison. Plusieurs enfants du quartier sont tellement fascinés par mes déclarations, qu'ils passent chez moi de temps en temps, juste pour voir si j'ai changé d'affirmation, ou pour m'en demander des copies. J'ai collé la déclaration ci-dessus pour les vêtements sur la porte de mon armoire. Celle qui vise la santé, la jeunesse, et la beauté, est collée sur mon miroir. Voici celle que j'ai affichée sur la porte de mon garde-manger: **Je me réjouis de la bonté de Dieu, qui se manifeste constamment en provisions abondantes ici et maintenant.** Près de mon téléphone se trouve cette déclaration qui vise à m'éviter tout appel téléphonique qui pourrait me faire perdre du temps: **L'Ordre Divin est maintenant établi et se maintient. Il règne ici une suprême harmonie.**

Il est bon de commencer sa journée en faisant des affirmations positives qui vous aident à en contrôler les événements. Je vous suggère la suivante: **Avec des louanges et des actions de grâces, j'envoie les richesses de Dieu devant moi aujourd'hui pour** qu'elles me dictent, me dirigent, me protègent et me fassent prospérer. Tout ce dont j'ai besoin m'est maintenant donné. Mon bien abondant devient visible aujourd'hui!

Pour que chaque jour vos paroles dégagent la prospérité et le succès, ce qui est une forme de commandement, je vous suggère d'affirmer positivement: **Mes paroles sont surchargées d'une puissance prospère.**

Voici certaines déclarations que les étudiants de mes cours sur la prospérité ont préféré. Pour augmenter son revenu: **Je rends grâces de ce que mon revenu financier augmente maintenant avec puissance grâce à l'action directe de la bonté riche de Dieu.**

Pour le paiement des factures, des dettes et des obligations financières: **Je rends grâces pour le paiement immédiat et complet de toutes mes obligations financières, de la façon merveilleuse que Dieu choisira.** Pour un succès croissant dans tous les domaines: **Je rends grâces de ce que chaque jour, je m'enrichis toujours plus dans tous les domaines.**

Voici une déclaration que les gens d'affaires ont trouvé très efficace pour maintenir l'harmonie dans leur foyer et leurs entreprises: *Advienne la paix dans tes murs: paix à tes châteaux!* (Voir Psaumes 122:7)

Les déclarations positives
vous seront très utiles au travail

Un employé des chemins de fer me raconta qu'il utilisait les commandements au travail. On lui avait demandé de réparer une locomotive que personne n'avait réussi à ajuster. En entendant nommer les différents mécaniciens qui y avaient échoué, il commença à s'inquiéter. Puis il se rappela la loi du commandement pour la prospérité. Avant de s'attaquer à la réparation de la locomotive, il s'isola dans un endroit tranquille. Il sortit la déclaration suivante de son portefeuille et la répéta un bon nombre de fois: **Je suis un enfant du Dieu Vivant, par conséquent je fais partie intégrale de Sa Sagesse. Cette Sagesse me conduit maintenant dans des voies justes, paisibles, et de véritable succès.** Comme il s'imprégnait de ces paroles et les laissait emplir son esprit de paix et de confiance, un autre employé des chemins de fer entra dans l'atelier et lui demanda ce qu'il faisait. Il lui répondit qu'il revoyait *un plan* qu'il allait utiliser pour réparer la locomotive. Peu de temps après, il retourna à son travail et répara rapidement la fameuse locomotive. Bientôt, l'autre employé revenait vers lui et lui demandait une copie de ce *plan* qu'il avait utilisé avec tant de succès!

Un employé des postes devait passer un test de compétence. Il décida qu'il allait maîtriser cette expérience plutôt que de la craindre. Il répéta maintes fois: *L'intelligence divine sait tout ce que je dois savoir et l'intelligence divine me montre maintenant tout ce que je dois savoir.* Il passa ce test avec facilité et prouva ainsi qu'il était extrêmement compétent.

Il n'y a pas très longtemps, un New Yorkais se servit de plusieurs des déclarations mentionnées ci-dessus. Après avoir lu un article que j'avais écrit sur ce sujet, il rendit compte des résultats suivants:

À l'époque où j'ai eu l'occasion de lire cet article sur la puissance des déclarations positives, mon entreprise était des plus instables. Bientôt, j'ai dû déménager du bureau que j'occupais. Par la grâce de Dieu, j'ai trouvé un nouveau bureau très pratique pour un loyer modique. Mais je ne voyais aucune occasion d'améliorer l'état de mes affaires. J'ai alors compris que je devais mettre toute ma confiance en Dieu et continuer la production radiophonique que j'avais projetée, même si je n'avais aucune idée d'où me viendrait le capital qui allait me permettre de la financer. Et à part ça, j'avais des dettes personnelles et commerciales à rembourser.

Puis, dans le métro, en me rendant au travail, j'ai lu votre article qui contenait plusieurs déclarations affirmatives précises sur la prospérité et le succès. Je me suis mis alors à utiliser toutes les affirmations positives de l'article et en arrivant au bureau, je les ai recopiées et ai continué à les utiliser.

Le lendemain, j'ai été poussé à appeler un homme que je connaissais dans le domaine de la finance et qui m'avait suggéré un an plus tôt (et que j'avais pris pour des paroles en l'air), qu'un jour je devrais venir le voir. Je l'ai appelé et il m'a demandé d'aller le voir immédiatement. Nous avons déjeûné ensemble et je lui ai présenté mes projets en lui mentionnant la somme d'argent qu'il me fallait. Il a immédiatement accepté toutes mes propositions, à l'exception près qu'il refusait d'accepter l'énorme part des profits que j'étais prêt à lui céder et il a insisté pour que le prêt dont j'avais besoin ne porte pas d'intérêt.

Une semaine plus tard exactement, notre charte était dûment enregistrée à Albany, j'avais reçu un chèque de fonds de roulement initial et je signais les certificats d'actions de la nouvelle compagnie dont j'étais président!

C'est ainsi qu'un homme d'affaires nous prouve l'efficacité de la loi du commandement.

Les affirmations produisent des résultats satisfaisants

Je n'ai jamais vu une personne qui ait pratiqué quotidiennement la méthode d'affirmation et de commandement, même pour une brève période, sans que ceci ne produise des résultats satisfaisants dans sa vie. D'autre part, je n'ai jamais vu un étudiant atteindre réellement le succès sans utiliser quotidiennement des déclarations de commandement verbales et silencieuses. J'ai souvent rencontré des étudiants qui, bien que connaissant à fond la théorie du succès, ne l'actualisaient que très peu dans leur vie. Après les avoir questionnés, je découvrais invariablement qu'ils n'utilisaient pas la loi du commandement. Beaucoup d'entre eux craignaient de *perdre de leur dignité* en répétant quinze minutes chaque jour des déclarations de prospérité et des paroles précises de succès; cependant, ils ne craignaient pas de perdre de leur dignité en exprimant des paroles précises de difficultés, d'insuffisance d'argent tout le reste de la journée et ils ne craignaient pas non plus de perdre leur dignité en vivant dans les dettes et les difficultés financières.

C'est à vous de choisir: vous pouvez suivre la voie élevée, ou la voie la plus basse dans la vie. La loi du commandement vers la prospérité vous dirige sur la voie la plus élevée, la voie royale qui vous mène au succès. L'esprit que l'on a imbibé pendant des années de pensées de pauvreté et d'échec a besoin qu'on l'aide quotidiennement par des pensées, une attitude et un espoir plus riches. Souvent, dans des cas de circonstances extrêmes, il est nécessaire d'utiliser des méthodes spéciales pour obtenir des résultats. Si le fait de répéter des paroles de succès et de prospérité semble être une méthode inhabituelle, eh bien, qu'elle le soit. Mais n'hésitez pas à l'essayer, si vous désirez détourner le courant de votre pensée de la pauvreté et l'échec à la prospérité et au succès.

Vous remarquerez souvent qu'au milieu d'expériences extraordinaires, vous devrez faire un peu plus d'efforts pour obtenir des résultats satisfaisants. Jacob dut lutter avec l'ange jusqu'au petit jour, ou jusqu'à ce que le bien apparaisse dans sa situation, pour recevoir sa bénédiction. Vous trouverez qu'il est parfois nécessaire d'agir ainsi.

Cette loi n'a rien de nouveau

Jésus s'est souvent servi de la loi du commandement, tout comme beaucoup de grands personnages de la Bible. Il prouva la puissance de la loi du commandement lorsqu'*il* dit au figuier: «*Jamais plus tu ne porteras de fruits! Et à l'instant même le figuier devint sec.*» (Matt. 21:19) Lorsqu'*il* fut tenté par trois fois dans le désert, Jésus fit face au défi en s'armant de la loi de la déclaration positive. Chaque fois que le diable essaya de Le tenter, *il* se servit de déclarations fortes et positives des Saintes Écritures, jusqu'au moment où *il* remit une fois pour toutes le diable à sa place en lui déclarant! «*Retire-toi, Satan!*» (Matt. 4:10) Ça, c'est une déclaration puissante à utiliser contre une situation inquiétante.

Vous remarquerez parfois, lorsque vous aurez utilisé la loi du commandement sans en recevoir les résultats désirés, que peut-être vous avez été trop doux dans votre choix de mots. Lorsque Jésus releva Lazare d'entre les morts, *il* n'utilisa pas une méthode douce. Le narrateur raconte: *Il cria d'une voix forte: Lazare, viens ici. Dehors!* (Jean 11:43) De même, le fait d'essayer de se servir de méthodes douces sur l'apparence scabreuse et déplaisante de la pauvreté et de l'échec est aussi inefficace que d'essayer de parler anglais à un français qui ne comprend pas l'anglais. On n'établit ni communication, ni contact.

Les affirmations peuvent résoudre vos problèmes

Le docteur Emilie Cady, ancien médecin New Yorkais, écrivait que chaque fois qu'elle devait faire face à une situation extrême, elle l'attaquait avec les déclarations les plus directes et les plus osées qu'elle pouvait imaginer. Elle ne se trouvait soulagée de ses problèmes qu'une fois qu'elle en avait pris le contrôle.

Voici par exemple la déclaration dont elle se servit pour se débarrasser de la forte personnalité de quelqu'un qui l'avait tourmentée: **Il n'existe aucune personnalité de la sorte dans tout l'univers. Il n'existe que Dieu.** Une autre fois, elle s'était tordu la cheville et son pied était très enflé et douloureux. Finalement, elle s'enferma dans sa chambre et répéta positivement: **Il n'y a que Dieu. Tout le reste n'est qu'apparence et mensonge.** Immédiatement, la douleur et l'enflure diminuèrent et elle guérit très rapidement.

Elle raconte également que pendant deux ans, elle avait essayé de prouver que Dieu était la source de ses revenus, quelle que soit la générosité financière de ses patients. Enfin, Dieu lui révéla par la prière qu'elle ne s'était pas servie de la loi du commandement; elle n'avait fait aucune déclaration positive de prospérité. Elle se mit alors à affirmer: **C'est fait. Dieu se manifeste maintenant dans mon revenu.** Elle raconte que cette pensée la délivra de la pauvreté et qu'elle n'eut plus jamais à faire face à une insuffisance financière. Le docteur Cady raconte ses expériences dans son livre intitulé: HOW I USED TRUTH (Comment j'ai utilisé la vérité).

Il ne vous suffit pas de connaître la puissance du raisonnement de la prospérité. Vous devez la lancer à l'action. Et vous y réussirez en utilisant chaque jour des déclarations verbales positives.

Les affirmations peuvent accomplir des merveilles

Il n'y a pas longtemps, une future maman demanda quelle déclaration positive elle pourrait utiliser dans la salle d'accouchement. Bien qu'elle ne s'attendait à éprouver aucune difficulté lors de l'accouchement, il était possible qu'elle en ait quand même, puisqu'elle avait quarante ans et qu'elle n'avait pas eu de bébé depuis plusieurs années. Elle reçut la déclaration positive suivante: **Dieu est en moi, puissant de vie, de santé et de force. Je donne naissance à mon enfant parfait dans la joie et avec facilité.** Elle se répéta ces mots sans cesse dans la salle d'accouchement. Elle remarqua avec joie que les activités habituelles qui accompagnent l'accouchement ne lui pro-curèrent pratiquement aucune douleur.

Un peu plus tard, le médecin déclara qu'elle n'accoucherait pas de la façon habituelle, puisque son bébé se présentait par le siège. Au lieu de s'inquiéter, la maman continua à affirmer sans cesse: **Dieu est en moi, puissant de vie, de santé et de force. Je donne naissance à mon enfant parfait dans la joie et avec facilité.** Un peu plus tard, le médecin déclara: «On va attendre quelques minutes. Il semble que le bébé change de position et que peut-être votre accouchement sera normal.» Elle accoucha normale-ment et presque sans douleur.

La plupart d'entre nous ont agi comme des pygmées alors que nous aurions pu être des géants spirituels, si nous avions osé ordonner au bien de Dieu de se manifester, comme il nous a donné le pouvoir de le faire, tel que l'affirme le premier livre de la Bible. Le docteur Lewis L. Dunnington, pasteur méthodiste, décrit la loi du commandement comme étant «Ces grandes affir-mations qui font tant de merveilles dans les vies humaines.» (Préface de son livre intitulé: THE INNER SPLENDOR– La splendeur intérieure.)

Il raconte également qu'il a découvert il y a quelques années que les membres les plus équilibrés, les mieux adaptés et les plus confiants de sa congrégation sont ceux qui font face à la vie avec des affirmations positives. Le docteur Dunnington affirme que nombreux sont les membres de sa congrégation qui sont convain-cus qu'ils reçoivent plus d'aide réelle de l'utilisation des grandes affirmations de foi, que de toute autre technique. Ayant remarqué leur succès, il se renseigna lui aussi sur la puissance des déclarations positives et se mit à les utiliser. Il écrit que lorsqu'il s'est mis à pratiquer la technique de l'affirmation positive avec persistance, sa congrégation a augmenté de 400 membres à plus de 2 000 membres. J'en comprends facilement la raison: j'ai découvert lorsque je travaillais dans le monde des affaires, et plus tard comme pasteur, que les gens d'aujourd'hui se sentent seuls - ils cherchent désespérément un mode de vie qui ne soit pas que théorie et doctrine, mais qui produise avec efficacité la santé, l'harmonie et l'abondance dans leur vie.

Unissez-vous à quelqu'un pour vos affirmations

Il est bon d'utiliser la puissance du commandement affirmatif avec au moins une autre personne, surtout lorsque la situation ne semble pas obéir immédiatement à vos ordres. Assurez-vous bien sûr que cette personne est d'accord avec vous, avec ce que vous essayez d'accomplir et qu'elle croit elle aussi en cette technique de succès. J'ai souvent demandé à des membres du personnel de l'église d'utiliser avec moi la loi du commandement pour différentes situations. Ma secrétaire s'est souvent jointe à moi pour obtenir, par cette affirmation, des résultats parfaits de notre journée de travail: **Ceci est une période d'accomplissement divin. Les oeuvres accomplies de l'amour et de la sagesse divins apparaissent aujourd'hui même.** Souvent, le comptable s'est joint à moi pour affirmer sur le côté financier de notre ministère: **Ceci est une période d'accomplissement divin. Les résultats accomplis de la substance et des provisions divines apparaissent maintenant.** Souvent, les membres du conseil de l'église se sont joints à moi pour affirmer sur tout notre ministère: **Le royaume de Dieu est arrivé et la bonne volonté suprême de Dieu s'accomplit maintenant dans chaque phase de ce ministère.** Nos périodes de commandements affirmatifs ont toujours apporté des résultats satisfaisants.

Écrivez votre affirmation

Vous n'avez peut-être pas assez d'intimité qui vous permette d'utiliser verbalement la loi du commandement. Dans ce cas, écrivez maintes fois vos affirmations. Un homme d'affaires à succès, qui est également conférencier et écrivain, m'a raconté un jour la façon dont il avait résolu une telle situation, il y a des années, lorsqu'il a entendu parler de la loi du commandement. Son emploi ne le satisfaisait pas du tout. Il désirait travailler dans d'autres domaines, recevoir plus de compensations et être libre d'écrire, de donner des conférences et de voyager pour son travail. De plus, à l'époque, il était très maigre et en mauvaise santé. Sa vie de famille n'allait pas du tout et ne le satisfaisait pas non plus. En fait, chacune des phases de la vie de cet homme avait grand besoin d'améliorations. Il était convaincu que la loi du commandement pouvait changer tout cela, mais comme sa famille n'était pas intéressée à essayer *une pareille nouvelle idée,* il comprit qu'il devrait faire ses affirmations silencieusement.

Comme il pensait que ceci ne serait pas parfaitement efficace, l'idée lui vint de les écrire. Chaque soir, il se retirait doucement dans sa chambre avec des crayons bien aiguisés et des feuilles de papier. Il écrivait alors une déclaration qu'il désirait imprimer dans son esprit, des centaines de fois. Il écrivait des déclarations sur sa santé, sa richesse et son bonheur. À la fin d'une journée qui avait semblé particulièrement affairée et trépidante, il avait écrit des centaines de fois une affirmation sur la solution parfaite à une querelle qu'il avait eue avec son associé sur des questions d'affaires. Il écrivit des centaines de fois: **Cette situation ne me décourage pas, car Dieu, l'esprit même de l'amour et de la sagesse, est avec moi pour me soutenir et pour arranger toutes choses. Je remets toute ma vie aux bons soins tendres de mon Père, parce que je sais qu'il veut que je jouisse de la santé, du bonheur, de la prospérité, de la croissance spirituelle et de tout ce qui est bon.**

En s'endormant ce soir-là, il répéta silencieusement des centaines de fois: **Il ne peut venir dans ma vie que du bien, car Dieu s'en charge.** Le lendemain matin, très tôt, son associé lui téléphona pour lui dire qu'il désirait acheter sa part de l'entreprise. Ils s'entendirent alors très amicalement sur un prix de vente. La transaction fut rapidement conclue et notre homme se trouvait de nouveau libre de refaire, pour lui et pour sa famille, une nouvelle vie bien meilleure que la précédente. Sa santé s'améliora tout de suite, il prit du poids, à tel point qu'il dut même plus tard suivre un régime d'amaigrissement. Sa femme trouva un emploi semblable à celui qu'elle avait occupé avant de se marier; comme son mari était d'accord qu'elle recommence à travailler, cette nouvelle activité fit naître entre eux un sentiment de liberté, d'accomplissement et d'harmonie. Grâce à ses écrits, ses conférences et ses transactions financières, nombreux sont ceux qui reçoivent la santé, la richesse et le bonheur. Tout ceci commença lorsqu'il eut le courage de se mettre à écrire chaque soir des centaines de fois quelques paroles simples qui décrivaient la vie qu'il désirait, plutôt que de se ronger sur sa situation désagréable.

Les affirmations vous apporteront la santé

Il n'y a pas longtemps, une amie me racontait de quelle manière elle avait retrouvé la santé grâce à la puissance des commandements affirmatifs. Elle avait subi une intervention chirurgicale très grave; son médecin les informa, elle et son mari, qu'elle ne vivrait probablement pas plus de trois mois. Cependant, son mari savait à quel point le corps est sensible au pouvoir de la pensée et à quel point il réagit positivement ou négativement à l'attitude que l'on a vis à vis de son physique.

Lorsqu'elle rentra à la maison, il lui dit: «Tu as entendu le diagnostic de trois mois du médecin. Tu peux l'accepter et mourir, ou alors tu peux le rejeter et vivre. Mais si tu veux vivre, tu dois faire deux choses: d'abord tu dois cesser de parler de ton intervention et de ton séjour à l'hôpital. C'est fini; oublie cela. Deuxièmement, tu dois penser à la vie, affirmer la vie et t'attendre à vivre.» Puis il lui suggéra de faire chaque jour l'affirmation suivante: **Que la santé divine se manifeste maintenant pour moi et en moi.** Elle se mit à utiliser ces paroles simples de commandement jusqu'à ce qu'elle prenne l'habitude de les penser inconsciemment plusieurs fois par jour. Lorsque des amis ou des voisins venaient lui rendre visite, son mari leur disait toujours: «Nous ne parlons ni de son intervention chirurgicale ni de sa période d'hospitalisation. C'est fini. Maintenant, elle est en bonne santé.» Ceci se passait il y a 22 ans. Cette dame m'a dit que depuis, elle n'avait jamais été malade une seule fois!

Vous vous demandez peut-être pourquoi je parle de la guérison dans un livre qui traite de prospérité. Le mot *prospérer* signifie s'efforcer et réussir à atteindre un but ou un objectif désiré, quel qu'il soit. Lorsque j'écris sur la prospérité, je parle du désir d'équilibre et d'accomplissement dans la vie ou dans les affaires. Il est un fait certain: la vie ne vaut pas grand chose sans la santé ou la capacité de la mener. La médecine psychosomatique, la psychologie et la psychiatrie s'accordent toutes à reconnaître le pouvoir extraordinaire qu'a l'esprit sur le corps pour créer la maladie ou la santé.

Les affirmations fascinent et inspirent

Le monde entier désire et se laisse fasciner par la loi du commandement vers la prospérité. Je parlais récemment à un groupe d'étudiants universitaires auxquels je montrais les différents types de déclarations de commandement imprimées que les conseillers spirituels donnent aux gens qui viennent leur demander de l'aide spirituelle pour résoudre leurs problèmes. Je montrais à ce groupe d'étudiants une douzaine de déclarations affirmatives différentes, expliquant que chaque déclaration s'appliquait à des types spécifiques de situations et de problèmes.

À la fin de ma conférence, je posais les déclarations affirmatives sur une table et invitais les étudiants à venir les regarder de plus près, et même de les emporter avec eux s'ils le désiraient. Je fus ébahie de voir avec quelle vitesse les étudiants se précipitèrent à la fin de la conférence et ramassèrent chacune des affirmations! J'offrais une affirmation spéciale à une étudiante qui s'inquiétait terriblement à cause d'un examen qu'elle avait à subir cet après-midi-là. Tous les autres étudiants restèrent dans la salle et écrivirent eux aussi l'affirmation. C'était la suivante: **«Je laisse l'intelligence divine penser à travers moi. Je sais. Je me souviens. Je comprends. Je m'exprime parfaitement.»**

Saint Paul pensait peut-être à la loi du commandement vers la prospérité lorsqu'il conseillait: «Que le renouvellement de votre jugement vous transforme.» (Romains 12:2) En vérité, les déclarations positives ont une puissance enlevante et renouvelante.

Un homme d'affaires vint un jour me parler des différentes affirmations qui l'avaient aidé dans sa vie et dans ses affaires. Il déclarait:

«Je crois que le pouvoir d'affirmation a littéralement sauvé ma vie. Il y a six mois, j'étais au bord du suicide lorsque, par hasard, je me trouvai à l'une de vos conférences et que j'entendis parler pour la première fois du pouvoir du commandement. Cela semblait trop beau pour être vrai, mais, me sentant désespéré autant financièrement que dans mon mariage, je décidai d'essayer la façon affirmative - après tout, je n'avais rien à perdre. Aujourd'hui, je réussis à nouveau grâce aux affirmations!

Il y a à peine six semaines, j'ai revu un vieil ami qui semblait aussi désespéré que je l'avais été il y a six mois. Il me dit: «Tu sais, je n'en peux plus. Le suicide semble être la seule façon de m'en sortir. Ah! si j'avais ta façon de voir la vie heureuse, optimiste et victorieuse, comme je serais heureux!»

Je lui répondis: «Il y a à peine quelques mois, moi aussi je parlais de suicide, mais j'ai entendu parler de la façon affirmative de penser et d'agir. Cette méthode m'a tiré par les bretelles, et maintenant je m'envole de nouveau vers le succès.» Puis, je donnai à mon ami désespéré quelques affirmations écrites qui m'avaient aidé à réussir. Elles avaient tellement été utilisées qu'elles étaient un peu *dentelées* sur les bords, mais mon ami sembla reconnaissant que je les lui donne. Je l'ai revu il n'y a pas longtemps, et il m'a dit: «Je te remercie de m'avoir donné ces déclarations. Elles m'ont tiré par les bretelles, moi aussi. Je ne sais vraiment pas comment quelques mots peuvent changer la vie entière d'un type, mais je t'assure que pour moi, cela a réussi.»

Vous pouvez recevoir tout le bien riche de Dieu pour lequel vous êtes prêt à sacrifier quelques instants chaque jour d'affirmation et de commandement. On ne peut pas imaginer de façon plus facile et plaisante de modifier votre façon de penser et de vous lancer sur la route royale du succès. Vous pouvez vraiment devenir ce que vous désirez être en affirmant que vous l'êtes déjà!

Je vous suggère d'en faire la troisième phase d'une formule à trois étapes vers la prospérité: d'abord, écrivez chaque jour le bien que vous désirez. Ensuite, faites-vous une image mentale des résultats victorieux. Enfin, affirmez et commandez franchement et délibérément à ces résultats pleins de succès d'apparaître. Si vous persistez chaque jour à suivre ces trois étapes simples, vous ne saurez plus comment arrêter la marée de bien qui submergera votre vie!

CHAPITRE 7

Les lois de la prospérité:
L'accroissement

Il est maintenant temps de vous détendre et de jouir de ce que vous avez déjà appris dans les chapitres précédents. En fait, il est maintenant temps d'agir comme si vous étiez un *penseur accompli,* parce que depuis le temps que vous lisez ce livre, vous commencez vraiment à en devenir un! Et vous êtes maintenant prêt à aborder la voie de l'accroissement vers la prospérité.

Il est facile et plaisant d'utiliser la loi de l'accroissement. Il s'agit avant tout d'établir et de maintenir une attitude d'accroissement riche envers toutes choses et personnes. Autrement dit, lorsque vous pensez à vous-même et à autrui, pensez avant tout richesse, prospérité, succès et bien victorieux.

Le simple fait de penser à vous-même et à autrui en termes de richesse, de succès, de prospérité et de victoire, vous aide à amener cet état de fait. Lorsque vous prenez contact avec autrui par la poste, par téléphone ou en personne, pensez à ces personnes en terme d'accroissement de leur bien. Le simple fait de les faire profiter de vos pensées riches leur permet de faire un pas de géant vers cet état de chose. Ils ne s'apercevront peut-être pas consciemment que vous pensez prospérité pour eux, mais ils recevront ces pensées inconsciemment et s'en trouveront richement bénis. Ils réagiront souvent à votre égard de quelque façon riche et heureuse!

Les pensées d'accroissement détournent le courant

Je ne crois pas que la prison soit un très bon endroit pour celui qui pense prospérité mais, il arriva qu'un homme emprisonné décida de profiter au maximum de sa situation. Suite à sa bonne conduite, on lui avait accordé le privilège de faire quelques appels téléphoniques de temps en temps et il me téléphonait parfois, pour me raconter ses progrès. Un jour, il m'appela tout excité, me racontant que depuis quelques temps le bureau principal de la prison avait eu grand besoin d'air climatisé. Il en avait fait une image mentale, des affirmations et rendu grâces de ce qu'il allait y en avoir, car les employés qui y travaillaient avaient été très bons avec lui et il désirait les voir installés confortablement et heureux. Il me dit que finalement, le bureau avait reçu de l'air climatisé et que si son expérience en prison ne lui rapportait rien d'autre de bon, il avait au moins l'impression que l'accroissement de bien que les employés de bureau avaient reçu prouvait que le raisonnement de la prospérité pouvait amener des résultats heureux.

Comme les choses changent vite pour les gens qui se mettent à penser prospérité pour eux-mêmes et pour autrui! Une femme qui était mariée depuis 18 ans se mit à appliquer la loi de l'accroissement vers la prospérité dans sa vie. Elle reçut une lettre d'un homme pour lequel elle avait travaillé avant de se marier. Il lui dit qu'au moment où elle s'était mariée, il avait des difficultés financières et il n'avait pas été en mesure de lui donner un cadeau de mariage décent. Maintenant qu'il avait atteint le succès, il avait décidé qu'il était temps de régler la question. Il lui annonça qu'elle et son époux allaient recevoir par la poste un beau cadeau de mariage!

Une femme qui vivait dans la section pauvre de la ville entendit parler du raisonnement de la prospérité et se mit à faire profiter ses voisins, ainsi qu'elle-même de la pensée de l'accroissement. Quelques jours plus tard, elle reçut par la poste un chèque de $125 qui lui semblait une somme monumentale. Celle-ci lui provenait d'une compagnie d'assurances, qui lui expliqua qu'il s'agissait d'un règlement qui lui revenait des biens de sa soeur décédée huit ans auparavant.

Un homme d'affaires qui connaît la loi de l'accroissement s'en sert constamment dans son travail de directeur du crédit pour percevoir les sommes dues à sa société. On ne s'étonne donc pas que l'année dernière, il fut en charge des perceptions de toute sa compagnie qui tenait des bureaux dans tout le Sud du pays. L'un des clients devait des milliers de dollars à cette société et personne n'avait jamais pu les percevoir. Le compte était si monumental que l'un des directeurs de la compagnie se dérangea du siège social pour enquêter sur la perception de ce compte.

Le directeur du crédit déclara au directeur de la société avant qu'ils arrivent chez le client: «Notre seule chance de percevoir tout cet argent est de lui parler d'une façon courtoise, gentille et positive. Nous devons lui redonner foi en lui-même; nous devons lui montrer que nous croyons qu'il sera bientôt en mesure de rembourser entièrement ces montants. Nous devons appliquer sur lui la pensée de l'accroissement. La critique ne nous mènera à rien.» Ainsi, dans leur conversation avec le client, ils parlèrent de la foi qu'ils avaient en lui et lui dirent qu'ils savaient qu'il serait en mesure de rembourser la dette qu'il avait contractée en toute bonne foi et qu'il le ferait. Quelques jours plus tard, le client se précipitait dans le bureau du directeur de crédit avec son premier versement sur le compte, après n'avoir jamais payé pendant des mois. Il déclara: «L'autre jour quand vous êtes entrés dans mon bureau, je me sentais si bas et j'avais l'impression d'être un tel raté dans mes affaires, que si vous m'aviez critiqué, j'aurais tout abandonné et me serais rendu de ce pas chez mon avocat pour déclarer faillite. Mais vous avez été si bons avec moi et vous croyiez d'une façon si positive que mon entreprise n'était pas perdue, que j'ai eu le courage de le croire moi aussi. Et le tournant est déjà apparu!»

Vous vous servez toujours de la loi de l'accroissement ou de la diminution

Tous les gens aspirent à voir s'accroître leurs aliments, leurs vêtements, la qualité de leur maison, leur beauté, leur connaissance, leurs loisirs, leurs plaisirs, leur luxe, la satisfaction qu'ils éprouvent au travail, bref, à un accroissement du bien en toutes choses. Et on a raison, car c'est un désir divin. On ne devrait donc ni condamner, ni réprimer ce désir normal d'un accroissement du bien. C'est un désir divin et on peut l'élever à des niveaux divins d'expression grâce aux lois spirituelles de la pensée prospère.

Comme il est merveilleux de se servir de la loi de l'accroissement plutôt que de la loi négative de la diminution! Souvent, lorsque les gens critiquent, condamnent et rabaissent les autres, ils ne s'aperçoivent pas que par la loi de l'action de l'esprit, ils font venir sur eux-mêmes ces mêmes choses. Ne perdez jamais votre temps à faire subir la pensée de la diminution à vous-même ou à autrui. Comme le pain jeté à la surface des eaux, ce que vous envoyez vous revient multiplié et produira dans votre vie des expériences semblables.

Pendant la grève de l'industrie de l'acier, deux hommes de profession libérale prouvèrent la puissance de la loi de l'accroissement. L'un d'eux, chiropraticien, refusa de parler des temps difficiles ou d'écouter ses patients en parler. Bien que son bureau et la plus grande partie de sa clinique se trouvent dans la région frappée par la grève, non loin des usines d'acier, il ne cessa de parler accroissement, prospérité et succès. Un soir, il se trouvait à une réunion mensuelle de l'association locale des chiropraticiens et la plupart des hommes présents décrivaient toutes les difficultés auxquelles ils devaient faire face à *cause de la grève*. Finalement, quelqu'un lui demanda s'il en éprouvait aussi et il les étonna tous en répondant: «Les choses n'ont jamais été si bien. Je refuse de parler de difficultés, en tout temps, grève de l'acier ou non. J'ai découvert que le pouvoir de la pensée de la prospérité pouvait changer tout ça.»

Un avocat qui travaillait dans la région frappée par la grève se servit lui aussi durant cette même période de la loi de l'accroissement. Ses collègues se plaignaient constamment de l'état pitoyable de leurs affaires depuis la grève. L'avocat décida que pour éviter de sombrer dans ce niveau de pensées limitées, il devait se montrer ferme.

Un soir, durant sa période de prières, il déclara: «Seigneur, je crois que tu es mon berger et que je n'ai besoin de rien. Je sais que ces usines d'acier étaient mes meilleurs clients, mais je sais aussi que tu as beaucoup de clients tout aussi prospères qui ont besoin de mon aide. J'ai confiance en toi, car je sais que tu m'apporteras de nouveaux clients prospères que je pourrai servir.»

À cette époque, il avait quatre grandes sociétés clientes qui constituaient sa principale source de revenus. Bientôt, trois de ces grandes sociétés lui donnèrent plus de travail encore, ce qui augmenta son revenu. Plusieurs autres sociétés de ses clients lui apportèrent plus de travail que toutes les usines d'acier qu'il avait eues auparavant! C'est ainsi que Dieu pourvut richement à ses besoins au cours d'une période où presque tout le monde appliquait la loi de la diminution pour n'en retirer que des résultats décroissants.

Invoquez la loi de l'accroissement simplement

Vous pouvez utiliser de nombreuses façons très simples d'invoquer la loi de l'accroissement. Vous devriez exprimer la loi de l'accroissement pour vous-même et pour autrui de façon franche et positive. Vous devriez agir selon la loi de l'accroissement et en rayonner. Vous devriez écrire des notes d'accroissement, vous faire des images mentales d'accroissement et affirmer votre riche accroissement. Dans l'Ancien Testament, Néhémie se servit de la loi de l'accroissement pour reconstruire les murs de Jérusalem lorsque les Juifs rentrèrent de Babylone. Échanson du roi de Perse, Néhémie reçut du roi les matériaux et la main-d'oeuvre nécessaires à reconstruire les murs de Jérusalem, mais il découvrit bientôt que des tribus hostiles avaient occupé Jérusalem pendant que les Juifs étaient en exil. Néhémie dut organiser deux équipes de travailleurs, l'une pour reconstruire les murs de Jérusalem et l'autre pour lutter contre les tribus ennemies. Les murs furent reconstruits en 52 jours après que Néhémie ait affirmé: «*C'est le Dieu du Ciel qui nous fera réussir.*» (Néhémie 2:20)

Nous nous sommes servis de la loi de la diminution au lieu d'utiliser la loi de l'accroissement et ceci a retardé notre prospérité. Nous avons agi comme les enfants d'Israël qui restèrent à la frontière de la Terre Promise pendant 40 ans alors qu'ils auraient pu entrer dans le pays *où coule le lait et le miel.*

Josué et Caleb furent probablement les deux hommes qui

savaient le mieux penser prospérité de tout l'Ancien Testament. Sur les douze messagers que Moïse avait envoyés en éclaireurs dans la Terre Promise, deux seulement revinrent avec une preuve de sa richesse, sous forme d'une énorme grappe de raisins. Lorsque les autres messagers annoncèrent que le pays était riche, mais occupé par des tribus guerrières, Josué et Caleb ajoutèrent avec confiance la loi de l'accroissement à la situation en déclarant: *Il faut marcher et conquérir ce pays: nous en sommes capables.* (Nombres 13:30)

Mais la majorité d'entre eux s'opposaient à ce plan et les Hébreux restèrent dans le désert. Des années plus tard, lorsqu'ils entrèrent finalement en Terre Promise, ils découvrirent que ces tribus guerrières n'étaient pas aussi terribles qu'on le leur avait dit et ils s'aperçurent que le peuple de Jéricho avait eu aussi peur d'eux qu'eux-mêmes avaient craint le peuple de Jéricho.

Ces peuples avaient vu la fumée de leurs feux de camps à travers le fleuve du Jourdain, pensant qu'il y avait des centaines de milliers d'Hébreux plutôt que seulement 40 000. Ainsi, les Hébreux découvrirent que le peuple qu'ils craignaient avait en fait peur d'eux. En hésitant à se lancer de l'avant et à revendiquer leur bien, ils n'avaient fait que prolonger leur séjour dans le désert. Ils durent de toute façon un jour faire face à la situation et la contrôler.

Ceci s'applique à chacun de nous. Si vous vous servez de la loi de la diminution, limitant ainsi votre bien, vous ne serez jamais satisfait du résultat limité que vous en obtiendrez. Vous devrez de toute façon vous mettre à appliquer la loi de l'accroissement un jour ou l'autre. Alors pourquoi ne pas le faire dès le début, et entrer dans votre terre promise de plus grand bien, plutôt que de rester dans le désert du besoin, du manque et des privations?

Enveloppez les autres de vos pensées d'accroissement

Vous devriez rayonner la loi de l'accroissement dans tout ce que vous faites, de façon à ce que les autres en reçoivent cette riche impression. Lorsque vous écrivez, que vous téléphonez, que vous pensez à d'autres gens ou que vous les rencontrez, enveloppez votre famille, vos connaissances sociales, vos connaissances en affaires, vos amis, les chefs du monde, tous les gens, de la pensée d'un bien accru. Déclarez pour eux: **Je vous bénis de l'accroissement du bien tout-puissant de Dieu.** Parlez-leur aussi directement et franchement de foi, de confiance et d'accroissement. Quelques petits mots peuvent à eux tout seuls faire des miracles pour quelqu'un d'autre.

Un officier de l'armée à sa retraite me disait il n'y a pas longtemps: «Vous ne saurez jamais à quel point vous m'avez aidé, il y a quelques années; j'avais le moral très bas et j'étais pour ainsi dire au bord du suicide. Vos paroles ont complètement retourné le courant de ma pensée et de ma vie.» En y repensant, je m'aperçus que tout ce que j'avais dit à cet homme, c'était: «Vous n'êtes pas trop vieux pour vous refaire une nouvelle vie. Vous avez atteint le succès dans le passé et vous pouvez à nouveau atteindre le succès. Renouvelez votre engagement avec la vie, car vous avez tout ce qu'il faut pour réussir.» Parlez souvent de bien accru aux autres gens. Vous ne saurez peut-être jamais à quel point vous les aurez aidés, mais les résultats apparaîtront certainement.

Lorsque vous parlez à quelqu'un, ne lui parlez qu'en termes de succès. Lorsqu'une personne de votre entourage se retrouve en difficultés à cause de ses erreurs passées, contribuez au développement de son succès en ignorant son passé et en ne mettant l'emphase que sur son bien actuel. Non seulement augmenterez-vous ainsi son bien accru, mais vous pouvez être sûr que les squelettes du passé vous obséderont moins.

Enveloppez-vous de pensées d'accroissement

Enveloppez-vous tout autant de pensées d'accroissement. Vous pouvez le faire tout simplement en entretenant en vous le sentiment que vous *avez* toujours plus de succès et que vous *aidez* les autres à faire de même. Chacun de vos actes, de vos tons de voix et de vos regards devraient exprimer votre assurance riche et tranquille de succès. Vous n'aurez plus tellement besoin de convaincre les autres de votre succès avec des mots lorsque votre atmosphère spirituelle sera imprégnée d'une sensation de richesse. Vous la rayonnerez alors et la communiquerez inconsciemment aux autres. Les gens désireront alors s'associer avec vous en affaires et autrement car ils bénéficieront inconsciemment et consciemment de la sensation de richesse, de succès et de prospérité dont vous rayonnez.

En vous efforçant tranquillement de vous imprégner de cette sensation de richesse, de succès et de prospérité, vous attirerez à vous des gens qui pensent prospérité, que vous n'aviez jamais rencontrés auparavant et qui deviendront tout naturellement vos clients, vos associés en affaires et vos amis. Les gens se dirigent inconsciemment vers une atmosphère d'accroissement. C'est ainsi qu'une entreprise croît rapidement et que l'on reçoit d'innombrables bénédictions enrichissantes. Lorsque vous enveloppez les autres de pensées d'accroissement et que vous maintenez ces pensées tout doucement jusqu'aux coins les plus reculés de votre esprit, les autres seront attirés vers vous et vous feront automatiquement prospérer.

Ayez le courage d'invoquer la loi de l'accroissement sous toutes les formes par lesquelles elle se révélera à vous, grandioses ou modestes. Une épouse racontait récemment qu'elle avait aidé son mari à se tirer d'une mauvaise situation financière en lui disant tous les jours lorsqu'il rentrait du travail: «Maintenant, chéri, raconte-moi toutes les *bonnes* choses qui te sont arrivées aujourd'hui.» Ils furent tous les deux très surpris de constater tout le bien qui leur venait et dont ils devaient être reconnaissants. Tout le courant de leurs pensées vira de l'échec au succès. Tout ce que vous pourrez dire pour vous aider vous-même, ou autrui, à vous sentir envahi d'une sensation de prospérité, mérite le temps et l'effort que vous y consacrerez.

Évitez de parler des temps difficiles

Ne pensez, parlez, agissez que de façon prospère. Ne permettez aux autres que de vous parler de façon prospère. Ne lisez, ne prenez au sérieux rien de ce qui vous semble contraire à la pensée de la prospérité. Si vous mélangez vos courants de pensées, ils se contrediront et neutraliseront vos efforts vers la prospérité. Pour être constamment prospère, ayez l'audace de vous montrer différent!

Ne vous fâchez pas lorsque les gens parlent de difficultés. Et unissez-vous à leur triste musique seulement si vous désirez passer vous-même par des temps difficiles. Faites face au contraire à ces apparentes difficultés en déclarant: **Dieu travaille à restaurer divinement la situation. Le bien que les vers de l'insuffisance ont rongé se fait maintenant divinement restaurer. La loi divine de la justice et de l'équilibre accomplit maintenant son travail parfait.** La loi de l'équilibre et de l'ajustement divins est universelle et votre état d'esprit prospère aidera ce facteur d'équilibre à travailler en votre faveur. Cette période peut être pour vous un temps de riches bénédictions et de grande prospérité car, comme le déclarait un vendeur: «L'air regorge de poussière d'or!»

Une vendeuse décrivait récemment les ravages que peuvent faire les temps difficiles. Elle mentionnait l'une de ses collègues qui parlait constamment d'insuffisance, de récession et de temps difficiles. Bien entendu, cette employée n'atteignait jamais son quota de ventes. Au lieu de penser prospérité, elle passait son heure de déjeuner à rôder dans les rues de la ville, à discuter avec d'autres personnes centrées sur l'échec. En rentrant à son emploi de vendeuse à la fin de son déjeuner, elle déclarait chaque jour la même chose: «J'ai fait le tour des magasins de la ville. Les affaires vont terriblement mal. Personne ne vend!» Résultat? Eh bien, la femme à laquelle elle déclarait souvent ces choses refusa d'accepter ses idées de temps difficiles car elle connaissait la puissance du raisonnement de la prospérité. Elle l'invoquait et ses ventes se maintenaient à un niveau élevé et elle reçut régulièrement des chèques de commission. Quant à la femme qui ne parlait que de *temps difficiles,* elle n'obtint qu'un résultat qu'elle ne désirait pas. Un jour, le gérant du magasin l'appela dans son bureau et lui donna un poste à mi-temps, alors qu'elle désirait travailler à temps plein. Vous avez le pouvoir de produire des résultats tangibles selon vos attitudes. Cette dame le prouva, mais de la mauvaise manière.

Pensez en termes d'abondance

Charles Fillmore nous montre comment se servir de la loi de l'accroissement lorsque tous ceux qui nous entourent utilisent la loi de la diminution:

La substance spirituelle qui prodigue toutes richesses visibles ne s'épuise jamais. Elle reste constamment avec vous et réagit selon la foi que vous avez en elle et les requêtes que vous lui faites. Nos discours ignorants sur les temps difficiles ne la touchent pas, bien que nous soyions touchés par nos pensées et nos paroles qui gouvernent notre démonstration. Cette ressource infaillible est toujours prête à donner. Déversez vos paroles de foi vivante devant cet esprit omniprésent et vous serez prospère même lorsque toutes les banques du monde fermeront leurs portes. Dirigez la grande énergie de votre pensée sur des idées *d'abondance* et vous recevrez avec abondance malgré tout ce que les gens qui vous entourent puissent dire ou faire.

Il n'y a pas longtemps, un homme d'affaires répondait à un banquier qui essayait de lui parler de temps difficiles: «Il y a de l'argent en abondance dans le monde; il y a de la richesse en abondance et il y a une abondance de ressources riches à développer et à exploiter. Je refuse de croire en tout autre chose que richesse, prospérité, pour moi-même, pour vous et pour toute l'humanité.» Le banquier secoua la tête en disant: «Vous êtes la personne la plus optimiste que je connaisse.» Puis il prêta à cet homme d'affaires une somme d'argent importante, avec laquelle cet homme prouva qu'il y a richesse et prospérité pour celui qui sait penser prospérité et qui utilise des paroles qui attirent la prospérité.

Conservez et utilisez adéquatement la substance dont votre être est doté pour vous amener la prospérité en concentrant vos pensées, vos sentiments, vos relations et vos activités, sur la prospérité et non sur l'échec ou l'insuffisance. Attendez-vous à devenir prospère; mettez-vous à penser et à parler en ces termes et en ces termes seulement. Redites-vous souvent que les pensées, les paroles et les espoirs dissipés et futiles n'amènent que des résultats dissipés, futiles et pauvres. Accrochez votre image mentale de prospérité à la riche étoile du succès et faites en sorte qu'elle y reste.

Surmontez le découragement et la déception

Lorsque vous vous sentez sur le point de vous décourager dans vos efforts vers une plus grande prospérité, rappelez-vous qu'il est facile de penser et de suivre les croyances générales de la race humaine - mais que c'est une chose totalement inutile. Dites-vous qu'il vaut la peine de faire tous les efforts possibles pour penser de façon prospère malgré les apparences du contraire, car une telle pensée produit de riches résultats. Un éditeur me dit souvent: «Souviens-toi, Catherine, la majorité a toujours *tort!*»

Il existe une autre façon d'invoquer la loi de l'accroissement pour éviter les effets minables et destructifs de la loi de la diminution. Entraînez votre esprit à ne jamais se laisser décevoir. Lorsque certaines choses ne se produisent pas au moment où vous les attendiez ni comme vous le désiriez, ne considérez pas ceci comme un échec. Comme vous n'avez pas reçu cette chose-là, vous pouvez être absolument sûr que quelque chose de bien meilleur se dirige vers vous et se produira au bon moment. Lorsque vous avez l'impression d'échouer, souvenez-vous que ceci vous arrive parce que vous n'avez pas assez demandé. Élargissez votre point de vue et votre attente, et vous serez assuré de recevoir une réponse plus grande que celle que vous aviez attendue à l'origine. L'échec n'est rien d'autre que le succès qui essaie de naître sous une forme plus grandiose. La plupart des échecs apparents ne sont que des versements vers la victoire!

Évitez la précipation

En invoquant la loi de l'accroissement, souvenez-vous que l'on n'a pas à hâter, forcer ou pousser le domaine de la prospérité dans la vie et que les occasions ne manquent pas. Accomplissez chaque jour avec succès tout ce qu'il vous est donné de faire, faites-le aussi calmement que possible sans précipitation et sans crainte. Faites-le aussi vite que vous le pouvez, mais sans hâte. Dès que vous commencez à vous dépêcher, votre pensée cesse d'être prospère pour devenir craintive et ceci est le prologue de l'échec.

Lorsque vous vous surprenez à essayer de forcer avec précipitation l'avènement d'un résultat, arrêtez-vous net. Fixez votre attention sur l'image mentale de la chose que vous cherchez à atteindre, puis commencez à rendre grâces de ce que vous la recevez par la voie merveilleuse de Dieu.

Je connais une vendeuse qui dit que dès qu'elle a l'impression qu'elle a *trop à faire*, elle ne fait plus rien; au contraire, elle s'en va un instant pour se détendre, prendre une tasse de café et retrouver son équilibre après quoi elle est généralement en mesure d'accomplir deux fois plus de travail en deux fois moins de temps.

Vous vous objecterez peut-être en disant: «Mais comment est-ce possible lorsque je vis parmi des gens qui ne savent rien du raisonnement de la prospérité et qui cherchent constamment à me pousser de l'avant?» Lorsque je travaillais comme secrétaire dans le monde des affaires, j'étais constamment dans une telle situation. Mais je découvris également que celui qui se sert du raisonnement de la prospérité contrôle mieux la situation qu'une armée de personnes pressées et harcelées qui dispersent leur puissance en courant vainement dans tous les sens. Lorsque vous traversez de tels moments, déclarez mentalement: **Paix, reste calme** et vous verrez que l'atmosphère tout autour de vous se calmera rapidement.

Libérez-vous de toutes pensées insignifiantes

Ne perdez pas votre temps à garder rancune, même envers ceux qui vous ont traité avec injustice. Il est sûr que vous rencontrerez de telles personnes tout au long de votre montée vers le succès. Ceux qui ne réussissent pas chercheront à vous retenir à leur niveau de médiocrité, mais ils n'y réussiront pas si vous refusez de vous laisser ennuyer par ce qu'ils disent ou ce qu'ils font. Personne d'autre que vous ne peut vous empêcher de jouir de votre succès et de votre prospérité.

Lorsque certaines personnes semblent essayer et même réussir à vous dissuader pendant un certain temps, souvenez-vous que le succès a un nombre infini de portes prêtes à s'ouvrir devant vous, un nombre infini de voies et de moyens de vous apporter votre bien. Lorsqu'une porte se ferme devant vous, soyez assuré qu'à ce même instant des portes meilleures et plus grandes essaient de s'ouvrir. Ne restez pas coincé dans une porte à moitié ouverte. Laissez-la se fermer. Préparez-vous pour les nouvelles portes qui désirent s'ouvrir toutes grandes pour vous.

Vous pouvez également vous libérer des pensées insignifiantes sur le succès d'autrui et vous libérer de leurs pensées insignifiantes en déclarant: **Refusant de critiquer la prospérité d'autrui, je me tourne vers Dieu pour lui demander de me diriger et je prospère. De même, les autres refusent de critiquer ma prospérité. Au contraire, ils se tournent vers Dieu pour lui demander de les diriger et ils prospèrent eux aussi. Il y a pour tous du succès et de la prospérité en abondance.**

Ne vous laissez jamais décevoir, décourager ou troubler par ce que les autres pourront dire ou faire pour vous empêcher de monter ou pour vous arracher votre bien lorsque vous commencez à monter grâce au raisonnement de la prospérité. À la longue, ils ne peuvent pas vous faire de mal; ils ne font du mal qu'à eux-mêmes. Soyez au contraire flatté de ce que les gens cherchent à vous empêcher d'atteindre vos buts ou à vous abaisser d'une façon ou d'une autre. C'est un signe certain que vous réussissez finalement et que les autres s'en rendent compte. Dans de tels instants, respirez profondément, rendez grâces de ce que votre succès se manifeste maintenant et considérez comme un compliment le fait que les autres prennent la peine de vous critiquer ou de vous vouer à l'échec. Il y a sans aucun doute quelque chose en vous qu'ils admirent en secret et qu'ils désireraient posséder eux-mêmes. Autrement, ils n'en ressentiraient pas assez le manque pour détester voir en vous ce qu'ils n'ont pas.

Que la loi de l'accroissement soit votre nouvelle frontière

Toutes ces méthodes et ces attitudes font partie de la loi de l'accroissement vers la prospérité. Quand vous penserez de façon vivante à cette loi fascinante, elle vous révélera toujours plus ses propres moyens d'expression par rapport aux circonstances par lesquelles vous passez.

Je vous suggère d'invoquer pleinement la loi de l'accroissement grâce aux idées suivantes: **Je jouis maintenant d'une santé parfaite, d'une prospérité abondante et d'un bonheur complet et ultime. Et c'est vrai, car le monde est plein de personnes charmantes qui m'aident maintenant avec amour dans tous les domaines. J'entre maintenant dans une société d'innombrables anges. Je vis maintenant une vie agréable, intéressante et satisfaisante et des plus utiles. Grâce à ma santé, ma richesse et mon bonheur accrus, je suis maintenant en mesure d'aider les autres à vivre une vie agréable, intéressante et satisfaisante et des plus utiles. Mon bien - notre bien - est universel.**

Votre bien se crée aussi rapidement que vous prononcez vos paroles de bonté! Ayez l'audace d'invoquer la loi de l'accroissement selon les méthodes pratiques mentionnées ci-dessus. Lorsque vous le ferez, vos pensées, vos prières, vos paroles et vos espoirs de biens accrus feront le tour du globe et atteindront même peut-être l'*au-delà*. En vérité, vous ferez partie de la *nouvelle frontière* du bien universel qui balaie maintenant notre planète.

CHAPITRE 8

Une attitude prospère
envers l'argent

Un ami m'a envoyé, il n'y a pas longtemps, une carte postale humoristique qui disait: «Que l'on soit riche ou pauvre, il est bon d'avoir de l'argent!» Je suis sûre que nous sommes pour ainsi dire tous d'accord.

On écrit toutes sortes de choses merveilleuses sur l'argent ainsi que sur notre capacité d'en avoir toujours plus et d'en jouir. Par exemple, on a prédit que d'ici 1970, notre économie nationale se sera accrue de 50 pour cent, ce qui signifie certainement que nous sommes tous en mesure d'augmenter notre prospérité individuelle.

On a aussi fait remarquer récemment que depuis la Deuxième Guerre mondiale, on a créé plus de grandes fortunes que jamais auparavant. Selon les chiffres du ministère du Revenu intérieur, les grandes fortunes continuent d'apparaître. Un écrivain déclarait récemment: «Vous pouvez encore faire un million!» Un autre déclarait ouvertement: «Vous avez bien plus de chance que vous ne le pensez de faire un million.»

En étudiant la vie et les expériences de personnes qui savent penser prospérité, vous remarquerez qu'elles ont une attitude très amicale envers l'argent. D'un autre côté, vous découvrirez que les gens pensent généralement qu'il n'est pas bien d'avoir de l'argent et d'être prospère.

Il y a quelques mois, je parlais à un banquet au cours duquel on devait remettre au directeur d'un hôpital un chèque l'aidant à meubler une nouvelle aile de son hôpital. En recevant son chèque, le directeur déclara: «L'argent n'est pas si important. Ce qui compte vraiment, c'est l'amour et l'intérêt que montrent les membres de ce club pour la nouvelle aile de l'hôpital.»

Je me demandais alors s'il se rendait compte de ce qu'il disait vraiment, parce que ma première réaction fut, et je soupçonne que ce fut la réaction intérieure d'un bon nombre d'autres personnes présentes: «Si l'argent n'a pas d'importance, qu'est-ce que cet homme fait ici? Il a l'air d'un excellent homme d'affaires et je me demande s'il serait venu déjeuner avec ces dames si elles s'étaient contentées de lui envoyer une petite note lui disant que son programme d'agrandissement de l'hôpital les impressionnait beaucoup.» Il était certain que dans son enfance, cet homme avait reçu l'enseignement faussé qu'un grand nombre d'entre nous ont subi - celui de ne pas aimer l'argent.

En écoutant un peu les conversations des gens qui vous entourent, vous découvrirez que cette attitude est assez générale. Les gens rabaissent souvent l'importance de l'argent en quelques mots et dans la phrase suivante, ils admettent que pour en gagner ils travaillent très fort. Ils ne se rendent pas compte des courants contraires qu'ils créent dans leurs pensées qui, à leurs tours, annulent la plus grande partie de leurs efforts. En nourrissant ces pensées à contre-courant sur l'argent, ils travaillent à contre-courant pour le gagner et souvent ils obtiendront des résultats qui se contredisent.

L'argent est divin

Je n'oublierai jamais la première fois où, en tant que pasteur, je dus parler sur l'importance de l'argent dans une vie pleine de succès. Lorsque je déclarais que: «L'argent est merveilleux parce que c'est une substance divine; que l'argent est bon lorsqu'on l'utilise correctement», une dame assise au premier rang en eut le souffle coupé et faillit tomber de sa chaise. Lorsque je déclarais: «L'argent est divin, parce que l'argent est l'expression du bien de Dieu», elle faillit s'évanouir. Elle était venue à cette conférence parce qu'elle désirait vivre une vie plus prospère. Et cependant, lorsque je mentionnais l'argent en tant que forme légitime de prospérité, elle était scandalisée.

À la fin de la conférence, l'un des membres du conseil de l'église m'attrapa pour me dire: «Est-ce que vous ne pensez pas que vous y êtes allée un peu trop fort en disant que l'argent est bon parce que c'est un symbole de substance divine?» Et je m'entendis répliquer: «J'espère que j'y suis allée fort; j'en avais bien l'intention.» Le membre du conseil me dit alors: «Oui, mais vous avez tellement scandalisé cette femme au premier rang, qu'elle risque bien de ne plus jamais revenir.» Et je lui répondis: «Si je l'ai scandalisée, c'est qu'elle avait certainement besoin de chasser de sa pensée certaines vieilles idées fausses sur l'argent comme nous devons tous le faire.»

Je lui fis ensuite remarquer que j'enseignais les principes spirituels et mentaux de la prospérité uniquement dans le but d'aider les gens à apprendre la merveilleuse vérité de Dieu qui veut que la prospérité soit leur héritage divin pour qu'ils se libèrent de l'échec, de la pauvreté et de tous les autres péchés d'insuffisance. Je savais parfaitement que quelquefois, il était nécessaire de leur administrer un choc.

À la conférence suivante, cette dame était de nouveau là au premier rang. Je ne réussis à détecter qu'une seule différence dans son attitude: elle avait tiré sa chaise plus près de la plate-forme, attendant avec joie qu'on lui administre de nouvelles vérités-choc sur la prospérité!

Après quelques conférences, elle se calma énormément dans ses réactions pour ou contre la prospérité. Finalement, elle vint me voir et admit que, avant qu'elle vienne assister à ces conférences sur la prospérité, sa vie et ses affaires allaient très mal financièrement et autrement. Son mari l'avait laissée. Ses enfants semblaient se tourner contre elle; son médecin lui avait dit qu'elle était au bord de la dépression nerveuse, elle avait un bon emploi, mais son argent ne semblait jamais aller très loin et elle ne s'entendait pas avec ses collègues; elle était même en procès à cause de son emploi précédent.

Mais semaine après semaine, à mesure qu'elle nourrissait de nouvelles idées sur la prospérité et le succès, son attitude changea complètement ainsi que son niveau de vie. Bientôt son mari revint à elle; petit à petit, elle réussit à établir une relation plus harmonieuse avec ses enfants; sa santé s'améliora et elle n'eut pas de dépression nerveuse; le procès concernant son emploi précédent se régla doucement à l'amiable et elle commença à se sentir heureuse et satisfaite de son travail. En fait, elle fut bientôt transformée et tout ceci commença le soir où elle eut le courage de changer complètement d'attitude face à l'argent.

La plupart des gens sont très sensibles quant à leurs capacités de gagner de l'argent. Dans la plupart des cas, les gens pourraient accroître cette capacité de gagner de l'argent en ayant une attitude plus positive et amicale face à l'argent. Le très regretté Mike Todd disait: « Je n'ai jamais été pauvre, seulement sans le sou. La pauvreté est un état d'esprit. Le fait d'être sans le sou est une situation temporaire.»

Une bonne nouvelle d'argent

La plupart des gens semblent ne pas savoir quelle attitude spirituelle prendre face à l'argent à cause de certaines choses que Saint Paul a écrites sur la question. Le passage biblique sur l'argent le plus incompris de tous est peut-être l'avertissement qu'il lance à Timothée, affirmant que «*L'amour de l'argent est la racine de toutes sortes de malheurs.*» Cependant, en étudiant ce passage d'un peu plus près, on comprend pourquoi Saint Paul parlait ainsi.

Paul avait chargé Timothée de la première mission chrétienne à Éphèse, ville d'Asie Mineure, centre culturel et commercial. Elle était renommée pour son temple d'adoration à la déesse Diane. Autrement dit, à l'époque où Saint Paul écrivait sa première épître à Timothée, la ville d'Éphèse était une ville d'idôlatrie et d'adoration païennes, une ville aux croyances superstieuses, une ville généralement matérialiste où l'on ne considérait pas Dieu comme la source de son pain quotidien.

On comprend donc facilement pour quelles raisons Saint Paul écrivit à Timothée dans le but de l'avertir contre l'idée matérialiste que ce peuple s'était faite sur l'argent. Cependant, dans cette même lettre, Saint Paul ordonne à Timothée de prêcher à ces gens matérialistes de la façon suivante: *Aux riches de ce monde, recommande de ne pas juger de haut, de ne pas placer leur confiance en des richesses précaires, mais en Dieu qui nous pourvoit largement de tout, afin que nous en jouissions. (1*

Timothée 6:17) Autrement dit, Saint Paul rappelait tout simplement à Timothée que Dieu pourvoit aux besoins de l'homme et que Timothée devait enseigner à ceux de ses disciples qui étaient riches ce secret éternel de la prospérité. Notre gouvernement américain est conscient de cette grande vérité, car l'on retrouve la devise suivante sur nos pièces de monnaie: «*In God we trust.*» (Nous avons confiance en Dieu.) C'est une très belle prière de prospérité.

Alors maintenant, résumons: Il n'y a rien de mal dans l'argent ni dans notre désir d'en posséder. C'est un mode d'échange que Dieu nous a donné et il n'y a rien de mal là-dedans. Dès que nous nous libérons de ces idées fausses que quelqu'un nous a enseignées sans en être conscient, il y a des années - que l'argent, c'est le mal - nous remarquons que notre argent circule dans nos affaires financières bien plus facilement et de manière bien plus satisfaisante.

Appréciez l'argent et il vous fera prospérer

Une dame me racontait il n'y a pas longtemps que depuis qu'elle s'était libérée de la vague idée qu'elle était censée considérer l'argent comme mauvais, elle en jouissait beaucoup plus. Elle disait qu'auparavant, l'argent de sa paie disparaissait en trois jours, mais que maintenant, il lui semblait en avoir assez pour pouvoir le partager et l'économiser régulièrement. En fait, c'est l'une des personnes les plus généreuses que je connaisse. Une autre dame déclarait il n'y a pas longtemps: «J'ai reçu une autre leçon qui m'a marquée: celle de cesser de dire: «Oh, c'est *juste* de l'argent!» Elle ajoutait que depuis qu'elle appréciait son argent plutôt que de le mépriser, elle avait décroché un nouvel emploi merveilleux et bien mieux rémunéré. Elle jouit maintenant autant de son nouveau salaire que de son nouvel emploi.

Vous vous demandez peut-être pourquoi il est si important de cultiver une attitude sincèrement favorable face à l'argent, pour transformer avec bonheur sa situation financière. Eh bien, c'est que l'argent est rempli de l'intelligence universelle qui l'a créé. L'argent est sensible à l'attitude que nous avons face à lui. L'argent réagit selon la loi de l'action spirituelle qui veut que l'on attire tout ce que l'on apprécie, et que l'on repousse tout ce que l'on méprise. Si vous pensez de façon favorable à l'argent, il se multipliera et s'accroîtra pour vous; alors que si vous le critiquez et le condamnez d'une façon ou d'une autre, quelle qu'elle soit, qu'il s'agisse de votre propre argent ou de celui d'autrui, vous le dissipez et le repoussez loin de vous.

Vous avez peut-être remarqué que cette loi s'applique à vos états d'esprit. Vous remarquerez que votre argent vous profite beaucoup plus lorsque vous faites vos achats dans un bon état d'esprit. Mais lorsque vous faites des courses à la hâte ou en étant déprimé, tout semble aller mal, même le pouvoir d'achat de votre argent.

Puisque vos pensées modèlent votre monde, vous vous devez d'apprécier l'argent pour que l'argent vous apprécie et se sente attiré à vous. J'ai discuté avec des centaines de personnes de leurs affaires financières, et j'ai découvert que souvent, celles qui n'avaient pas assez d'argent pour nouer les deux bouts, se moquaient de l'argent et le condamnaient dans leurs affaires financières, qu'il s'agisse des leurs ou de celles d'autrui.

Un homme déprimé et désespéré dans tous les domaines vint un jour me parler. Il était en très mauvaise santé, n'avait plus de travail et se sentait extrêmement solitaire et malheureux. En l'écoutant, je cherchais à découvrir quel état d'esprit l'avait poussé dans une situation si pathétique. Il me raconta à quel point la vie avait été injuste pour lui, ainsi que toutes les difficultés qu'il avait eues avec les gens, les situations et les événements tout au long de sa route. Petit à petit, il se mit à parler des «politiciens de Washington et de leur façon désastreuse de dépenser l'argent du pays.» Je lui suggérai alors aussi doucement que possible de s'efforcer de réviser son attitude vis-à-vis des gens en général et surtout vis-à-vis des politiciens de Washington, s'il désirait retrouver la santé, la prospérité et le bonheur. Après m'avoir lancé un regard qui en disait long sur mon équilibre mental, il consentit à essayer d'aborder la vie par le raisonnement de la prospérité.

Lorsqu'il revint me voir plusieurs mois plus tard, il dut me rappeler son nom, tellement son apparence s'était améliorée. Puis il me décrivit avec un regard rayonnant de joie cet après-midi froid de décembre, où en sortant de mon bureau, il avait dû rentrer à pied à la pension car il n'avait pas assez d'argent pour se payer l'autobus. En arrivant à la maison, il s'aperçut qu'ayant absorbé certaines des idées dont nous avions discuté, il ne ressentait plus aucune douleur dans le corps. Cette nuit-là, il dormit paisiblement pour la première fois depuis des mois.

Il se mit à penser chaque jour à la prospérité et des choses merveilleuses commencèrent à se produire. Il retrouva complètement sa santé, et bientôt, le domaine de travail dans lequel il avait toujours rêvé de s'introduire s'ouvrit à lui. À la pension, il rencontra une dame qui elle aussi se trouvait en mauvaise santé et en désespoir financier et il se mit à lui communiquer certaines des idées sur le raisonnement de la prospérité qui l'avaient tant aidé. Cette femme changea alors totalement d'attitude face à la vie. Ils se mirent alors à apprécier plutôt que de critiquer, et bientôt ils se mirent également à s'apprécier l'un l'autre. Lorsqu'il revint me voir, cet homme m'affirma qu'il désirait maintenant épouser cette merveilleuse petite femme. Plus tard, il vint me la présenter et elle était aussi radieuse qu'une jeune fiancée de vingt ans!

Cette homme déclara ensuite que toute sa vie, il avait méprisé l'argent et les questions financières, ainsi que les gens riches. Il se rendait compte maintenant de tout ce qu'il avait sans aucun doute détruit dans sa propre vie par cette attitude. Il avait finalement appris que lorsque l'on ne réussit pas à joindre les deux bouts, c'est que l'on méprise l'argent, qu'il s'agisse du sien ou de celui d'autrui.

La règle d'or de la prospérité

Le gens s'attirent parfois des difficultés financières en déclarant qu'eux-mêmes sont prospères et bénis mais que monsieur et madame Untel n'ont pas un sou à leur nom. Ces gens discutent souvent d'un air triomphant des difficultés d'autrui dans tous les détails. Lorsque vous vous pensez prospère tout en considérant les autres comme vivant dans le besoin, vous vous attirez le même malheur de par la loi de l'action et de la réaction. La règle d'or du raisonnement de la prospérité veut que, sur les affaires d'autrui, l'on ne pense ni ne dise rien que l'on ne voudrait pas vivre soi-même.

Un procès entre deux associées qui démantelait leur entreprise prouva cette vérité de façon particulière. L'une des associées déclarait continuellement qu'elle allait tout gagner; que la cour et le juge seraient sans aucun doute entièrement en sa faveur et elle affirmait d'un air triomphant que son associée n'aurait plus rien du tout. Mais l'autre associée aimait la justice, la prière et les situations positives: elle remit toute l'affaire entre les mains de Dieu, affirmant que la loi divine de l'amour, de la justice et de la parfaite équité se manifesterait pour le plus grand bien de toutes les parties impliquées dans cette situation. L'associée, qui portait accusation, alla jusqu'à emmener son avocat sur la propriété pour lui montrer tous les biens financiers et immobiliers qu'elle était certaine de recevoir de la part du tribunal. Elle ne cessait de se penser prospère, tout en déclarant que l'autre associée allait se retrouver dans la rue.

Cependant, après avoir écouté tous les faits, le juge décida que l'accusatrice n'avait droit qu'à une toute petite partie de la propriété. Il accorda le reste des biens financiers, qui comprenait un projet immobilier, une usine de nettoyage et quelques autres biens immobiliers, à l'associée qui avait prié pour demander que justice divine soit faite. Cette femme prouva ainsi que lorsque vous vous pensez prospère tout en imaginant les autres dans le besoin financier, vous vous attirez inconsciemment le même malheur.

Faites de l'argent votre serviteur

D'autre part, le fait d'envier l'argent d'autrui indique que l'on imagine un besoin financier pour tout le monde. Souvenez-vous que vous attirez l'expérience à laquelle vous accordez le plus d'attention. En entendant parler de la bonne fortune, d'un grand héritage ou de toutes les possessions de quelqu'un d'autre, vous devriez être envahi d'une grande joie et d'appréciation. La manifestation des richesses d'autrui n'est qu'une preuve de plus que notre Père aimant offre sa bonté divine à toute l'humanité.

Vous devriez vous réjouir de chaque manifestation de sa richesse.

L'argent semble être tellement chargé d'intelligence divine qu'il semble entendre ce que vous dites ou ce que vous pensez de lui, et y réagir en conséquence. L'une de mes amies raconte souvent que son attitude d'appréciation face à l'argent l'a aidée maintes fois à maintenir son réfrigérateur plein durant les années de la Crise économique. Son jeune fils semblait avoir l'art de faire profiter leur argent à l'épicerie. Lorsqu'elle semblait manquer d'argent, elle l'envoyait à l'épicerie avec ce qui lui restait. Il revenait régulièrement avec beaucoup plus d'aliments que tous les membres de la famille auraient pu acheter avec le même montant. Peut-être que les sommes d'argent travaillaient en double pour lui!

En cultivant une attitude positive et appréciatrice pour l'argent, vous pouvez en faire votre serviteur plutôt que d'en devenir l'esclave. Vous devriez maîtriser l'argent plutôt que de devenir son esclave parce que, tel que le déclare le premier chapitre de la Genèse, vous avez été placé dans notre univers pour maîtriser et contrôler la substance dans toutes ses formes. Prenez délibérément l'habitude d'apprécier l'argent et ne cherchez pas à excuser votre appréciation.

Lorsque vous vous excusez et que vous méprisez l'argent, il semble le savoir et se laisser repousser par votre mépris. Je n'oublierai jamais la première fois que j'ai fait la déclaration suivante dans une conférence: «Appréciez l'argent en le considérant comme la riche substance de Dieu; ne trouvez pas d'excuses pour votre appréciation, car vos excuses irrationnelles le repousseraient.» Il y avait dans l'auditoire une dame qui portait un énorme sac. Tout d'un coup, son sac s'ouvrit et l'argent se répandit partout sur le plancher, en faisant beaucoup de bruit. Nous avons tous bien ri pendant que quelques personnes l'aidaient à ramasser son argent. Bien sûr, nous avons transformé cet incident en plaisanterie pour que cette femme ne se sente pas mal à l'aise. Mais, plus tard, quand je l'ai rencontrée en personne, je lui donnai quelques déclarations riches pour qu'elle en surcharge son esprit, car elle semblait rayonner d'un sentiment profond de limitation financière. Il semblait presque que son

argent avait entendu ce qu'elle disait de lui et essayait de la fuir!
Charles Fillmore écrit:

> «Faites attention à ce que vous pensez lorsque vous vous
> occupez de votre argent, car votre argent est rattaché par
> votre esprit à la source unique de toute substance et de
> tout argent. Lorsque vous pensez à votre argent, qui est visi-
> ble, comme quelque chose qui est directement rattachée à
> une source invisible qui prodigue ou qui retient selon votre
> pensée, vous tenez la clé de toutes richesses et la raison de
> tout besoin.

Vous avez peut-être entendu l'histoire de l'Écossais négligent
qui avait lancé un écu dans le panier de la collecte pensant qu'il
s'agissait d'un petit sou. S'apercevant de son erreur, il avait
demandé qu'on le lui rende, mais le diacre qui faisait la collecte
avait refusé. L'Écossais grogna: «Tant pis, tant pis, je serai repayé
pour l'écu au paradis.» «Non, non, répliqua le diacre, vous serez
repayé pour le petit sou.»

Chassez toutes attitudes confuses

Chassons toute notre confusion sur l'argent qui ne peut que
rapporter des résultats confus. John D. Rockefeller Jr. décrivit un
jour les propriétés merveilleuses et glorieuses de l'argent en disant que l'homme pouvait se servir de l'argent pour nourrir les af-
famés, guérir les malades, faire refleurir les déserts et embellir la
vie. Comme il avait raison! Comme le déclarait un jour Salomon:
*«La fortune du riche, voilà sa place forte! Le mal des petits, c'est
leur indigence.»* (Prov. 10:15) Il est une chose certaine: l'argent
est bon, et nous devrions en avoir plus que jamais à l'époque
riche que nous vivons.

Un récent éditorial soulignait la puissance que l'argent pourrait avoir pour amener la paix dans le monde suggérant que le
président de la Banque Mondiale reçoive le prix Nobel de la paix
pour le travail excellent qu'il a accompli en établissant la paix
financière dans plusieurs pays. L'éditeur concluait: «Ne serait-il
pas temps que nous reconnaissions qu'une bonne utilisation de

l'argent pourrait être un énorme facteur pour la paix dans le monde?»

Vous ne devez pas mépriser l'argent, mais vous ne devez pas non plus le déifier. L'argent désire ardemment vivre, bouger, s'étendre et être actif. Il n'aime pas qu'on l'emprisonne et qu'on le retienne dans l'oisiveté. En vérité, c'est la circulation active de l'argent qui amène la prospérité, alors que les périodes de dépression et de récession proviennent d'une accumulation misérable de l'argent. Notre économie nationale dépend de la circulation active de l'argent et votre prospérité individuelle dépend elle aussi de la circulation active de l'argent. Ceci ne signifie pas que vous ne devriez pas économiser, mais vous ne devez pas abuser de l'argent en l'utilisant mal.

Voici quelques autres attitudes face à l'argent qui s'avéreront particulièrement utiles. Par exemple, ne déclarez jamais: «Je ne peux pas me payer cela» ou «Il va falloir se serrer la ceinture». De telles déclarations ne font que semer la pauvreté et la limitation. Vous feriez mieux de déclarer alors qu'il *n'est pas sage* de se lancer dans certaines entreprises financières; ou alors, vous feriez mieux d'exprimer votre *non* financier d'une façon plus positive et prospère. Affirmez souvent de façon positive: **Je me sers de la puissance positive, de la substance de Dieu riche en sagesse, en amour et en bon jugement dans toutes mes questions financières, et je prospère dans toutes mes voies.**

Il n'est pas sage non plus d'amplifier ses difficultés financières. Si vous vous vantez de vos problèmes financiers (et certaines personnes le font vraiment pour s'attirer l'attention et la sympathie des autres), vous aurez toujours assez de problèmes financiers pour alimenter vos fanfaronnades.

Un homme d'affaires qui a su s'enrichir par des transactions en bourse, raconte qu'au début, il investissait beaucoup et perdait beaucoup. Il perdit $20 000 dans une seule transaction. Mais il ne mentionna jamais ses pertes financières à qui que ce soit, pas même à sa femme. Il continua au contraire à vivre une vie prospère et bientôt la situation changea, lui permettant de compenser par d'énormes gains les leçons qu'il avait reçues de ses pertes antérieures. Jusqu'à aujourd'hui, il n'a jamais discuté ouvertement de ces premières pertes et maintenant il est totalement indépendant financièrement. En pleine période de difficultés financières, il est bon d'affirmer: **Je sais que ceci aussi passera** et continuez à vous accrocher à l'image mentale de succès financier que vous vous efforcez de concrétiser.

Voici une autre attitude face à l'argent dont vous devez vous garder. Lorsque vous donnez de l'argent à quelqu'un d'autre ou à un organisme, ne le donnez pas en pensant besoin ou obligation. De telles pensées ne font qu'attirer plus de besoins et d'obligations financiers. Donnez au contraire dans le but *d'accroître leur prospérité*. Cette loi s'applique à l'argent que vous passez à votre mari, à votre épouse, à vos enfants, employés, à votre club, à votre église, à l'épicier, au banquier, au gouvernement ou à qui que ce soit d'autre. Grâce à cette attitude, la personne qui donne et celle qui reçoit se sentent plus riches.

La façon dont vous savez recevoir de l'argent ou autre don financier est également très importante. Une personne prospère sait recevoir avec grâces le bien sous toutes ses formes et ne se trouve aucune excuse pour l'avoir accepté. La personne qui reçoit offense autant le présent que la personne qui l'offre en déclarant: «Oh vous n'auriez pas dû faire ça». Accueillez l'argent et l'approvisionnement divin qui vous viennent de toutes directions tant qu'ils vous sont donnés librement, sans créer une impression d'obligation. Déclarez souvent: **Toutes les portes financières sont ouvertes; tous les canaux financiers sont libres et une bonté illimitée se dirige vers moi.** Ensuite, laissez-la arriver joyeusement!

Je connais une femme qui priait désespérément pour que sa prospérité croisse et pourtant elle refusait constamment les cadeaux et les faveurs qu'on lui offrait avec amour, fermant ainsi plusieurs canaux de sa prospérité. Si vous ne savez que faire des cadeaux que l'on vous donne, ne le dites pas; acceptez-les simplement pour la pensée généreuse qu'ils représentent, puis passez-les joyeusement à quelqu'un qui saura quoi en faire.

Cette attitude ne s'applique pas lorsque quelqu'un cherche à vous corrompre ou à acheter votre amitié en vous faisant des faveurs, créant ainsi un sentiment d'obligation. La vraie générosité n'attache personne. Le don véritable n'a pas de rapport avec la corruption, les faveurs implicites et les obligations. Si vous sentez un objectif précis derrière un cadeau que l'on vous offre, sentez-vous libre de dire «*non*» à cette fausse générosité.

Priez pour vos affaires financières

Il est nécessaire de clarifier une autre attitude vis-à-vis de l'argent. Ne craignez pas de prier pour de l'argent ou pour des résultats spécifiques que vous désirez obtenir dans vos affaires financières. Les Hébreux de l'Antiquité n'hésitaient pas à prier Dieu pour lui demander exactement ce qu'ils désiraient. Ils avaient sept noms sacrés pour Yahvé, chacun représentant une idée spécifique de Dieu. Ils utilisaient le nom de *Jehovah-Jireh* lorsqu'ils désiraient se concentrer sur l'aspect de la substance. Ce nom signifie: *Jehovah fournira*, «Le Tout-Puissant dont la présence et la puissance donnent, quelles que soient les circonstances qui s'y opposent.»

Plusieurs grands chefs de la Bible priaient spécifiquement pour la prospérité lorsqu'ils en avaient besoin. Jésus pria pour que les 5 000 soient nourris en levant les yeux vers le ciel et en rendant grâces pour les quelques miches de pain et les quelques poissons qui furent alors multipliés pour répondre aux besoins de tous. Élie pria avec persistance pour que la pluie mette fin à la sécheresse qui durait depuis trois ans, pour que les Hébreux puissent retrouver leurs moissons, leur nourriture et leur prospérité.

Un *Père* riche n'a jamais eu l'intention de laisser les hommes souffrir dans notre univers somptueux et nous nous trompons lorsque nous pensons devoir vivre dans le besoin. Si vous éprouvez un besoin financier, n'hésitez pas à en faire une prière spécifique pour demander à votre *Père* aimant de vous aider à remplir ce besoin de façon riche et complète. La promesse: «*Demandez et l'on vous donnera*» (Matt. 7:7) ne contient aucun sous-entendu. La promesse du Livre de Job n'en contient pas non plus: «*S'ils écoutent et sont dociles, leurs jours s'achèvent dans le bonheur et leurs années dans les délices.*» (Job 36:11) Nous avons des jours fériés nationaux pour l'Action de Grâces, nous rendons grâces quotidiennement en nous mettant à table, pour nous aider à nous rappeler que Dieu est la source de notre approvisionnement sous toutes ses formes.

À propos de la prière pour la richesse, vous connaissez probablement l'histoire du très regretté George Muller de Bristol, en Angleterre qui, il y a bien des années, fonda des orphelinats pour enfants par la force de sa foi en la puissance prospère de la prière. On l'a décrit comme un homme de foi auquel Dieu donna des millions. On l'a aussi appelé prince de la prière à cause de son habitude de demander directement à Dieu ce dont il avait besoin plutôt que de parler de ses besoins aux autres gens.

Monsieur Muller a dit un jour que nous faisions presque tous l'erreur de ne pas demander assez et que nous ne continuons pas à prier jusqu'au moment où ce que nous demandons nous arrive. Il conseillait également: «Attendez-vous à ce que Dieu vous donne de grandes choses et vous recevrez de grandes choses.» Un jour, il dit à un ami: «J'ai loué Dieu bien des fois lorsqu'*il* m'envoyait dix cents et je l'ai loué quand *il* m'a envoyé $60 000.» En réponse à ses prières pour la prospérité, il reçut $7 500 000 pour édifier et entretenir ses orphelinats.

On a souvent raconté que Charles Fillmore, co-fondateur de Unity School of Christianity à Lee Summit, Missouri, avait souvent prié pour les affaires financières de Unity au cours des dix premières années du mouvement. L'un des versements sur les presses d'imprimerie étant en retard, le shérif vint un jour saisir les machines. Mais lorsque monsieur Fillmore lui affirma avec confiance: «J'ai un *Père* riche qui va se charger de tout ça», le shérif le crut sur paroles et répondit: «Bon, alors dans ce cas, on va vous laisser un peu plus de temps.»

Monsieur Fillmore continua alors de prier pour la prospérité, et l'argent rentra. Les presses d'imprimerie ne furent jamais saisies. Plus tard, pendant les années de la récession, on reçut toujours autant de dons pleins d'amour du monde entier pour soutenir Unity School. De nouveau, les fondateurs de Unity prièrent spécifiquement, franchement et délibérément pour de l'argent, de l'approvisionnement financier et une riche prospérité. Un jour, les travailleurs de Unity Farm qui creusaient pour trouver de l'eau, trouvèrent du pétrole! Ce puits de pétrole fut la réponse parfaite à leurs besoins financiers pendant toute la récession.

Bien sûr, le mouvement Unity a maintenant un objectif mondial. Ces dernières années, les évaluateurs ont déclaré que la valeur financière de Unity Village, qui est maintenant une société incorporée, est si riche que l'on peut à peine l'évaluer à sa vraie valeur qui s'élèverait à des millions.

Démontrez votre argent

Les religions occultes du passé enseignaient secrètement à démontrer l'argent. Les quelques privilégiés auxquels on enseignait ce secret apprenaient à faire une image mentale concrète du montant qu'ils voulaient, de la dénomination de l'argent et de l'apparence qu'il avait. Lorsqu'ils s'étaient fait une image du montant précis, on leur enseignait à la garder distinctement dans leur esprit comme si cet argent était déjà visible, pour qu'ils soient capables de le voir clairement dans leur esprit. Puis on leur enseignait à ordonner à la riche substance de l'univers de le leur donner. On leur disait d'affirmer positivement: **Donne-moi cela** et de répéter cet ordre plusieurs fois, jour après jour, jusqu'à ce qu'il se manifeste.

Étant donné que l'Esprit est tout-puissant, vous avez vous aussi le droit et le privilège de revendiquer mentalement de l'argent, des biens financiers et d'abondantes provisions si vous désirez vous servir uniquement d'une méthode mentale. De nombreuses personnes ayant atteint le succès se sont servies de cette méthode, consciemment ou inconsciemment. En plus de l'image mentale du montant précis désiré, chargez votre esprit à bloc par la déclaration puissante: **Toutes les portes financières sont ouvertes, tous les canaux financiers sont libres** (nommez ensuite le montant précis) **viennent maintenant à moi.** Il serait aussi sage d'affirmer que ce montant se manifeste par les canaux divins de la façon merveilleuse que Dieu a choisie.

Vous vous êtes fait une image mentale et avez revendiqué mentalement le montant d'argent précis; vous priez délibérément pour de l'argent; maintenant, il est également bon d'exprimer des paroles précises de richesse pour vous-même et pour vos possessions. Déclarez souvent pour vous-même: **Je rends grâces de ce que je suis maintenant riche, en bonne santé et heureux et que mes affaires financières sont divinement ordonnées. Chaque jour, de toutes les façons possibles, je deviens de plus en plus riche.** Pour votre portefeuille, votre carnet de chèques ou tout autre canal d'approvisionnement financier, il est bon d'affirmer positivement: **Argent, argent, argent, manifeste-toi ici et maintenant en une riche abondance.** N'hésitez pas à déclarer que *de grandes sommes d'argent, de riches surprises financières agréables* et *de riches cadeaux opportuns* se manifestent pour vous. Ne soyez pas vague à propos de l'argent à moins que vous ne désiriez que l'argent vous réponde d'une manière vague.

Ayant lu certaines de mes idées sur l'argent, une femme de la Côte Ouest m'écrivait il n'y a pas longtemps pour me communiquer son appréciation. Elle disait: «Je suis heureuse de trouver enfin un pasteur qui n'a pas peur de parler ouvertement de l'argent comme d'une bénédiction. Un pasteur que je connais me parlait souvent en termes *d'abondance à partager et à prodiguer* et j'ai découvert ce qu'il en pensait vraiment lorsqu'à Noël dernier, j'ai reçu quatre gâteaux aux fruits. J'avais affirmé positivement que je désirais *une abondance à partager et à épargner* pour Noël. J'ai reçu tellement de gâteaux à partager et à épargner, que j'ai dû en donner trois pour m'en débarrasser. Comme il aurait été agréable de recevoir pour Noël autre chose que des gâteaux aux fruits! Cette expérience m'a enseigné à demander avec précision ce que je désirais, si je voulais obtenir des résultats précis et satisfaisants.»

En pensant en termes précis, vous vous attirez des résultats précis. Ne limitez pas votre revenu en demandant *juste assez pour nouer les deux bouts.* Ceci est une prière de pauvre. Souvenez-vous au contraire les paroles de Saint Paul: «*Dieu qui nous pourvoit largement de tout, afin que nous en jouissions.*» (1 Tim 6:17)

Un jour que je traversais une période où mes revenus financiers étaient inadéquats, je découpai les paroles suivantes d'une revue, les collai sur une carte que je plaçai sur ma table de nuit, de façon à pouvoir les relire chaque jour: **Votre argent com-**

mence à croître maintenant. Votre revenu double! Je fus ébahie de voir mon revenu financier se mettre à croître immédiatement par une série d'événements extraordinaires. Quelques mois plus tard, je me rendis compte tout à coup que mon revenu avait bel et bien doublé! L'argent adore l'attitude prospère et y répond avec abondance.

La substance, source d'argent

Vous devriez comprendre et apprécier pleinement non seulement l'argent mais aussi la substance d'où proviennent l'argent et tous les objets tangibles. Les périodes de dépression dénoncent le fait que durant les jours de prospérité, l'homme a, soit oublié les prières et les luttes qui l'avait amené au succès et à une sécurité apparente, soit négligé d'édifier sa fortune sur une solide base financière. S'il avait pensé plus souvent à la source de la vie et de la substance, il aurait évité le fléau de la pauvreté qui le frappe en pleine abondance.

Les savants affirment que la substance est derrière et soutient chaque objet visible et tangible. Si vous n'avez pas d'argent et qu'il ne semble pas se manifester lorsque vous y pensez de façon prospère, ceci signifie peut-être que l'équivalent divin de l'argent désire venir à vous. En appréciant la substance et en étant conscient qu'elle est présente dans tout l'univers et dans tout ce qui vous entoure, en réalisant qu'elle est passive et qu'elle n'attend que le moment où vos pensées et vos paroles la modèleront et la rendront visible, vous sentirez que vous contrôlez le monde invisible de la substance et de l'approvisionnement riche, ainsi que le monde visible de la richesse.

Einstein fut le premier à choquer le monde scientifique en déclarant que la substance et la matière (incluant l'argent et les objets visibles) sont convertibles. Il affirma que les mondes tangibles et intangibles se composent de la même énergie, du même esprit ou substance. Il affirma que les royaumes visibles et invisibles sont relatifs, convertibles et interchangeables.

On peut également utiliser cette théorie de la relativité au domaine financier. Si les mondes tangibles et intangibles sont relatifs, pourquoi vous inquiétez-vous de voir vos finances baisser? Vous êtes en mesure de vous servir de la loi de la relativité pour produire soit l'argent, soit l'équivalent financier qui répondra à vos besoins! Si la substance ne se manifeste pas en argent, ne prenez pas panique. Déclarez, au contraire: **La substance divine est la seule et unique réalité de cette situation. La substance divine se manifeste ici et maintenant sous une forme d'abondance appropriée.** Puis, laissez la substance se manifester à vous sous la forme qu'elle a jugé la plus appropriée.

Les savants déclarent que la substance est pleine de vie, d'intelligence et de la capacité de prendre forme visible. En affirmant positivement que la substance divine résout la situation de la façon qu'elle juge la meilleure, vous libérez son intelligence universelle et sa capacité de prendre forme visible. Votre bien financier pourra vous arriver de façon totalement imprévue; il vous arrivera peut-être de l'autre bout du monde ou par des étrangers que vous n'aviez jamais rencontrés. Mais il vous viendra dès que vous lui accorderez votre attention et que vous le laisserez libre de travailler comme il le pense le plus sage.

Si les canaux habituels d'approvisionnement vous sont fermés, invitez des canaux inhabituels d'approvisionnement à s'ouvrir en reconnaissant que la substance divine se tient derrière chaque forme d'approvisionnement visible et qu'elle possède un nombre illimité de manières de vous manifester ses richesses. La substance vous aime et vous veut du bien, et désire pourvoir avec abondance à vos besoins. Accordez-lui votre attention et votre appréciation; ayez foi en elle, même si elle vous semble invisible; puis donnez-lui l'occasion de vous prouver avec quelle puissance elle veut vous faire prospérer et prendre soin de vous.

Ne sous-estimez jamais la puissance que vous dégagerez en affirmant positivement que la substance est la seule et unique réalité qui ne manque jamais de vous répondre. Elle se manifestera alors sous forme d'argent ou sous la forme financière la plus adéquate, peut-être au travers de gens que vous n'aviez jamais rencontrés.

Invoquez les différentes attitudes prospères sur l'argent et sur la substance mentionnée dans ce chapitre, avec confiance et en pensant aux paroles d'Emerson: «L'homme a été créé pour être riche, ou pour s'enrichir inévitablement grâce à ses dons.»

Ensuite, préparez-vous à recevoir des résultats florissants! Lorsque ces résultats florissants apparaîtront, vous vous rappellerez peut-être cette vérité qu'un jeune homme des forces armées écrivit récemment à sa mère: «Hier n'est qu'un chèque annulé, demain est une promesse, aujourd'hui est le seul argent que vous possédiez. Dépensez-le sagement.» Qu'il s'agisse de temps ou d'argent, cette déclaration est vraie, n'est-ce pas?

CHAPITRE 9

Le travail - un canal puissant
vers la prospérité

Vous vous demandez peut-être pourquoi ce chapitre sur le travail n'a pas été placé vers le début du livre puisque le travail est considéré comme un canal puissant vers la prospérité.

On le comprendra facilement en regardant autour de soi et en s'apercevant que le monde est plein de gens qui travaillent fort tous les jours pour devenir plus prospères; et pourtant, un grand nombre d'entre eux ne deviennent pas prospères. Pourquoi? Souvent, parce qu'ils ne pensent pas à la prospérité ni au succès, tout en s'efforçant de les atteindre. Leur attitude n'est pas bonne. Tout leur travail acharné devrait leur amener la prospérité, mais ils la neutralisent en parlant échec, en s'associant avec des gens qui ont l'échec en tête et peut-être en critiquant et en condamnant ceux qui escaladent l'échelle du succès. Ils n'ont pas encore compris qu'avant de produire des résultats externes prospères, ils doivent produire au fond d'eux-mêmes des idées prospères. Les chapitres précédents servaient donc à conditionner votre attitude en faveur d'un bien riche, d'une prospérité croissante et d'une satisfaction durable que vous vous gagnerez en travaillant.

Votre attitude peut faire toute la différence

Une secrétaire s'acharnait avec vigueur pour atteindre la prospérité. Elle était très endettée, on l'avait remerciée de ses services à plusieurs reprises et elle avait un besoin urgent d'un poste stable. Elle avait une bonne éducation, car elle détenait deux diplômes universitaires ainsi que certains cours d'administration.

À première vue, elle semblait être une collègue de travail agréable. Mais en la connaissant mieux, les autres se rendirent compte qu'au fond d'elle-même, elle nourrissait un ressentiment envers le monde entier et contre tous ses anciens patrons en particulier. Il devenait évident qu'elle cherchait toujours à se faire plaindre pour sa situation désespérée.

Lorsqu'on lui suggéra qu'elle pourrait résoudre son problème en se concentrant sur le raisonnement de la prospérité plutôt que sur l'échec, elle devint folle de rage. Elle tenait à conserver ses préjugés, ses ressentiments et son attitude d'échec qui la faisait rayonner d'un tel pessimisme qu'elle en repoussait tout le monde. Son esprit étant bloqué par son hostilité, on ne s'étonne plus que son travail soit insatisfaisant, qu'elle soit terriblement incompétente et qu'elle déteste tous ses patrons et tous les postes par lesquels elle passait.

D'un autre côté, une autre femme au travail semblait consciente qu'une attitude prospère et victorieuse lui permette d'accomplir un travail satisfaisant et productif. Apparemment, cette dame n'avait aucune raison de se sentir victorieuse ou positive. Elle avait passé la cinquantaine. Bien des gens de son âge diraient qu'ils sont trop vieux, ce qui explique déjà pourquoi ils vivent dans le besoin et le chagrin. De plus, elle était veuve et seule au monde, n'ayant pas d'enfants ni de parents. Mais elle ne se servit pas de ces circonstances pour excuser l'échec. Au contraire, elle était une personne très heureuse et en plein succès.

Pour plus de défi encore, elle vendait ce que la plupart d'entre nous ne voudrait même pas essayer de vendre - elle vendait des terrains au cimetière. Et pourtant elle vendait énormément et semblait très heureuse dans ses ventes. Elle semblait également communiquer son enthousiasme à ceux qui les achetaient, même si la plupart d'entre nous préfèrent remettre à plus tard ce genre de transaction. Par conséquent, elle jouissait de tous les conforts que la vie puisse offrir: une adorable grande maison confortable, où elle invitait souvent son grand cercle d'amis; elle possédait des valeurs financières telles que propriétés immobilières, titres, obligations et autres investissements ainsi qu'un revenu élevé et régulier de ses ventes. Elle avait le temps de jouir de ses activités sociales, religieuses et culturelles ainsi que de ses vacances et de ses voyages. Pour elle, le travail était divin même si elle vendait le dernier produit au monde que la plupart d'entre nous désireraient acheter.

Le travail est divin

Le mot *travail* prend des significations différentes pour chacun de nous. Dans le dictionnaire, j'ai trouvé une demi-page de définitions. Celui qui pense prospérité considérera le travail comme étant divin ou sublime ou comme une activité satisfaisante qui lui permet de créer le bien tout en jouissant, en compensation, de loisirs, de repos et d'un milieu harmonieux. Kahlil Gibran écrivait que le travail, c'est de l'amour rendu visible.

Vous ne trouvez peut-être pas que le travail est divin, sublime ou même une expression intérieure satisfaisante de vos talents et de vos capacités. Le travail que vous faites actuellement ne vous semble peut-être pas divin; si tel est le cas, il y a une raison et cette raison est bonne. Mais retournons aux effets de la cause. William James affirmait que 90 pour cent des humains ne se servaient que de 10 pour cent de leur pouvoir mental. Les psychologues affirment que chaque être humain est une dynamo d'énergie concentrée et créatrice qui cherche sans cesse à s'exprimer de façon nouvelle.

Le désir de devenir prospère et de s'exprimer de façon bénéfique par le travail n'est qu'une manifestation de cette énergie créatrice cherchant à s'exprimer dans nos vies. Dès que l'homme découvre les justes voies par lesquelles cette énergie créatrice pourra s'exprimer de façon constructive et qu'il crée en lui la bonne attitude, l'homme devient heureux, bien adapté et considère son travail comme étant divin. Mais s'il ne découvre pas les justes voies d'expression et qu'il ne crée pas l'attitude nécessaire, il contraint cette énergie créatrice à s'exprimer de façon médiocre. L'homme se sent alors malheureux et considère son travail comme une malédiction au lieu de le considérer comme la bénédiction divine que Dieu lui avait préparée.

Bien des gens, lorsqu'ils se trouvent encore au bas de l'échelle du succès, trouvent leur travail désagréable. L'attitude et la réaction qu'ils ont face à leur travail à ce moment-là déterminent s'ils vont rester au bas de l'échelle et continuer à maudire leur travail ou si au contraire, ils vont escalader l'échelle du succès échelon après échelon. L'insatisfaction peut aussi être une bonne chose car elle nous pousse souvent à viser plus haut et à accomplir tout le nécessaire pour y arriver.

Les circonstances dans lesquelles vous vivez ont un but précis

Regardons les choses bien en face! Vous découvrirez peut-être que les circonstances dans lesquelles vous vivez ont pour but de corriger certains traits de caractère ou certaines attitudes spirituelles qui vous empêchaient de progresser. Si votre travail est déplaisant, dites-vous que vous êtes là dans un but précis, celui peut-être de développer des qualités divines qui vous aideront plus tard à progresser et à monter plus haut encore sur l'échelle du succès. En me concentrant à mon ministère, je me suis rendu compte que chaque emploi, petit ou grand, que j'avais eu dans le passé, avait fait partie intégrante d'un entraînement que je reçus pour la chaire de conférences, la salle de conseil et mon ministère d'écrivain.

Jésus expliquait peut-être ce fait en déclarant: «À qui on aura donné beaucoup il sera beaucoup demandé, et à qui on aura confié beaucoup on réclamera davantage.» (Luc 12:48) Il vous faut donc immédiatement discipliner votre attitude et vos réactions pour pouvoir glaner tout le bien que vous offrent vos expériences actuelles, pour les surmonter et passer aussitôt que possible à des phases plus élevées d'expression personnelle dans un travail satisfaisant. Autrement dit, dès que le désir d'un bien meilleur vous presse, que l'insatisfaction de votre mode de vie actuelle vous assaille ou que les pressions de votre insuffisance financière vous troublent, c'est alors que vous subissez la vraie pression de vos talents et de vos capacités, qui s'efforcent de s'exprimer ou de se manifester à travers vous sous forme de succès et de prospérité plus riches encore.

Perfectionnez votre attitude face au travail

Voici quelques suggestions qui aideront à discipliner ou à perfectionner votre attitude et vos réactions; vous vous faites peut-être une image totalement fausse de la vie. Comme cette malheureuse secrétaire, vous nourrissez de la rancoeur contre tout et vous vous empoisonnez ainsi par ces amères pensées d'injustice. Ceux qui se trouvent toujours au bas de l'échelle du succès réussissent généralement très bien à expliquer de quelle manière les autres les ont empêchés de réussir. Ils racontent souvent en détails des choses qui se sont passées des années auparavant et qu'ils considèrent toujours comme la cause de leurs ennuis. James Allen a écrit qu'un homme ne commence à être un homme que lorsqu'il cesse de geindre et de maudire pour se mettre à la recherche de *la justice cachée* qui contrôle sa vie. De même, vous êtes peut-être en train de tourner en rond dans un enfer négatif tout simplement parce que vous ne faites pas assez d'effort mental pour vous en libérer ou pour les surmonter.

Vous pouvez alors paraphraser les paroles de Jésus et déclarer souvent: «*Tout ce que me donne le Père viendra à moi.*» (Jean 6:37) Rappelez-vous qu'un plan divin a été établi pour chaque vie, un plan qui donnera à l'homme plus de santé, de bonheur et de succès qu'il n'en ait jamais eu. Soyez conscients que vos expériences actuelles peuvent vous conduire dans ce plan divin, puis ouvrez la porte en déclarant souvent: **Le plan que Dieu a établi pour ma vie se déroule maintenant étape par étape. Je reconnais avec joie chacune de ses phases, je l'accepte dans ma vie présente et future et je le laisse me montrer comment profiter au maximum de ma vie.** Quant à vos expériences actuelles, il est bon d'affirmer positivement les paroles du psalmiste: «*Alors j'ai dit: Voici, je viens.*» (Ps. 40:8) Vous pouvez être sûr que Dieu veut votre bien suprême autant dans votre vie présente que dans votre avenir.

Que faites-vous de l'insatisfaction?

Si vous n'êtes pas satisfait de ce que vous avez maintenant, que faites-vous pour vous préparer à de meilleures cir-

constances? Avez-vous un but concret à l'esprit? Êtes-vous prêt à
sacrifier vos loisirs pour suivre des cours du soir ou pour assister
à des conférences spéciales ou pour lire certains livres ou pour
vous engager dans des activités constructives qui amèneraient
plus de succès? Les gens ne le sont pas. Faites-vous exception?

Au lieu d'agir ainsi, beaucoup de gens préfèrent passer leurs
heures de loisirs à critiquer leur travail, leurs associés, leurs
patrons et le monde en général. Ils ont l'impression qu'en détrui-
sant ainsi leur prochain, ils pourront masquer quelque peu leur
propre échec et leur insatisfaction. Lorsque vous êtes tenté
d'agir de la sorte, modifiez votre pensée. L'affirmation qui suit
vous aidera à le faire: **Je ne te condamne pas non plus. La loi
divine de la justice et de la liberté travaillent en faveur de tous,
en tous et à travers tous et je m'en réjouis. Personne et aucune
circonstance ne peuvent m'empêcher de jouir du bien que Dieu
m'a réservé et je me réjouis de le savoir.**

La secrétaire d'un politicien décrivait récemment l'injustice
qu'elle subissait au bureau. On avait donné à un employé qui
avait beaucoup moins d'ancienneté qu'elle un travail pour la
campagne de son patron: cette secrétaire jugeait qu'elle seule
avait droit à ce travail. C'était un travail intéressant et passionnant, alors que ses tâches habituelles étaient bien plus lourdes et
plus techniques. Lorsqu'elle se mit à utiliser la prière ci-dessus
pour reconditionner son attitude de condamnation et d'injustice
et penser liberté et justice divines, la situation changea complètement. Sa collègue fut transférée hors du bureau et cette
secrétaire reçut l'ancienneté et le travail qui lui revenaient!

Dans un autre cas, une femme qui travaillait à mi-temps racontait toutes les injustices évidentes de sa vie. Elle n'était pas en
bonne santé; sa mère, qui ne lui faisait pas confiance, était un
fardeau pour elle; elle lisait même son courrier en cachette. Son
travail ne la satisfaisait pas, mais elle ne se sentait pas assez
compétente pour accepter un emploi plus intéressant. Elle était
endettée; elle possédait une propriété qu'elle ne réussissait pas à
louer et un terrain qu'elle n'avait pas pu vendre. Elle était vieille
fille et trouvait qu'il était injuste qu'elle n'ait jamais pu se
marier. Elle obscurcissait chaque phase de sa vie par son attitude
d'amertume et d'injustice. Lorsqu'elle se mit à déclarer la

justice, la liberté et la satisfaction divines pour toutes les phases de sa vie, tout son mode de vie s'améliora merveilleusement. Elle se rendit compte alors que par ses idées limitées, elle avait été sa pire ennemie.

Dirigez votre énergie vers un but

Lorsque vous dirigez de façon constructive votre énergie vers un but précis, les questions secondaires semblent s'écarter d'elles-mêmes. Votre vie n'a plus de place pour les pensées médiocres, les relations inutiles, les sautes d'humeur, les émotions destructives qui causent souvent une mauvaise santé, le découragement et l'échec, lorsque vous vous mettez à imaginer votre vie comme vous la désirez vraiment.

Les choses extérieures ne peuvent s'améliorer qu'une fois que les choses intérieures ont changé car le processus intérieur de l'esprit contrôle toutes les expériences extérieures de notre vie. Lorsque vous semblez vous trouver au milieu de difficultés financières, de l'échec, du trouble et de l'insatisfaction dans le travail, ces circonstances ne doivent pas vous empêcher de nourrir des idées d'abondance, des plans vers la richesse et des images mentales de succès auxquelles vous aspirez. Rien ne peut vous empêcher d'avancer mentalement vers vos objectifs, en demandant à l'intelligence divine de vous indiquer les démarches à suivre pour réaliser vos désirs.

Les savants affirment que nous vivons dans une mer d'énergie et d'intelligence et que si nous les demandons, nous pouvons en profiter en tout temps. Vos navires ne peuvent vous revenir que si vous les avez envoyés en mission.

Il y a une solution

Beaucoup de gens *souffrent* de confusion et d'insatisfaction parce qu'ils ne se rendent pas compte que notre univers ne leur est pas hostile, qu'il est rempli d'une intelligence suprême qui répondra avec amour lorsqu'ils lui demanderont conseil. Demandez-lui de vous conseiller avec sagesse sur les améliorations que vous pouvez apporter à votre travail actuel: **In-**

telligence divine, quelles pensées, attitudes ou actions positives, constructives et créatives pourront m'aider maintenant à améliorer mon travail actuel? Quelle est la prochaine démarche à suivre pour atteindre l'abondance, la satisfaction et la liberté que je dois posséder de droit divin?

L'esprit *curieux* est un esprit en pleine santé qui obtient des réponses le dirigeant vers des résultats satisfaisants, progressifs et sains. Il est bien plus facile de nourrir et de travailler avec des idées riches et larges et d'obtenir des résultats vitaux et valables que de faire un compromis avec l'échec en ne s'accrochant qu'à des idées et des espoirs restreints.

Un ingénieur me racontait il n'y a pas longtemps qu'en espérant et en pensant à la grande échelle, il avait découvert que son travail était absolument divin, sublime et des plus satisfaisants ainsi que très rémunérateur. Dans le passé, on l'avait chargé de tâches beaucoup moins importantes mais lorsqu'en appliquant la méthode du raisonnement de la prospérité, on lui avait accordé l'emploi dont il rêvait, il était prêt à l'occuper. Il s'y était préparé mentalement et émotionnellement depuis longtemps, de sorte qu'il ne se sentit ni surpris ni troublé lorsqu'il fut mis au courant de sa nouvelle situation.

Pour se débarrasser d'un poste qui ne le satisfaisait plus et se préparer à la tâche très importante dont il rêvait, cet homme utilisa la méthode suivante: il s'acheta un petit livre noir dans lequel il inscrivit les idées et les déclarations les plus grandes, les plus riches et les plus éclatantes qu'il put trouver. Il apprit ainsi à élargir sa façon de penser et à rester paisible, posé et inspiré face à son insatisfaction au travail. C'est alors que la plus grande tâche de sa carrière s'ouvrit pour lui.

Par exemple, il commençait sa journée en ouvrant son petit livre noir et en méditant sur les idées qu'il y trouvait: **Cette journée est belle, c'est la journée de Dieu. Je déclare que cette journée et toutes les activités qu'elle impliquera sont bonnes!** En pensant aux différentes activités de sa journée, il affirmait: **Le travail juste et parfait qui me revient m'attend aujourd'hui.** Pour son image mentale de travail à long terme, il affirmait souvent: **Je démontre mon bon travail maintenant.** Pour recevoir des idées neuves lui permettant de résoudre ses problèmes de travail, il affirmait: **Je suis maintenant ouvert et réceptif aux idées riches et divines qui inaugurent et soutiennent maintenant parfaitement mes affaires.** Lorsqu'il faisait face au découragement ou à une expérience troublante, il affirmait: **Rien ne peut m'ébranler. Je rends grâces pour les résultats parfaits, immédiats et justes. Je me réjouis du succès que j'ai maintenant dans chacune de mes voies.** Lorsqu'il lui venait un sentiment de tension ou d'incertitude, il affirmait: **Ma tâche est facile et mon fardeau léger. J'accomplis beaucoup. Je suis doté de qualités divines me permettant d'accomplir de grandes choses avec facilité.** Pour ses réunions d'affaires, il affirmait: **Je déclare que cette réunion d'affaires et tout ce qui s'y rapporte est bon. Les résultats satisfaisants apparaissent rapidement.** À la fin de la journée, au lieu d'en critiquer les événements, il affirmait: **Ceci est un moment d'accomplissement satisfaisant. Je libère cette journée et je la laisse aller. L'intelligence divine n'en établit que le bien. Tout le reste s'évanouit.** Pour se préparer à une nuit de repos et à un lendemain plein de succès, il affirmait: **En glissant dans un sommeil paisible, je remercie Dieu pour ma journée pleine de succès. Je m'endors facilement sachant que l'intelligence divine renouvelle mon esprit et mon corps et me prépare à un lendemain encore plus réussi.**

Votre vrai travail se trouve devant vous

Sachez que votre travail s'étend en droite ligne devant vous. Un nouveau débouché s'ouvrira à vous dès que vous saurez acquérir toute la discipline et la connaissance que votre travail précédent a à vous offrir. En attendant, rappelez-vous qu'il n'existe pas de travail plus bas ni plus élevé que les autres, tant qu'il est essentiel au bien-être de tous. Accomplissez-le donc avec autant d'efficacité que possible, tant que vous vous y consacrez activement. Lorsque vous demandez conseil tout en nourrissant des idées plus vastes, faites face à vos expériences actuelles en vous rappelant que: **Ceci passera aussi.**

Efforcez-vous avec ardeur de vivre de façon normale au milieu de l'insatisfaction de votre travail actuel, tout en en profitant au maximum. Ceci vous aidera à travailler avec régularité dans le but d'atteindre un bien plus grand. Bien entendu, tous ceux qui s'efforcent d'être sincères au maximum, spécialement dans leur milieu de travail, passent par des périodes de profond découragement. Le découragement n'est pas une honte; il est honteux de se laisser vaincre par le découragement, de lui permettre de vous posséder et de voler à votre esprit les merveilleuses images mentales du succès que vous vous efforcez d'atteindre.

Lorsque vous vous sentez découragé, concentrez-vous sur votre grand idéal d'un travail plus satisfaisant, puis déclarez qu'il y a une solution divine aux expériences par lesquelles vous passez. James Allen explique: «*Les circonstances vous sembleront hostiles, mais elles ne le resteront pas longtemps si vous vous fixez un idéal et que vous luttez pour l'atteindre. Vous ne pouvez pas fonctionner à l'intérieur tout en restant immobile extérieurement.*»

Lorsque vous vous sentez découragé, rappelez-vous que l'obscurité la plus complète précède toujours l'aube d'un nouveau bien. Le désespoir est généralement l'indication émotionnelle que le vent change et que l'aube arrive plus tôt que vous ne le pensiez. Vous continuerez à fonctionner à l'intérieur, et l'extérieur prendra soin de lui-même.

S'il le faut, servez-vous dans cette situation, de la loi mentale du revirement. Quelqu'un a déclaré que dans le royaume de l'esprit, la pensée peut concevoir des extrêmes et les produire plus facilement qu'elle ne peut accepter un degré graduel de bien et le produire. Un changement radical de point de vue peut souvent débarrasser l'esprit de toutes idées limitées; ce revirement mental peut très facilement produire un résultat opposé.

Osez devenir un architecte spirituel, édifiant des images mentales d'un plus grand bien, osez jouir mentalement de ces idées d'un bien accru pendant que vous accomplissez vos tâches quotidiennes. Ressentez et imaginez le succès lorsque vous êtes en pleine insatisfaction. Ayez l'audace d'affirmer positivement un succès riche et illimité pour vous-même, quels que soient les circonstances et les événements qui vous entourent. Déclarez: *Ceci, ou mieux, Père; que ta bonne volonté suprême s'accomplisse.*

Attendez-vous à des améliorations

Maintenant, rappelez-vous que vous n'améliorerez pas les choses en luttant contre vos conditions de travail insatisfaisantes. Vous n'améliorerez pas les choses en accusant les autres d'être la cause de vos déceptions et de vos échecs. Ne résistez pas aux conditions actuelles et sachez qu'elles sont déjà en train de changer pour vous apporter une amélioration! Lorsque les choses semblent être immobilisées, souvenez-vous du principe de la physique qui affirme que l'univers entier est en mouvement perpétuel; que nous vivons, nous nous déplaçons et existons dans un *océan de mouvement,* même si nos cinq sens extérieurs ne s'en rendent pas entièrement compte. Rien n'est immobile; tout change constamment, que cela soit visible ou non. Si vous vous attendez à une amélioration de ces changements, elle se produira certainement.

Lorsque vous traversez des périodes où vous savez que les changements se créent sans être encore apparents, ne vous laissez pas tromper par vos pensées craintives qui cherchent à vous convaincre que vos idéaux sont trop bons pour être vrais, trop merveilleux pour se produire ou trop beaux pour durer. Lorsque vous vous sentez envahi par la crainte ou les doutes, allez de l'avant et accomplissez quelque chose de précis pour créer en vous un sentiment et une image de succès et vous convaincre vous-même ainsi que les autres que vous êtes vraiment en train de réussir! Celui qui conquiert le doute et la crainte, conquiert l'échec. Que votre succès vous semble évident ou non, vous vous sentirez énormément aidé de voir que les autres pensent que vous réussissez. Vous bénéficiez énormément de ce que pensent et de ce qu'espèrent les autres quant à votre succès; ces pensées et ces espoirs s'unissent aux vôtres pour accélérer les résultats de réussite dans votre vie.

La technique de saturation

Saturez-vous d'une atmosphère d'abondance et d'association avec les gens qui réussissent. Lorsque vous cherchez à vous convaincre que vous allez recevoir le succès et la prospérité auxquels vous avez droit, même si vous n'en voyez aucun signe, allez vous promener dans toutes les banques de votre ville pour observer les gens qui réussissent et qui ont une abondance d'argent à faire fructifier. Allez vous promener dans les cadres plaisants des beaux magasins et édifices tout neufs. Visitez les sections les plus riches de votre ville ainsi que la campagne, où la richesse de Dieu et de l'homme est évidente.

Associez-vous avec des gens créatifs et talentueux, tels que des artistes et des intellectuels, si ceci peut vous apporter un sentiment d'enrichissement. Si l'opéra, le concert ou les galeries d'art vous donnent un sentiment de richesse, allez-y. La musique ou les conférences culturelles vous inspireront peut-être. J'ai remarqué que les biographies de réussite et les autobiographies de grands personnages m'aidaient énormément. En lisant les défis que ces personnages réputés ont dû relever et vaincre, nos propres périodes d'insuffisance nous semblent peu importantes par comparaison et nous renouvelons ainsi au fond de nous-mêmes le sentiment d'une victoire assurée.

Lorsque je traversais une période difficile de ma vie, je découvrirs qu'en suivant des cours et en faisant de la peinture, je réussissait à transformer mon découragement en espoir pour l'avenir. Je connais une dame qui surmonta la solitude en travaillant tous les jours dans son beau jardin de roses.

Si la vie en plein air vous donne un sentiment de richesse, alors jouissez plus du soleil, de l'air frais et de la nature paisible. Vous pourrez également recharger vos réserves d'énergie mentale en participant à des sports. Une participation active à des sports tels que le golf, l'équitation, la pêche ou la natation peut vous aider à vous débarrasser de votre paresse mentale. D'autres fois, une longue promenade ou une petite excursion dans la campagne vous donne le coup de fouet dont vous avez besoin. Un homme d'affaires écrivait récemment qu'il se servait de cette méthode depuis très longtemps pour surmonter le découragement. La beauté des antiquités, la décoration intérieure, la joie de préparer des plats exotiques ou la création de vêtements spéciaux peuvent accroître votre sentiment de richesse. Toutes ces choses détournèrent mon attention de l'insatisfaction que me causait mon emploi, jusqu'à ce que le problème ait le temps de se résoudre et que je jouisse d'un changement d'emploi.

Peut-être vous sentirez-vous encouragé en lisant des oeuvres classiques ou la Bible, ou en participant à certains jeux paisibles. Passez certains moments de la journée dans la tranquillité pour absorber de nouvelles idées. J'aime lire les journaux du dimanche qui me viennent de tout le pays. En les parcourant tout simplement, en étudiant les annonces publicitaires montrant des vêtements merveilleux, des endroits exotiques et en lisant des articles sur les nouveaux livres, sur l'art et sur la musique, je libère au fond de moi un sentiment intense de liberté et de richesse.

Il est toujours bon de saturer son esprit, son corps et ses affaires d'idées, d'associations, d'atmosphères riches, ainsi que d'activités intérieures ou extérieures qui vous apportent un sentiment profond de richesse, surtout durant les périodes où il vous semble que le succès met beaucoup de temps à se manifester. Faites surtout très attention de bien utiliser votre temps libre. Durant vos activités quotidiennes, vous n'êtes peut-être pas assez libre pour vous saturer de choses qui vous procurent un sentiment de richesse. Mais durant votre temps libre, vous êtes sûr de pouvoir vous laisser encourager par de nouvelles distractions, tout en consacrant une certaine partie de votre temps libre à étudier et à vous améliorer pour réussir à découvrir un emploi plus satisfaisant.

Il y a des années, lorsque ma vie était chargée de limitations, je devais m'échapper en douce pour faire une promenade tranquille et détendue dans le quartier à la fin de chaque journée, pour regagner un sentiment de liberté et l'espoir assuré du succès. Et pourtant, ces promenades toutes simples me permirent de m'accrocher à mes grandes images mentales de bien, de façon à ce qu'elles puissent se manifester plus tard. Nous vivons dans un univers riche qui sait nous prodiguer ses bénédictions d'innombrables façons différentes lorsque nous espérons continuellement. Rappelez-vous chaque jour que votre tasse n'est pas à moitié vide, mais à moitié pleine.

Profitez au maximum de votre situation actuelle

Qu'il s'agisse d'une plus grande satisfaction dans votre emploi actuel ou de grimper un autre échelon de l'échelle dans votre milieu de travail, vous ouvrir une carrière entièrement nouvelle ou de réussir à atteindre une indépendance financière complète, quel que soit votre but, vous *pouvez* l'atteindre. Vous n'avez pas besoin de vous sentir *emprisonné* par votre situation actuelle. Vous pouvez toujours y faire quelque chose. Voici une bonne déclaration à utiliser pour invoquer le bon résultat, qui vous fasse rester dans votre emploi actuel ou changer de travail: **L'intelligence divine travaille maintenant en moi, dans ma vie et dans mes affaires pour commander et pour faire concourir toutes choses à mon plus grand bien et l'intelligence divine ne peut pas échouer!**

Si vous êtes convaincu que votre emploi actuel ne vous satisfait pas et qu'il ne pourra jamais le faire, préparez-vous à changer la situation en déclarant: **Dieu m'indique maintenant de nouveaux modes de vie et de nouvelles méthodes de travail. Je ne suis pas emprisonné dans les modes et les méthodes passés. Je vis mon emploi parfait d'une façon parfaite et il me procure une satisfaction parfaite et un salaire parfait.**

Restez aux aguets et suivez toutes les idées ou les événements qui se présentent à vous pour vous offrir un changement. Cessez de penser et de parler de votre insatisfaction actuelle. Oubliez-la; laissez-la s'en aller.

Ensuite, attachez-vous à apporter de l'ordre, de l'harmonie et de la beauté dans votre emploi actuel. Si vous n'êtes pas satisfait, faites tout ce qui vous est possible pour rendre votre emploi plus plaisant et mieux ordonné. Rangez vos filières et votre bureau. Ajoutez une plante ou quelque chose de beau que tous pourront regarder souvent et en être ainsi revivifiés. Exprimez à vos collègues des compliments, une appréciation sincère, des paroles de bonté et faites-les bénéficier de vos prières et de vos bénédictions silencieuses. Rappelez-vous avant tout que vous êtes une partie mentale de la situation dans laquelle vous vous trouvez actuellement. En faisant bénéficier une situation de vos meilleures pensées et actions, vous contribuez à établir l'ordre, l'atmosphère et la satisfaction chez toutes les personnes impliquées. Soyez sûr que dès que vous profitez au maximum de votre situation actuelle, un plus grand bien se révélera. En attendant, comme le dit l'Ecclésiaste: «*Tout ce que tu trouves à entreprendre, fais-le tant que tu peux.*» (Eccl. 9:10)

Autrement dit, comme le disait souvent l'un de mes amis: «Lorsque vous vivez l'enfer, profitez-en au maximum - vous pouvez gagner une plus grande compréhension que celle que vous aviez auparavant et le bon résultat de cette expérience sera durable.»

Libérez-vous de la critique

Ne craignez pas de penser, d'agir et de réagir différemment des gens qui sont axés sur la pauvreté, à moins que vous ne désiriez rester avec eux, au bas de l'échelle. Il y a beaucoup de places au sommet de tous les métiers, toutes les professions pour ceux qui osent se libérer des pensées habituelles de discorde, de jalousie et de critique que nourrissent tant de gens. Lorsque vous êtes tenté de vous unir à ces tendances massives de pensées négatives, déclarez: **Il n'y a pas de critique en moi, contre moi, ni pour moi. La loi suprême du bien a maintenant pris charge de ma vie et l'harmonie divine règne maintenant de façon suprême en moi et dans le monde où je vis.** Cette déclaration vous protège des pensées négatives d'autrui. Bénissez-les alors et protégez-les par votre attitude constructive.

Vous pensez peut-être: «Mais est-ce que ça vaut la peine?» Écoutez! La plus grande connaissance que vous puissiez atteindre sur vous-même et sur votre prochain est que lorsqu'une personne pense et agit de façon constructive, dans n'importe quelle situation, elle ne peut faire autrement que de produire de bons résultats. L'humanité entière est affamée d'attitudes, d'actions et de réactions constructives et elle y répond très rapidement.

J'ai observé ce fait dans un incident qui impliqua deux jeunes avocats d'une grande firme juridique. Reconnue pour sa croyance au travail ardu et aux résultats productifs, cette firme de même que ses membres étaient prospères. L'un de ces jeunes avocats était de nature joyeuse et optimiste. Il n'hésitait pas à faire un compliment quand il était dû, ni à se montrer bon et courtois avec tous ceux qu'il rencontrait. Personne n'était trop insignifiant pour qu'il lui refuse son attention et sa bonté. Il semblait que ce jeune homme ne connaissait ni la critique, ni la condamnation, ni les plaintes. L'autre avocat était en fait plus compétent dans le travail qu'ils accomplissaient tous les deux. Comme il avait plus de diplômes universitaires que le premier, la firme le payait plusieurs centaines de dollars de plus par mois. Il semblait donc avoir tous les avantages possibles sur son collègue.

Mais cet avocat si bien payé était un *plaignard continuel* et jamais rien ne lui plaisait. Les détails l'irritaient; les gens l'irritaient; une tâche inattendue l'irritait; tout l'irritait. Un an plus tard, il ne travaillait plus pour cette firme. Au cours de la même année, son collègue à la nature joyeuse avait été promu à son poste et recevait son salaire. Plus tard, ce jeune associé fut nommé membre à part entière de la firme. De toute l'histoire de cette firme, aucun avocat n'avait obtenu si rapidement de telles responsabilités et une telle rémunération salariale.

Signez un nouveau bail avec la vie.

Quelqu'un a dit que le travail est la forme la plus élevée du jeu. Le travail peut être pour vous une activité plaisante, ou une corvée laborieuse: tout dépendra de votre attitude envers vous-même, envers autrui et envers le monde en général. Restez assuré que le travail est divin et que votre vrai emploi et votre vraie rémunération vous cherchent autant que vous les cherchez! Le vrai travail de l'homme est celui qu'il accomplit le plus parfaitement et dont il reçoit une profonde satisfaction.

Signez dès maintenant un nouveau bail avec la vie, quelle que soit votre situation actuelle. Commencez par déclarer ouvertement, comme le fit Charles Fillmore à l'âge de quatre-vingt-treize ans: «*Je vibre littéralement de zèle et d'enthousiasme et je vais de l'avant avec une force puissante pour accomplir les choses que je dois accomplir.*»

Unissez-vous aux innombrables autres personnes qui veulent trouver le travail ou l'expression personnelle qui les satisferont, en vous servant de la formule de succès suivante:

1. Formez une image mentale aussi précise que possible de ce que vous désirez que soit votre vie.

2. Une fois que vous aurez établi l'image de ce que vous désirez, commencez à développer et à affirmer mentalement votre désir. Mettez-vous à penser aux résultats désirés comme si vous les aviez déjà. Votre esprit prend ainsi possession du bien que vous désirez et en accélère la manifestation.

3. Demandez à l'intelligence divine de vous montrer la prochaine étape dans laquelle vous devez vous engager pour réaliser l'image du bien que vous désirez. Dieu vous montrera alors si vous pouvez suivre des cours du soir, effectuer des changements rigoureux dans votre mode de vie ou dans votre travail, ou développer au fond de vous une attitude plus constructive sur votre emploi actuel et le potentiel qu'il vous offre. Dès que Dieu vous montre la prochaine étape à suivre, lancez-vous avec foi, conscient qu'elle ne vous amènera qu'à une satisfaction plus enrichissante.

4. Persistez et persévérez à vous dire que vous avez droit à un emploi agréable et que vous l'aurez. Emerson disait que tout à un prix et que si l'on ne paie pas ce prix, l'on n'obtiendra pas ce que l'on désire, mais autre chose. Persistez à payer le prix intérieurement et extérieurement, pour obtenir de la vie ce que vous désirez.

5. Ne cessez jamais de donner le meilleur de vous-même à votre situation actuelle, même si mentalement vous vivez déjà au-delà. Et par-dessus tout, servez-vous de la loi de la saturation pour rester constamment optimiste.

En vérité, si vous fonctionnez intérieurement sur ces différentes voies, vous ne pouvez pas rester immobile extérieurement!

CHAPITRE 10

Vous pouvez jouir de l'indépendance financière

Tous ceux qui aspirent à la prospérité désirent entre autres devenir financièrement indépendants. La pauvreté est une crainte universelle de l'humanité et nombreux sont ceux qui actuellement souffrent d'insuffisance financière malgré la prospérité sans précédent dont jouit notre époque.

Dès que vous apprendrez à libérer la puissance du raisonnement de la prospérité, vous découvrirez que la possibilité que *vous* jouissiez d'indépendance financière n'est pas une impossibilité, vous vous rendrez compte que ça n'arrive pas qu'aux autres, mais à vous aussi!

Nous ne concevons pas tous l'idée de *l'indépendance financière* de la même façon. En principe, l'indépendance financière signifie liberté financière. Pour certains, l'indépendance financière signifie emploi sûr et bien rémunéré leur permettant de toujours être à même de nouer les deux bouts et de ne plus manquer d'argent dans la vie quotidienne. Pour d'autres, elle signifie être millionnaire. À mesure que vous croîtrez financièrement, vos idées et votre indépendance financières croîtront également, de sorte que vous désirerez toujours plus de liberté financière.

Par conséquent, le désir d'indépendance financière est un *désir divin* que Dieu introduisit dans la nature intellectuelle et émotionnelle de l'homme pour le pousser à progresser, à accomplir et à s'édifier une vie riche et valable. Qu'on le conçoive comme un revenu hebdomadaire convenable ou comme un statut de millionnaire, le désir d'indépendance financière est divin et l'on ne devrait pas *le supprimer* mais *l'exprimer* de façon constructive et spirituelle. En l'exprimant ainsi, l'homme peut alors jouir de la satisfaction et du sentiment d'accomplissement que Dieu lui a réservés.

N'acceptez pas les choses telles qu'elles sont

Le maire d'une petite ville de la Nouvelle Angleterre démontra l'un des plus grands secrets de l'indépendance financière. Il y a quelques années, la presse relatait les résultats remarquables que cet homme avait atteints au cours de sa première année en fonction. Au moment où il fut élu à la mairie, on disait de sa ville: «Cette ville est en voie de disparition et personne ne peut la sauver.» Et les faits le démontraient. Les taudis infestaient toute la municipalité, la population décroissait et les entreprises quittaient la ville. La prospérité de cette ville semblait faire partie de l'histoire ancienne. Pourtant, en un an le nouveau maire avait incité ses collègues à adopter un programme audacieux visant à nettoyer la ville. On nettoya les quartiers de taudis pour faire place à des immeubles d'habitation, des centres commerciaux, des terrains de stationnement, des immeubles à bureaux tout neufs et des nouveaux centres d'affaires.

Comment cet homme réussit-il à créer tant de progrès et de prospérité en si peu de temps? Il affirma que les membres du conseil municipal n'avaient pas peur de *voir grand* et c'est ainsi qu'il fit démarrer son entreprise. Le maire mentionna également qu'il priait tous les soirs pour demander conseil à Dieu. Son attitude était la suivante: «Je refuse d'accepter cet état de choses. Ce n'est pas parce que ç'a toujours été ainsi que ça ne peut pas changer!»

Par conséquent, le premier pas vers l'indépendance est l'insatisfaction de vos conditions financières actuelles. Si vous vous trouvez incapable d'accepter les choses telles qu'elles sont - c'est bien! Grâce à la pensée et à l'action prospères, vous pouvez grandement les améliorer et les rendre bien plus satisfaisantes. Voilà votre clé vers l'indépendance financière, à condition que vous ayez l'audace de vous en servir.

J'ai déjà vu une de mes connaissances passer d'un emploi déplaisant à sa propre entreprise, ce qui pour lui représentait l'indépendance financière, en se servant avec audace de l'*insatisfaction divine*. Cet homme travaillait dans une bijouterie depuis la Deuxième Guerre mondiale, mais il avait toujours nourri le désir secret de posséder sa propre boutique. Un jour, le désaccord et le désordre troublèrent le magasin où il travaillait. Mettant fin à une longue carrière où il avait servi ses patrons fidèlement, il quitta subitement son emploi, sans écouter ses patrons qui l'assuraient qu'il ne trouverait pas un autre emploi. Cet homme se répéta silencieusement qu'il n'avait pas du tout l'intention de s'en aller ailleurs travailler comme *employé*, mais de se libérer des idées des patrons et des autres gens, en devenant lui-même *patron*.

Au moment de quitter son emploi, il n'avait qu'une maigre somme dans son compte d'épargne. De plus, il avait une famille et devait rencontrer toutes les obligations financières habituelles. Néanmoins, dès que cet homme abandonna sa situation financière insatisfaisante, il se sentit beaucoup mieux, plus heureux et plus libre. On se passa le mot. Un de ses amis joailliers lui offrit un emploi jusqu'à ce qu'il trouve un poste à temps plein. Il accepta l'emploi pour s'assurer un revenu régulier et se mit tranquillement à l'élaboration de ses projets à long terme.

Un peu plus tard, un de mes amis lui annonça que lui aussi en avait assez de travailler comme employé. Il désirait ouvrir une joaillerie avec un associé. Il avait déjà mis de côté une somme rondelette. Les deux hommes réussirent à réunir le capital et le crédit nécessaires à la mise sur pied de leur entreprise.

Aucun de ces deux hommes n'aurait pu gérer par lui-même cette entreprise mais en s'unissant, ils joignirent leurs ressources, leurs biens financiers, leurs talents et leurs qualités. Ils constituèrent une association et ouvrirent leur propre bijouterie, qui depuis lors a toujours été prospère. Mais le premier de ces deux hommes a dû abandonner, refuser d'accepter sa situation insatisfaisante avant que les bonnes portes ne puissent s'ouvrir.

L'émotion est une puissance qui vous propulse

Voici un autre secret de l'indépendance financière lorsque nous décidons de n'accepter que le meilleur de la vie: suivez la loi de la concentration et de la conservation. La conservation de la pensée, l'énergie et la poussée émotionnelle qui vous sont indispensables pour atteindre l'indépendance financière. Vous avez peut-être remarqué que certaines gens ne semblent prospérer que pendant une certaine période. Leur entreprise aura peut-être même un succès éclatant, mais tout d'un coup leur base s'écroule et ils subissent un échec cruel dont ils ne semblent jamais pouvoir se relever. En observant d'un peu plus près, vous remarquerez que dans presque chacun des cas, les émotions, l'attitude et le mode de vie de ces gens se dispersent, ruinant les qualités merveilleuses qui leur avaient permis de réussir.

La plupart du temps, les affaires d'un homme prospèrent tant qu'il réussit dans sa vie personnelle. Mais dès qu'il éprouve des difficultés matrimoniales, son entreprise dépérit également. Je parlais récemment avec un homme qui avait fait plusieurs fois fortune, mais qui avait tout perdu chaque fois que sa vie familiale s'était troublée car ses émotions se troublaient et se dispersaient.

Nous sommes tous des créatures profondément émotionnelles et ces sentiments profonds peuvent nous faire prospérer ou nous ruiner financièrement. Ils constituent la puissance divine qui vous propulse. Vous devriez en prendre soin comme de la prunelle de vos yeux car en fait, vos émotions constituent la mine d'or la plus riche que vous ayez jamais possédée. Vos pensées, vos émotions et vos actions dispersées ne sauront que disperser votre puissance spirituelle. Ceci détruit alors l'énergie physique qui vous est indispensable pour atteindre la prospérité; elle détruit l'énergie intellectuelle dont vous aurez besoin pour élaborer un plan d'action intelligent vers la prospérité; il détruit également la poussée émotionnelle qu'il vous faudra pour lancer vos plans de prospérité à l'action.

Ayez l'audace de vous montrer différent

La conservation de pensée, l'énergie et la poussée émotionnelle vous sont toutes indispensables pour atteindre l'indépendance financière. Autrement dit, pour atteindre une prospérité permanente, vous devez avoir le courage de vous montrer différent! Au moins pendant un certain temps. Le Général Maxwell D. Taylor, le fameux chef chargé de parachuter les hommes en Normandie le jour du Débarquement, disait qu'il faut montrer le plus d'audace lorsque les enjeux sont élevés. Il nous rappelait que pour gagner beaucoup, il faut être prêt à risquer beaucoup; que nous devons accepter de tout essayer.

Mais ne vous y trompez pas - ceci ne vous entraîne pas à une vie ennuyeuse, retirée du reste du monde. Au contraire, votre vie en deviendra joyeuse, satisfaisante, pleine d'associations passionnantes et d'expériences enrichissantes, une vie libre de toute activité secondaire. Lorsque vous décidez de devenir indépendant financièrement, vous décidez immédiatement de cesser de vous occuper de ce *que les autres pourront penser* pour oser vous concentrer sur votre but. De toutes façons, à mesure que vous prospérerez, vous ne vous occuperez plus de ce que pensent vos anciens associés, parce que vous vous ferez sans aucun doute de nouvelles relations plus satisfaisantes et plus passionnantes, qui seront toujours à la hauteur de vos images mentales en pleine expansion.

Pensez grand

Les gens qui réussissent le mieux pensent à la grande échelle, sans se laisser limiter, eux-mêmes ainsi que leurs associés, par leurs propres idées et opinions. Si vous désirez vous libérer d'un bon nombre de pensées limitées et d'opinions médiocres, commencez à penser grand. Concentrez-vous sur l'indépendance financière et vous *perdrez* les penseurs médiocres en chemin. Vous vous ferez également des amitiés durables et satisfaisantes qui vous aideront à escalader l'échelle du succès.

On m'a présenté un jour une petite femme douce qui est maintenant présidente d'un immense projet d'aménagement d'immeubles d'habitation, de maisons unifamiliales et d'un grand centre commercial. Il y a vingt ans, le terrain qu'occupent ces maisons, ces immeubles à appartements et ces magasins n'était qu'un grand pré vert à presque deux kilomètres de la route la plus proche et à plus de sept kilomètres de la ville la plus proche.

Mais cette petite femme rêvait de sa propriété. Il y a vingt ans, ce rêve avait semblé ridicule. Elle nourrissait dans son esprit l'image de l'un des plus grands centres commerciaux de banlieue du pays couvrant sa propriété. Elle se contenta de s'accrocher silencieusement et courageusement à cette image, aussi invraisemblable qu'elle ait pu paraître. Évidemment, une fois réalisé, ce rêve lui procurait immédiatement l'indépendance financière.

Quelques années plus tard, on agrandit la base militaire qui se trouvait à proximité. Comme la circulation augmentait entre la base militaire et la ville la plus proche, on construisit une autoroute à quatre voies. Comme par hasard, cette grande autoroute passait juste à côté du grand pré de cette dame.

Presque immédiatement, une armée d'agents immobiliers vinrent rendre visite à cette dame pour lui acheter son terrain mais elle refusa de vendre. Du point de vue pratique, elle aurait eu tout avantage à vendre ce terrain qui, n'étant pas encore développé, n'avait pour ainsi dire aucune valeur. À l'encontre des sociétés immobilières qui désiraient acheter, elle n'avait ni l'argent, ni les biens financiers nécessaires à développer son terrain. Mais elle s'accrochait toujours à son rêve, elle s'en tenait courageusement à son image d'indépendance financière et de prospérité.

Les années passèrent; la petite ville voisine ne cessa de croître. Un jour, cette dame remarqua un entrepreneur avec tout son équipement et ses hommes sur le terrain voisin du sien. Elle se fit bientôt présenter à cet entrepreneur et ils devinrent bons amis. Ils parlèrent de toute sa propriété et des possibilités de l'aménager. Elle lui raconta qu'elle rêvait de posséder un beau centre commercial où les habitants de la ville et le personnel de la base pourraient faire leurs achats sans difficultés, sans devoir se perdre dans la circulation de la ville. L'entrepreneur fut très impressionné par ce rêve. Il lui expliqua qu'il était tout à fait possible de le réaliser sans qu'elle se voie forcée de vendre une partie de sa chère propriété, qui n'était toujours qu'un beau pré vert.

Il lui dit qu'il était possible de constituer une société à laquelle elle fournirait le terrain, alors que lui fournirait les services de sa société de construction: l'équipement et le personnel qui construirait et qui surveillerait le travail. Il lui dit également qu'il avait un ami entrepreneur millionnaire qui serait prêt à fournir le capital et les garanties nécessaires jusqu'à ce que la construction soit terminée et approuvée et qu'on lui accorde un prêt à long terme.

Ils constituèrent donc la société. Sur le conseil de ses deux associés, ils construisirent avant tout des immeubles locatifs, pour répondre à la demande de logements qui sévissait dans la région. Puis ils construisirent des maisons à louer et à vendre. Plus tard encore, ils construisirent un beau centre commercial de style colonial qui contenait tous les services nécessaires, du petit magasin de variétés au comptoir de banque à l'auto. C'est ainsi que le modeste pré de cette femme répondit aux besoins des centaines de personnes qui habitaient les appartements et les maisons. Son immense centre commercial est considéré comme l'un des plus beaux des États du Sud. Tout ceci se concrétisa parce qu'elle s'était accrochée silencieusement et courageusement à une image grandiose de succès, de prospérité et d'indépendance financière jusqu'à ce que d'autres personnes ayant les mêmes idées surgissent dans son univers pour l'aider à réaliser son rêve.

Époussetez vos rêves

Si vous avez enfoui des rêves et des images mentales de grande prospérité dans les recoins de votre esprit, sortez-les de là. Ayez le courage de les sortir et de les épousseter. Ayez l'audace de penser que vous pouvez vraiment jouir de l'indépendance financière, même si pour l'instant leur réalisation vous semble impossible. Dès que le vieil élément défaitiste de la crainte vous souffle qu'il est impossible que vos rêves d'indépendance financière se réalisent, rappelez-vous ces riches promesses bibliques: «*Sois sans crainte, petit troupeau, car il a plu à votre Père de vous donner le Royaume.*» (Luc 12:32); «*Mettez-moi ainsi à l'épreuve, déclare Yahvé Sabaot, pour voir si je n'ouvrirai pas à votre intention les écluses du ciel et ne répandrai pas en votre faveur la bénédiction en surabondance.*» (Mal.

3:10); «*Tout est possible à celui qui croit*» (Marc 9:23); «*Pour Dieu tout est possible*» (Matt. 19:26).

Souvent, vous n'avez pas réussi parce que vous pensiez que vous deviez réussir tout seul et cette pensée vous a dominé; il vous semblait plus facile de vous contenter d'échouer. Mais voici ce que m'a répondu un ingénieur en pleine réussite lorsque je lui ai demandé quel était le secret de sa réussite:

> Je n'ai commencé à réussir que lorsque je me suis associé. Dieu est mon associé et *il* est le meilleur que j'aie jamais eu. Ses conseils sur mes affaires financières ne m'amènent qu'à une plus grande prospérité. Je commence et je termine chaque journée en demandant, en écoutant et en attendant des conseils précis sur chacun des projets que je dois entreprendre pour ma profession et je les reçois toujours.
>
> Il n'y a pas longtemps, le président d'une des plus grandes sociétés de notre pays m'a demandé: «Comment faites-vous? Comment réussissez-vous à accomplir tout ce que vous entreprenez sans vous énerver lorsque l'on en demande et en attend tellement de vous?» Il a semblé très étonné que ma réponse soit si simple: «Dieu est mon associé et je *lui* remets toute ma tension, mon énervement et mes décisions difficiles.» Cet homme me répondit: «Vous voulez dire que ça fonctionne vraiment de faire ça? Qu'il est raisonnable de faire confiance à Dieu pour des questions financières si sérieuses?» Je lui ai répondu: «Écoutez, si on ne peut pas faire confiance en Dieu qui est l'intelligence suprême, qui est tout-puissant et qui commande notre riche univers, à qui est-ce qu'on peut faire confiance?»

C'est vrai, Dieu ouvre des voies qui semblent inexistantes à la logique humaine. Vous devez comprendre cette vérité et vous y accrocher de toutes vos forces. Des entreprises ont été sauvées, des fortunes édifiées, on a fait des découvertes et perfectionné des inventions après que l'humanité les ait considérées comme mortes. Remerciez Dieu de ce que sa bonté ne s'arrête pas aux limites de notre point de vue humain. Restez calme, gardez foi et courage; souvenez-vous que Dieu ouvre des voies qui semblent inexistantes à la logique humaine!

Faites-vous une image mentale
de l'indépendance financière

Autrement dit, il n'est pas nécessaire que vous accomplissiez seul la réalisation de vos désirs. On vous a promis: *Demandez, et l'on vous donnera; cherchez, et vous trouverez; frappez, et l'on vous ouvrira. Car quiconque demande reçoit; qui cherche trouve, et à qui frappe on ouvrira.* (Matt. 7:7,8) La plupart des gens ne se rendent pas compte que ces mots sont le secret de la prospérité. Ils laissent souvent la richesse passer à côté d'eux, tout simplement parce qu'ils ne demandent pas à une puissance plus élevée de les aider à atteindre le bien qu'ils désirent.

Commencez dès maintenant à vous imaginer, non pas seulement en train de devenir plus prospère, mais financièrement indépendant. Emma Curtis Hopkins écrivait: «Ce que l'on contemple le plus souvent d'un oeil intérieur révèle ses secrets et prodigue ses dons.» Ceci est un procédé merveilleux et qui stimule l'esprit; ce n'est pas un rêve impossible si vous avez l'audace de penser avec précision.

Madame Hopkins ajoutait: «Pour atteindre le succès, il faut se concentrer sur une seule chose et rejeter tout ce qui distrait de son objectif victorieux.» Pourquoi être simplement prospère, lorsqu'en étant mentalement *concentré sur une seule chose,* vous pouvez vous libérer complètement des besoins financiers, pour trouver le temps et l'argent de développer d'autres phases de votre être qui vous serviront à vous, autant qu'à l'humanité? Un Texan, magnat du pétrole, fit fortune comme personne ne s'y attendait. Il alla dans des champs de pétrole qui avaient déjà été exploités et en creusant plus profond encore, il fit fortune avec un pétrole que tout le monde avait pensé inexistant à cet endroit! Dans le royaume du raisonnement de la prospérité, vous pouvez faire comme lui!

En fait, vous êtes doté de tout ce qu'il vous faut pour maîtriser *chacune des phases* de la vie! Vous n'avez pas à faire des compromis dans la vie, tant que vous êtes prêt à ne pas en faire. En abandonnant toutes activités, associations et relations inutiles; en cessant de vous laisser troubler par les jacasseries des gens à l'esprit dispersé, vous découvrirez que votre indépendance financière est bien plus près de vous que vous ne l'imaginiez auparavant.

Conservez votre énergie et votre temps

Commencez à mieux vous discipliner; conservez votre énergie et votre temps; associez-vous seulement à des gens qui savent penser prospérité et dont vous partagez les intérêts. Lorsque vous vous détournerez de tout ce qui est improductif et qui n'a rien à voir avec votre image grandiose de prospérité, que vous cesserez de chercher à plaire à autrui et que vous oserez plaire au *murmure doux et léger* du progrès dans votre coeur, vous serez très près d'atteindre votre indépendance financière!

Nombreux sont ceux qui désirent trouver leur indépendance financière et qui n'y arrivent jamais, parce qu'ils refusent de se discipliner et d'ordonner leur mode de vie, même pour une brève période. Il vous semblera quelque peu excessif de devoir vous concentrer encore et toujours sur la prospérité, en excluant tout le reste, de devoir vous éloigner d'associés à l'esprit négatif et axé sur l'échec, de devoir écarter sans crainte toutes relations indésirables, de devoir choisir avec soin les gens avec lesquels vous passez votre temps et même vos loisirs. Dès que vous aurez décidé d'essayer cette méthode vous aurez l'impression de briser la dure carapace de la pensée, des sentiments et des activités limitées. Une fois que vous aurez surmonté ce point clé, vous jouirez à nouveau d'un mode de vie plus équilibré. Mais vous devez passer par cette période de transition au cours de laquelle votre esprit sera uniquement concentré sur le succès et la prospérité, après quoi vous vous retrouverez beaucoup plus à l'aise financièrement. Vous découvrirez un nouveau goût à la vie et vous réussirez à vous détendre, à vous amuser parce que vous l'aurez mérité. Mais si, avant cela, vous ne vous concentrez pas et ne vous conservez pas, vous n'y arriverez jamais.

J'ai découvert cette vérité en lisant dans le journal l'histoire d'un jeune homme de moins de 30 ans qui vient d'être nommé vice-président d'une compagnie d'assurance. Ce jeune homme s'était fixé un but il y a plusieurs années et il s'était tranquillement mis à y travailler par le raisonnement de la prospérité. Il passait toutes ses heures de liberté à lire des livres sur le succès, ne s'associant qu'à des gens qui pensaient comme lui. Pendant un certain temps, son épouse pensa qu'il limitait peut-être un peu trop ses contacts sociaux et qu'il délaissait ceux qui leur avaient procuré du plaisir dans le passé. Mais quand il lui expliqua qu'il consacrait cette période à se concentrer sur son succès présent et futur, elle accepta d'éviter les activités sociales qui n'étaient pas vraiment utiles. Au bout de plusieurs années d'études et de travail acharnés, ce jeune homme monta si haut dans l'échelle du succès, que sa femme et lui eurent de nouveau tout loisir de jouir de leur vie sociale. Maintenant ils peuvent vraiment se permettre de jouir des contacts plaisants qu'ils ont avec les gens qui pensent *prospérité* dont ils se sont fait des amis.

Assumez dès maintenant votre indépendance financière!

Pour conserver l'espoir d'indépendance financière que vous nourrissez et pour jouir des expériences heureuses qu'il peut vous procurer, libérez-vous financièrement pour la journée, la semaine ou le mois à venir. L'esprit produit toujours beaucoup plus facilement des résultats que l'on attend de recevoir immédiatement ou dans l'avenir le plus proche. Par exemple, avant même de vous lever, affirmez que la journée qui vient vous apportera une abondance illimitée. Commencez et terminez votre journée avec le raisonnement de la prospérité. Chaque matin, en vous réveillant et en vous préparant émotionnellement à affronter une nouvelle journée, soit avant de vous lever, soit en prenant votre premier café, préparez-vous en écrivant ou en affirmant verbalement ou silencieusement un bon nombre de fois la déclaration suivante: **Je m'attends à recevoir une abondance illimité chaque jour et dans chaque voie de ma vie et de mes affaires. Je m'attends tout spécialement à rendre grâces aujourd'hui pour l'abondance illimitée que je reçois!** Vous envoyez

171

ainsi devant vous le raisonnement de la prospérité pour qu'il vous prépare une journée plaisante, satisfaisante et valable qui accourra vers vous heure après heure avec ses surprises et ses satisfactions merveilleuses.

À mesure que vous développez en vous un état d'esprit qui croit et qui attend d'un jour à l'autre des expériences d'indépendance financière, cet état d'esprit prendra automatiquement de l'expansion et votre indépendance financière deviendra une habitude hebdomadaire, mensuelle, annuelle. Mais vous devez commencer à pratiquer cette pensée une fois ou l'autre et il est beaucoup plus facile, plus satisfaisant et plus rapide de le faire sur une base quotidienne car il vous apporte une preuve positive que votre prospérité est tout près de vous, n'attendant que l'instant où vous la reconnaîtrez et l'accepterez.

Un homme d'affaires me disait, il n'y a pas longtemps, que ses affaires avaient doublé lorsqu'il s'était mis à concentrer toute sa pensée et ses espoirs sur l'indépendance financière, plutôt que sur l'effort que représentait pour lui le travail qui lui semblait inutile de toute façon. Il travaillait dans le milieu de l'assurance lorsqu'il découvrit que le fait de penser et d'attendre une abondance illimitée jour après jour était le grand secret de l'indépendance financière. Il y a plusieurs années, il s'était mis à consacrer une heure chaque matin à imaginer mentalement sa journée telle qu'il désirait qu'elle se passe. Il gardait à l'esprit les chiffres de vente qu'il désirait atteindre. Plus tard, lorsqu'il fut nommé superviseur d'un groupe de vendeurs de polices d'assurance, il passa un certain temps chaque matin à penser à ses hommes et au chiffre de vente qu'il désirait qu'ils atteignent ce jour-là. En suivant quotidiennement cette méthode de pensée, imaginant une abondance illimitée pour lui-même et pour ses vendeurs, il finit par être nommé directeur dans la compagnie.

Vous pouvez surmonter de grands obstacles

Pour devenir indépendant financièrement et jouir d'un revenu constant, il est indispensable de se débarrasser d'un certain nombre d'attitudes négatives. La plupart des gens peuvent vous exposer en un rien de temps toutes les raisons pour lesquelles ils n'ont pas atteint le succès. En regardant autour de nous, nous sommes surpris de constater que très souvent, les gens qui réussissent doivent surmonter d'énormes obstacles.

Je connais une femme qui, victime de la polio, se rend chaque jour à son emploi de secrétaire privée dans sa chaise roulante. Il semble évident qu'elle aurait dû tout laisser tomber il y a des années, lorsque sa maladie la frappa. Mais elle se réhabilita et aujourd'hui elle conduit sa propre voiture. Elle a un emploi intéressant et valable. En refusant de se laisser vaincre par la paralysie, elle s'est libérée autant de son lit que de tout besoin financier. La dernière fois que j'ai entendu parler d'elle, elle pensait également à se marier!

Il y a quelques années, par une belle journée de printemps, un jeune commis de boutique me faisait part de son découragement et de son incertitude face à l'avenir. Je lui demandai ce qu'il désirait réellement faire et il me répondit timidement, comme s'il n'avait jamais osé en parler: «Je voudrais aller à l'université pour apprendre à enseigner.» Je lui dis que tout était possible, par le raisonnement de la prospérité. Je lui suggérai également de viser l'indépendance financière et de s'efforcer de continuer ses études, pour éviter à tout prix de rester commis de boutique alors qu'il désirait devenir professeur.

Il accepta de s'imaginer mentalement étudiant à l'université l'automne suivant et de constamment penser qu'une abondance illimitée apparaissait pour répondre à chacun de ses besoins. Je lui avais suggéré de faire des plans comme s'il allait suivre des cours dès l'automne; il s'inscrivit immédiatement à l'université où il désirait étudier. Il étudia avec soin la brochure de cette université, choisit les cours qu'il désirait suivre et mémorisa tout ce qu'on y disait sur l'université, son histoire, son programme de cours, ses facultés et autres.

Comme il continuait à s'imaginer qu'il était libéré de ce qu'il ne voulait pas faire et qu'il continuait à s'efforcer d'atteindre ce qu'il désirait, un événement intéressant survint. Vers le milieu de l'été, l'un de ses parents vint lui expliquer qu'il l'observait depuis quelque temps et qu'il le croyait capable de se lancer dans un métier bien plus intéressant que celui de commis. Ce parent offrit alors l'argent nécessaire à ce que le jeune homme puisse suivre des cours universitaires dès l'automne. Tout joyeux, le jeune homme dévoila alors à ce parent ses rêves et ses espoirs secrets et ils se réjouirent tous les deux de cette inspiration.

Il y a quelque temps, le jeune homme m'informait qu'il allait recevoir son diplôme dans quelques mois. Et ceci, parce qu'il avait eu le courage de devenir mentalement indépendant et de se faire une image du grand bien qu'il était sûr de recevoir.

Quelques techniques menant à l'indépendance financière

Commencez dès maintenant à vous faire une image mentale de l'indépendance financière, pour vous-même comme pour ceux qui vous sont chers, en remplissant votre esprit d'images de la vie que vous désireriez vivre, plutôt que de vous laisser hypnotiser par la vie que vous semblez vivre en ce moment. Mais gardez vos grandes images d'indépendance financière pour vous-même. Mettez-vous à faire toutes les démarches, petites ou grandes, qui permettront à votre rêve de se réaliser.

Permettez-moi de vous suggérer une technique simple et pratique qui vous aidera dès maintenant à prospérer. Si vous la pratiquez régulièrement, cette technique toute simple vous fera prospérer et vous conduira assurément à l'indépendance financière! Alors voici: Les sages de l'Antiquité croyaient que le chiffre DIX dégageait une puissance magique d'accroissement. Alors, commencez tout de suite dès que vous pensez à de l'argent, qu'il s'agisse de votre revenu, de paiements, de votre compte en banque, de la somme que contient votre portefeuille, du montant de vos économies ou de vos investissements, faites mentalement croître votre actif en pensant que cette même somme vous arrive multipliée par dix. Cette technique merveilleuse et fascinante fera croître vos fonds.

Par exemple, ouvrez votre portefeuille. Supposons que vous y trouviez $5. Regardez l'argent en déclarant: **Je rends grâces de ce que ces $5 sont un symbole de la substance inépuisable de l'univers. Je rends grâces que cette somme multipliée par dix, soit $50, m'arrive maintenant et se manifeste rapidement de façon parfaite.** Multipliez par dix tous les chiffres qui se présentent à vous et attendez-vous à ce que cette somme décuple soit en train de vous arriver. Vous vous mettez ainsi à penser à la somme que vous possédez et à celle qui vous arrive, plutôt que de vous torturer en pensant que vous n'avez pas assez d'argent. En multipliant tout par DIX, votre pensée vire automatiquement du besoin à la prospérité. Comme l'esprit réagit rapidement à des *chiffres précis,* vous aurez l'impression que les cieux et la terre s'acharnent à pousser l'argent dans votre direction.

Regardez le solde qu'indique votre carnet de chèques. Vous y trouverez peut-être $50. Au lieu de vous dire: «Je n'en ai pas assez pour payer mes factures», pensez: **Ceci n'est qu'un symbole de la riche substance de l'univers qui m'est disponible. Je rends grâces de ce que cette somme décuple, soit $500, est en train d'arriver à moi et se manifeste rapidement pour répondre à tous mes besoins.** De même, lorsqu'au début du mois, les factures vous arrivent en grand nombre, ne vous dites pas: «Cette facture de $20 est bien trop élevée, ce mois-ci. Il nous faut absolument couper les dépenses.» Pensez plutôt: **Ces $20 ne sont qu'un symbole de la riche substance de l'univers qui m'est maintenant disponible. Je rends grâces de ce que cette somme décuple, soit $200, m'arrive maintenant et apparaît rapidement pour que la riche substance universelle remplisse immédiatement et entièrement chaque obligation financière.**

S'il vous manque toujours de l'argent même après avoir multiplié par dix les sommes que vous possédiez, envoyez quand même toute la substance que vous avez sous la main. Votre action ouvrira le chemin et les montants décuples se mettront à apparaître. Les sommes que vous faites sortir laissent la place à celles qui rentrent.

Multipliez par dix toutes les transactions financières qui se présentent à vous, rendant grâces de ce que la somme décuple vous est donnée pour votre usage personnel. Ceci est la façon la plus rapide, la plus sûre et la plus plaisante d'obtenir un doctorat ès Raisonnement de la prospérité.

En entendant parler de cette technique de prospérité, une vendeuse décida de l'essayer immédiatement. Le soir où on le lui expliquait, elle avait un dollar en poche. Elle le sortit de son portefeuille, le regarda et pensa: «Cette somme multipliée par dix est en train de m'arriver immédiatement. Une somme de dix dollars se manifeste maintenant.» Puis elle donna son dollar à la collecte en sortant de la conférence. Le lendemain, elle continua à multiplier par dix le montant total de chaque vente qu'elle faisait. Résultat, elle vendit plus en cette seule journée que tous les employés des deux étages de son magasin. Ce soir-là, en arrivant à la maison, elle trouva deux chèques de $5 dans son courrier. Il s'agissait de cadeaux auxquels elle ne s'attendait pas du tout. Ainsi, son dollar avait produit pour elle dix dollars et son pouvoir de vente s'était décuplé cette journée-là grâce à l'utilisation de la magie du chiffre dix.

Une fois que vous aurez bien établi cette idée dans votre esprit et que vous saurez la faire travailler en votre faveur, vous pourrez en étendre l'application. En entendant parler de ce principe, un médecin se mit à penser doucement: «Pourquoi devrais-je me contenter de la puissance décuplante du chiffre dix? Pourquoi le chiffre cent, qui représente dix fois dix, ne serait-il pas encore plus puissant?» Il décida alors d'en faire l'expérience. Il donna aussi avec amour un don d'un dollar à la fin d'une conférence sur le sujet, pensant: «Je donne; j'invoque donc la foi de la réception. Je m'attends à recevoir cent fois ce montant, soit $100. Je rends grâces de ce qu'il apparaît rapidement de façon parfaite.» Le lendemain, dans l'après-midi, une dame entra dans son bureau et lui tendit un chèque en lui disant: «Je ne vous dois pas d'argent, car je ne suis plus venue chez vous depuis un certain temps. Mais l'aide que vous avez apportée récemment à certains membres de ma famille m'a beaucoup impressionnée. Grâce à vous, il sont de nouveau en pleine santé. Je désire montrer mon appréciation en partageant avec vous une partie de l'argent que j'ai reçu dernièrement de façon tout à fait inattendue.» Elle lui avait fait un chèque au montant de $100!

En entendant parler de la puissance du chiffre dix, une maîtresse de maison eut la même idée que le médecin et décida de multiplier le dollar qu'elle avait en poche par cent plutôt que par dix. Deux jours plus tard, elle recevait un chèque de $100 d'un de ses associés en affaires qui lui devait cet argent depuis très longtemps!

Comme cette technique toute simple vous libère de toute pensée de besoin, de pauvreté et d'insuffisance! Elle transforme complètement votre attitude et vous pensez: «Nous vivons dans un riche univers et il y a de l'abondance pour toi comme pour moi.»

Quelques petits conseils additionnels pour atteindre l'indépendance financière

Je vous ai suggéré de multiplier tous vos chiffres financiers par dix, ou par dix fois dix; voici maintenant quelques petits conseils additionnels pour vous aider à élaborer une image mentale de votre indépendance financière. Commencez tout de suite à vous remplir l'esprit d'images de la vie que vous désirez mener dès que vous en aurez financièrement les moyens. Lisez des journaux et des revues qui contiennent des annonces publicitaires de vêtements, de résidences, de violons d'Ingres et autres luxes de la vie que vous désirez posséder et vivre. Développez sans cesse au fond de vous des images mentales d'une vie exempte de tout souci financier et qui vous laisse libre de voyager, de jouir d'activités que vous aimez, d'accomplir des choses de valeur et de vous faire des relations plaisantes. Si vous désirez développer en vous certains talents et certaines qualités, mettez-vous à lire des livres et à remplir votre esprit d'images mentales décrivant ce que vous désirez accomplir dans ce domaine. Pensez aux organismes que vous voudriez aider et au bien que vous désirez accomplir grâce à votre richesse.

Faites-vous aussi une image mentale de l'indépendance financière de ceux qui vous sont chers, dans votre propre esprit. Imaginez mentalement que le monde entier est indépendant financièrement. Libérez-vous de toute pensée qui n'implique pas une riche indépendance financière. Dans le monde entier, des millions de gens sont les esclaves de la guerre, du crime, de la délinquance, de la maladie, de l'athéisme et de l'idéologie communiste parce qu'ils ignorent que leur richesse est en dehors d'eux-mêmes, les rendant totalement dépendants d'autrui. Dissolvez chez les autres autant qu'au fond de vous-même ces croyances ignorantes, destructrices et hypnotiques, en ayant l'audace d'accepter la vérité glorieuse qui veut que l'indépendance financière est un droit que Dieu accorde à toute l'humanité et que par votre attitude, vos actions et vos réactions, vous pouvez l'inciter à se manifester.

Développez également votre espoir et votre foi en l'indépendance financière en étudiant la finance, l'économie et l'art d'investir. Priez aussi ouvertement pour recevoir l'indépendance financière. Persuadez-vous que vous n'êtes pas enchaîné à vie à la roue du travail. Vous n'êtes pas l'esclave du dieu Mammon, mais un enfant rayonnant du Dieu de l'abondance universelle!

Dix étapes qui portent chance

Pour vous aider à atteindre une indépendance financière continuelle, je voudrais vous faire part de la formule suivante que j'appelle les *dix étapes qui portent chance* vers le raisonnement de la prospérité et l'indépendance financière:

1. En silence, méditez et demandez à votre Père qui vous aime s'*il* a une raison quelconque de ne pas vous accorder l'indépendance financière. (Ceci vous débarrassera de toute incertitude car c'est l'incertitude qui retarde le succès.)

2. Une fois que vous aurez décidé d'aspirer à l'indépendance financière et que vous vous sentirez envahi d'un sentiment de paix, sachant qu'il est juste que vous la demandiez, faites-vous une image mentale du plus haut degré d'indépendance financière que vous désirez atteindre. Imaginez mentalement le montant de revenu que vous désirez et la vie que vous aurez une fois indépendant. Faites-vous une image mentale de votre indépendance financière aussi détaillée que possible. Plus vous y penserez, plus vous la verrez en détails. Pensez au type de maison que vous désirez, au style de vêtements que vous désirez porter, aux activités que vous désirez entreprendre, aux endroits que vous désirez visiter.

3. Faites-vous une image mentale de ce que vous désirez *vraiment* et non de ce que quelqu'un d'autre veut que

vous ayez, ni de ce que vous pensez qu'il est de votre devoir de posséder: imaginez ce que vous voulez *vraiment*. Beaucoup de gens vivent dans l'échec comme des misérables, parce qu'ils cherchent à plaire aux autres. Votre vie est un don que Dieu vous a donné à vous et à personne d'autre. Vous ne serez heureux qu'avec ce que vous désirez sincèrement. Faites-vous une image mentale de ce désir et de rien d'autre que ce désir.

4. Ne parlez pas trop aux autres de vos projets intérieurs car les autres peuvent toujours vous dire de quelle façon ils pensent que vous devriez vivre, mais ils ne peuvent pas vivre avec succès à votre place. Gardez vos plans de succès pour vous-même. Ne les dissipez pas, ne leur faites pas subir de contre-courants en laissant aux autres l'occasion de les détruire.

5. Faites les démarches que vous vous sentez conduit à entreprendre pour commencer la réalisation de vos images mentales d'indépendance. Faites toutes les choses, petites ou grandes, qui pourront vous donner l'impression que vous vous acheminez vers l'indépendance financière. Fixez-vous une échéance et forcez-vous à accomplir certaines choses dans les six mois à venir, d'autres dans l'année qui vient et d'autres encore dans les deux ans. Fixez une date à laquelle vous pensez avoir atteint une entière indépendance financière.

6. Ne vous inquiétez pas, ne vous laissez pas troubler émotionnellement si les choses ne produisent pas immédiatement les résultats que vous escomptiez. Ne cherchez pas à forcer ou à accélérer la réalisation de votre image mentale. Un état d'esprit anxieux, excité, troublé émotionnellement, pressé, forcé ne produit que des résultats violents qui s'avèrent rarement satisfaisants et qui peuvent se révéler des plus décourageants et destructifs.

7. Au lieu d'écouter ce que les autres disent ou pensent, persévérez silencieusement à amener la réalisation de

votre image mentale d'indépendance financière, par toutes les voies qui vous seront révélées. Rappelez-vous souvent que vous travaillez avec la riche substance universelle par le raisonnement de la prospérité et que vous ne pouvez pas échouer, parce que les lois de l'univers sont immuables et qu'elles ne peuvent pas échouer. Ainsi, rien ne pourra empêcher votre succès de se manifester, tant que vous persévérez à y penser et à vous acharner à l'atteindre.

8. Soyez conscient que vos rêves d'indépendance financière se sont déjà réalisés sur le plan mental depuis le moment où vous les avez désirés et que vous les avez reconnus. Par conséquent, votre grand bien vous appartient autant lorsqu'il est encore invisible que lorsqu'il s'est manifesté, mais c'est à vous de le rendre visible. Vous y arriverez en déclarant: **Substance divine, accorde-moi maintenant ceci selon ta propre façon parfaite** ou **Substance divine, réponds maintenant à ce besoin selon ta propre voie parfaite. Ceci m'appartient maintenant et se manifeste rapidement de façon satisfaisante.** Ne dites jamais: «Ça n'arrivera jamais» mais «Ceci, ou mieux, se manifeste maintenant.»

9. Rappelez-vous souvent que si les autres ont réussi à atteindre l'indépendance financière, vous le pouvez aussi. Ce qu'un homme réussit à faire, beaucoup d'autres le peuvent également. Ce qui peut se faire à la petite échelle peut, avec un peu de persistance, de fréquence et de zèle, se faire à une échelle illimitée. Tout dépend de vous.

10. Rappelez-vous souvent que chaque bonne chose existe déjà dans le royaume de la substance. Par vos grands espoirs, vos images mentales et vos pensées et actions prospères, vous pouvez maîtriser le royaume de la substance et en retirer tout ce que vous désirez. L'Histoire de l'humanité démontre que toutes les requêtes mentales de l'homme ont été accordées. Faites votre requête dès maintenant, ne la lâchez pas et vous réussirez!

Ceci ne vous arrivera peut-être pas d'un jour à l'autre; cependant, c'est possible. Vos désirs se réaliseront si vous avez le courage de persister dans l'espoir, l'image mentale et l'acceptation morale du concept de l'indépendance financière pour vous-même et pour tout le reste de l'humanité. Au premier abord, vous devrez peut-être faire un certain effort pour vous persuader qu'il vous est possible d'atteindre le succès mais les fruits de votre effort rendront précieux chacun de vos espoirs, de vos pensées et des riches images mentales que vous aurez édifiées.

Déclarez souvent: **Chaque jour, dans chacune de mes voies, je deviens financièrement indépendant, avec l'aide de Dieu.** Vous pouvez être sûr d'être exaucé!

CHAPITRE 11

Les lois de la prospérité:
L'amour et la bonne volonté

Un homme d'affaires m'a dit, il n'y a pas longtemps: «Je crois que la plus grande foi de la prospérité est celle de l'amour et de la bonne volonté.» Puis il m'a raconté certaines de ses expériences dans le monde des affaires, au cours desquelles l'amour, en tant que bonne volonté, avait su vaincre la discorde et les signes apparents de l'échec.

Il cita l'exemple d'une cliente très riche qu'il réussissait toujours à contenter lorsqu'elle était de bonne humeur. Mais, lorsqu'elle était d'humeur sombre, elle lui envoyait souvent des lettres acerbes ou des appels déplaisants, par lesquels elle lui faisait remarquer d'un ton caustique et mortifiant qu'il ne savait pas s'occuper des affaires dont elle l'avait chargé.

Il avait un antidote contre cette femme: l'amour, en tant que bonne volonté. Il racontait que lorsque cette cliente (ou n'importe quelle autre) se fâchait, pendant sa journée de travail, il avait élaboré une méthode spéciale pour *les remettre à leur place*. Au lieu de riposter ou de se tenir sur la défensive contre les désaccords, les critiques et les conflits personnels, il se taisait pendant quelques minutes, pensait à la personne en question, et se remplissait de bonne volonté envers elle. Il développait dans son esprit l'image de cette personne enveloppée d'amour, d'un sentiment de sécurité, de calme, de bonne humeur, de bonne volonté désintéressée.

Résultat? Il raconte qu'il a réussi si rapidement et si bien que souvent il en avait le souffle coupé. Par exemple, sa cliente riche à l'humeur changeante retéléphonait souvent d'une autre ville pour lui faire ses excuses les plus sincères, une heure après qu'il eut développé cette image d'elle pleine d'amour et de bonté. Si elle ne téléphonait pas, elle lui envoyait généralement une petite note écrite une heure environ après qu'il eut pensé à elle avec bonté et en la bénissant.

Lorsqu'au cours d'une transaction financière, les personnes impliquées ne réussissent plus à s'entendre, cet homme repasse chacune d'elle dans son esprit et les bénit l'une après l'autre, les couvrant de bonne volonté. Puis il s'imagine que la situation a retrouvé toute son harmonie. Presque immédiatement, les esprits se calment, les malentendus s'évanouissent et l'on continue à conclure des transactions fructueuses.

Il est bon d'utiliser cette méthode au début et à la fin de chaque journée. En repensant à votre journée, ou plus particulièrement à un événement déplaisant, n'hésitez pas à revivre mentalement cette expérience. Imaginez-vous que toutes les personnes impliquées étaient aimantes, compréhensives, pleines d'harmonie et vous serez surpris de voir souvent ces mêmes personnes faire *volte face* et s'excuser de s'être montrées si désagréables.

N'hésitez pas à commencer votre journée en repassant mentalement chacun des événements prévus, en les imaginant agréables, harmonieux et fructueux. Vous commencerez alors à vous engager sur les voies prospères, plaisantes et paisibles dont Salomon parlait. En général, si dès les petites heures du matin, vous planifiez mentalement, si vous vous imaginez et si vous vous attendez à passer une journée heureuse, vous aurez peu d'événements désagréables à corriger mentalement à la fin de la journée.

L'amour n'échoue jamais

Vous pouvez connaître par coeur toutes les lois de la prospérité mais, si vous ne pouvez pas vivre et travailler harmonieusement avec les autres, tout le reste n'aura que très peu de valeur. On a estimé que votre succès financier n'était dû que 15% à votre compétence technique et 80% à votre capacité de vivre harmonieusement avec les gens.

On n'accordera jamais assez d'importance à l'art de

s'entendre avec les autres par la bonne volonté, qui est en fait l'amour même en action. Vous vous êtes peut-être souvent demandé pourquoi on mettait à la porte la plupart des employés - pour incompétence, pour manque de ponctualité, ou pour malhonnêteté? Les directeurs de personnel déclarent tous que plus des deux tiers des gens perdent leur travail parce qu'*ils ne savent pas s'entendre avec les autres*. Dix pour cent environ d'entre eux sont mis à la porte pour incompétence. Les autres sont renvoyés pour *des problèmes de personnalité*.

Vous vous demandez comment la bonne volonté et l'art de s'entendre avec les autres ont une telle puissance? Vous vous demandez pourquoi, si vous n'êtes pas capable de vous entendre avec les autres, soit en affaires, soit au foyer, toute votre éducation, toutes vos qualités et vos efforts sont généralement vains? La Bible assure que *l'amour n'échoue jamais*. Jésus a fait remarquer à l'avocat que de l'amour dépendait toute la loi, indiquant par là toute la loi qui régit un mode de vie sain, heureux, harmonieux, fructueux. L'amour possède une puissance inégalée, parce que l'amour est la puissance qui unifie le monde entier et tout ce qu'il renferme. Par exemple, la loi de la gravité est en fait l'amour même en action. L'amour est la force qui égalise, qui harmonise, qui équilibre, qui rajuste tout ce qui est opération dans l'univers. Ainsi, l'amour peut faire pour vous ce que vous êtes humainement incapable de faire pour vous-même.

À l'Université Harvard, des sociologues de renommée internationale ont dirigé des études de recherche sur la puissance de l'amour. L'Université fonda un centre de recherche, dirigé par des savants très sérieux, qui consacrèrent leur temps si précieux à étudier la question de l'amour. Ils découvrirent que cet amour, comme toute autre bonne chose, peut être consciemment produit par des êtres humains! Dans leurs conclusions, ils affirmèrent que nous n'avons aucune raison de ne pas apprendre à générer l'amour, comme nous générons toute autre force naturelle.

L'amour est personnel et impersonnel

Mais comment produit-on et génère-t-on l'amour? D'abord, en se rendant compte que l'amour est à la fois personnel et impersonnel. Au niveau personnel, vous pouvez générer de l'amour par la dévotion, la tendresse, la bonté, l'approbation et l'appréciation des membres de votre famille et de votre cercle d'amis.

Au niveau impersonnel, l'amour est l'art de s'entendre avec les autres gens, la bonne volonté envers tous les autres, sans attachement personnel. Pour y arriver, affirmez souvent de façon positive: **J'aime tout le monde et tout le monde m'aime, sans attachement.**

Un médecin chinois, qui vit aujourd'hui à Malaya, se consacre tout spécialement à aider l'humanité à réaliser que la puissance de l'amour impersonnel peut résoudre tous les maux. Il a distribué plus de 150 000 copies d'un exposé sur la puissance de l'amour. Dans cet exposé, il invite les gens de toutes races et de toutes couleurs à réfléchir très simplement sur l'amour divin pendant cinq minutes chaque jour. Il donne ensuite un horaire de synchronisation, pour les gens de différents pays qui désireraient méditer sur l'amour divin au même moment. Voici un homme qui croit que l'amour a la puissance d'apporter harmonie, justice et paix dans le monde.

Comment générer l'amour

En analysant cette chose que l'on appelle amour, vous découvrirez que la vie est un processus par lequel on donne et on reçoit l'amour dans ses différentes phases, et que les individus qui ne vivent pas dans ce courant d'amour éprouvent, par cette lacune, des difficultés dans leur esprit, dans leur corps ou en affaires. En développant consciemment cet amour, vous entrez dans le courant des bontés de la vie et vous aidez les autres à les découvrir.

N'est-ce pas merveilleux de réaliser, comme l'ont fait les savants de Harvard, que vous n'avez plus besoin de regarder autour de vous, attendant et espérant que, d'une façon ou d'une autre, un jour ou l'autre, l'amour viendra peut-être vous trouver? Vous pouvez dès maintenant commencer à générer délibérément de l'amour pour Dieu, pour vous-même et pour l'humanité, du tréfonds de vous-même. En agissant ainsi, vous attirerez infailliblement les parfaites manifestations de l'amour dans votre vie.

J'ai remarqué que plusieurs personnes se sentent coupables de leur désir d'amour dans ses différentes phases, pensant devoir réprimer ce désir. Il est grand temps que vous réalisiez que vous devriez exprimer ce désir d'amour - du plus profond de vous-même vers Dieu, vers vous et envers votre prochain. Notre Père plein d'amour ne peut faire pour vous que ce qu'*il* peut faire à travers vous. L'amour prend naissance par vos propres pensées, vos sentiments et vos espérances. Lorsque vous exprimez l'amour délibérément, il vous revient avec abondance.

Contrôlez consciemment vos pensées et vos sentiments, et mettez-vous dès maintenant à développer une conscience impersonnelle de l'amour, sachant que c'est la façon la plus rapide de résoudre vos propres problèmes, ainsi qu'un moyen puissant d'aider l'humanité. Vous pouvez le faire très simplement:

Commencez par consacrer quelques minutes de chacune de vos journées à générer délibérément l'amour. À ces moments-là, affirmez positivement: **Avec l'aide de Dieu, je rayonne maintenant délibérément et joyeusement de l'amour divin envers moi-même, le monde qui m'entoure, et envers toute l'humanité.** Priez chaque jour que l'amour divin prenne vie au fond de vous. Imaginez-vous chaque jour en pleine santé, prospère, rayonnant, harmonieux, béni, libéré de toutes chaînes et de tous liens. Développez un amour doux pour cette image mentale: **Je laisse maintenant l'amour divin prendre vie en moi.**

Lorsque vous suscitez et générez délibérément l'amour, faites-le de la façon suivante: imaginez l'amour comme étant une lumière rayonnante qui vous enveloppe, vous éclaire, vous illumine et vous élève. Pensez que l'amour envahit, pénètre et sature tout votre être. S'il y a dans votre vie des domaines sombres et troublés, imaginez délibérément que la lumière de l'amour les ressuscite et les corrige d'une façon divine.

Durant votre période de méditation, représentez-vous sans cesse la pensée, le sentiment et l'image brillante de l'amour rayonnant sur votre être et sur votre monde. Vous n'avez aucune raison de vous sentir coupable de vous aimer vous-même. Vous ne pourrez aimer les autres ou rayonner d'amour envers le monde extérieur que lorsque vous vous aimerez au plus profond de vous-même. L'amour commence chez vous, en vous. La psychiatrie insiste sur le besoin d'amour de soi et d'appréciation. Lorsque Jésus disait: «*Tu aimeras le Seigneur ton Dieu de tout ton coeur, de toute ton âme et de tout ton esprit: Voilà le plus grand et le premier commandement.*» (Matt. 22: 37,38), il déclarait que l'homme devait aimer la nature divine qu'il possède en lui, autant qu'un Dieu universel.

N'hésitez pas à vous aimer vous-même consciemment, à aimer votre vie et vos activités, aimez-y tout ce que vous y trouvez de bon. Lorsque vous générez l'amour, surtout n'hésitez pas à aimer chaque partie de votre corps qui réclame la guérison. Dites-lui franchement, **je t'aime.** N'hésitez pas à diriger votre amour sur toutes les situations de votre vie qui vous semblent difficiles. Pensez à ces situations et affirmez de façon positive: **Que l'amour divin prenne vie en toi dès maintenant.**

Lorsque vous aurez bien développé l'image mentale ou la sensation merveilleuse de la lumière de l'amour envahissant tout votre être, vous saurez que vous aurez généré et libéré la plus grande puissance qui existe sur terre, dans chacune des phases de votre esprit, de votre coeur et de vos activités. La lumière de l'amour brillera et se transformera en une énergie nouvelle, une nouvelle paix de l'esprit, un pouvoir nouveau et une maîtrise nouvelle, une nouvelle attitude, une nouvelle beauté, une nouvelle prospérité et une nouvelle harmonie; oui, un bien nouveau dans chaque phase de votre vie.

Résultats pratiques de l'amour

Les savants de Harvard ont également découvert qu'il est même possible de bombarder d'amour les gens, les situations et les conditions, pour ainsi susciter des changements miraculeux. Ils prédirent que *déclencher l'amour* allait bientôt devenir une ordonnance universelle visant à guérir les maux de notre monde.

En générant et en *enclenchant* l'amour, on produit une puissance pratique, qui produit de bons résultats. Une amie m'a raconté il n'y a pas très longtemps qu'elle avait vu son teint s'éclaircir après y avoir pensé au cours d'une méditation et l'avoir doucement aimé en pensant beauté et rayonnement. Sa peau rayonne maintenant de clarté et de beauté. Un orateur racontait il n'y a pas longtemps qu'il s'était senti fatigué au cours d'une série de conférences. Puis il s'était souvenu qu'il devait aimer son corps au cours de ses séances de méditation et il avait regagné rapidement une vie, une énergie et une vitalité toutes nouvelles.

Il est bon de méditer sur l'amour, mais dans votre vie quotidienne, il est bon d'affirmer silencieusement à chacune des choses de votre monde: **Que l'amour divin prenne vie en toi.** Communiquez un amour divin aux vêtements que vous portez, à la voiture que vous conduisez, aux objets inanimés de votre foyer ou de votre bureau, aux factures que vous payez, aux gains que vous recevez. Donnez même de l'amour aux moments vides de votre vie et au bien que vous recherchez mais qui ne s'est pas encore manifesté.

Tout semble répondre à vos pensées d'amour. Aux gens que vous rencontrez pendant la journée, étrangers et amis, ainsi qu'à tous les membres de votre famille, il est bon de déclarer en silence: **Que l'amour divin prenne vie en toi.**

Il y a quelque temps, je discutais avec une secrétaire des frictions et des jalousies qui régnaient au sein de son bureau. Comme elle était avenante, on lui demandait de faire une grande partie du travail qui normalement devait être accompli par deux autres secrétaires, qui en retiraient malgré tout tous les honneurs et les augmentations de salaire. Elle avait souvent essayé de parler à son patron de l'injustice de cet excès de travail, mais il avait refusé de l'écouter. Désespérée, elle était venue me voir, se demandant si elle devait quitter son poste, qu'en général elle trouvait agréable et pratique, ou continuer d'endurer, aussi injuste que la situation puisse lui sembler.

Je lui suggérai d'affirmer ce qui suit: **Que l'amour divin se manifeste maintenant.** Je lui fis remarquer qu'il n'était pas nécessaire d'essayer d'apaiser les humeurs, ni de compromettre ses opinions pour satisfaire autrui; j'ajoutai que tout signe de faiblesse et d'insécurité ne lui rapporterait que plus d'insatisfaction et de mauvais traitement. Elle devait au contraire commencer à rayonner de paix, de puissance, de dignité, de stabilité profonde et de fermeté dans ce qu'elle acceptait ou non, de faire; ses collègues allaient alors la traiter avec paix, dignité et stabilité intérieure.

Au bout d'une semaine, la situation commença à changer. Ses collègues commencèrent à respecter sa nouvelle attitude; elles cessèrent de s'imposer à elle et se mirent à accomplir leur propre travail. Elles commencèrent à la traiter avec harmonie et respect. Son patron se montra plus aimable envers elle. La tension, l'aigreur et la jalousie firent place peu à peu à l'harmonie et à la bonne volonté.

Ella Wheeler Wilcox a dit un jour que Dieu évaluait les âmes d'après leur capacité d'entretenir le premier de ses anges, l'amour. Oui, l'amour n'échoue jamais.

L'amour vaincra

Après avoir perdu un procès, un homme se trouva financièrement ruiné et il se plaignit en disant que ceci était injuste et illégal. «Il n'y a pas de justice», grogna-t-il amèrement. Il en discuta avec un conseiller spirituel qui lui suggéra d'appliquer la puissance de l'amour divin sur cette situation en affirmant sa propre attitude de justice et ses réactions émotionnelles: **Je vis par la loi de l'amour et l'amour vaincra.** Il lui suggéra d'affirmer pour son adversaire du procès: **Tu vis par la loi de l'amour et l'amour vaincra.**

En pensant ainsi, il commença à se sentir beaucoup mieux sur tous les aspects de la situation. Toute hostilité, rancoeur et tout désir de vengeance s'évanouirent en lui. Tout d'un coup, il eut l'occasion inattendue de rendre un grand service à son adversaire du procès. Il le fit et s'en sentit immédiatement beaucoup mieux. À mesure que son attitude continuait à se transformer, il remarqua que celle de son adversaire aussi changeait. Ils firent chacun des concessions sur certains points et bientôt la cause se régla hors cour, en toute justice et à l'avantage de tous.

Dans une grande ville, une femme ouvrit un restaurant et une confiserie là où deux gérants avaient fait faillite avant elle. Elle réussit brillamment. Lorsqu'on lui demanda de quelle façon elle avait réussi là où deux autres avaient échoué, elle répondit: «J'ai tout simplement aimé et béni chacun de mes clients. Lorsque les clients quittent mon établissement, non seulement je les invite à revenir mais silencieusement, je leur envoie une bénédiction pleine d'amour et je prie pour leur prospérité et leur bonheur. Lorsqu'il n'y a pas de clients dans le magasin, je regarde avec amour les gens qui passent dans la rue.»

La puissance curative de l'amour

Vous pouvez produire délibérément de l'amour divin en ayant des pensées pleines d'amour pour vous-même et pour autrui et en exprimant l'amour divin. Mais j'ai également découvert le secret merveilleux des paroles d'appréciation, d'amabilité et de compréhension pour les autres. Les paroles aimables produisent des résultats sans égal; elles vous apportent une vie nouvelle, elles vous élèvent, elles vous apportent le vrai bonheur!

Un homme d'affaires fut hospitalisé pour une fièvre terrible que les remèdes ne semblaient pas réussir à réduire. Cet homme était malade du coeur depuis très longtemps et cette maladie se manifestait à nouveau. L'un de ses amis qui connaissait la puissance guérissante de l'amour, vint le voir à l'hôpital. Il se rendit vite compte que cet homme manquait énormément d'amour à cause de certaines relations problématiques dans sa vie.

Cet ami eut le courage de dire au patient: **Dieu vous aime, Dieu vous guide, Dieu vous montre la voie. Vous avez tout l'amour de Dieu et des hommes.** Ensemble, ils déclarèrent que l'amour de Dieu travaillait avec perfection dans l'esprit, le corps et les activités de cet homme.

Soudain, une sensation de chaleur intense traversa le corps du malade et disparut. Sa grande fièvre l'avait quitté. Plus tard, son médecin déclara que son coeur semblait de nouveau en parfaite condition. Aujourd'hui, il est plus en santé que jamais et la douceur de l'amour a également calmé ses relations de famille auparavant si troublées.

Une infirmière dut se charger d'une patiente qui souffrait de maladie mentale depuis plusieurs mois. Les traitements d'électrochoc et les médicaments n'avaient aucunement amélioré son état. On suggéra finalement qu'un repos complet pourrait peut-être l'aider. On amena la patiente à sa résidence d'été au bord de la mer.

L'infirmière privée qui se chargeait d'elle avait appris à générer l'amour pour les autres. Elle se mit immédiatement à méditer sur cette patiente, l'imaginant aimante, aimable, équilibrée, bien et de nouveau parfaitement heureuse. En accompagnant sa patiente à la plage ou dans l'eau, elle se l'imaginait entièrement submergée par l'amour guérissant de Dieu. Pendant que sa patiente jouait dans l'eau, l'infirmière s'éloignait un peu sur la plage et enveloppait silencieusement sa patiente de pensées d'amour et de puissance guérissante.

La patiente demandait souvent à son infirmière d'un air pathétique: «Pensez-vous que je vais vraiment mieux? Est-ce qu'il y a vraiment de l'espoir pour moi?» L'infirmière, qui connaissait la puissance des paroles d'amour, déclarait toujours: «Chérie, vous allez beaucoup mieux. L'amour de Dieu est maintenant en train d'accomplir son travail parfait dans votre corps, dans votre esprit et dans vos activités et vous êtes en train de guérir.» Tous les jours, elle répétait sans cesse ces paroles rassurantes à la patiente. Au bout de six semaines, l'infirmière fut relevée de son poste, car la patiente avait merveilleusement réagi à la puissance guérissante de l'amour.

Il est facile d'exprimer des paroles d'amour ou de méditer avec amour sur les gens avec lesquels nous sommes en harmonie. Mais ce sont ceux qui nous semblent les plus difficiles, qui nous semblent peut-être même hostiles qui ont le plus besoin du rayonnement de l'amour. Leur hostilité n'est qu'un cri de leur âme suppliant d'être considérée avec amour. Dès que vous leur aurez généré assez d'amour, la discorde s'évanouira.

Tirez-leur dans le dos... avec amour!

Un homme d'affaires m'a raconté qu'il avait une façon très spéciale de rayonner l'amour. À son poste d'employé du gouvernement, il est chargé de rencontrer le public, de s'occuper des plaintes et d'arranger les choses pour les gens et pour son employeur, l'Oncle Sam. Son seul travail est de satisfaire tout le monde! La plupart d'entre nous penseraient que c'est chose impossible.

Mais cet homme avait appris que «*L'amour n'échoue jamais.*» Il aborde les gens avec un sourire, quoi qu'ils lui fassent. Il se montre aimable et courtois, quoi qu'ils lui disent. Et pendant tout ce temps, il déclare positivement en silence: **L'amour divin contrôle tout et tout va bien.** Lorsque les gens qui avaient des problèmes le quittent, il affirme qu'il les a vraiment *bombardés.* Il déclare: «Je leur tire dans le dos - avec amour!»

Est-ce avantageux de tirer dans le dos des gens avec amour? Cet homme affirme que l'attitude et le comportement de nombreux plaignants qui entraient dans son bureau semblaient changer radicalement lorsqu'il affirmait l'amour divin.

Je peux certifier que cet employé du gouvernement réussit très bien parce que, il n'y a pas longtemps, un homme d'affaires est venu vers moi pour me dire: «Je voudrais vraiment connaître le secret du succès de monsieur Black. Il semble toujours si heureux et si calme et pourtant il exerce l'un des métiers les plus difficiles de toute la ville.» Il fut enchanté de savoir que je connaissais le secret du succès de cet homme, qui était de tirer dans le dos avec amour! Son regard m'a donné l'impression qu'il venait de décider de faire de même.

L'amour protège

Une femme de Kansas City s'est protégée d'un homme qui allait l'attaquer en exprimant des paroles d'amour. Un soir, elle marchait le long d'une rue sombre près de l'édifice Unity Society, sur Tracy Avenue, lorsqu'un homme surgit de l'ombre et lui pointa un révolver dans les côtes en disant: «Donne-moi ton sac ou je te descends!» Elle se retourna et le regarda droit dans les yeux, en disant: «Vous ne pouvez pas me faire de mal, parce que vous êtes l'enfant de Dieu et que je vous aime.» Il répéta deux fois sa menace, mais chaque fois il reçut la même réponse; finalement, il secoua la tête en marmonnant quelque chose sur *cette folle,* laissa tomber son révolver et s'enfuit. Cette femme se tira d'une situation extrême par un moyen extrême - en exprimant l'amour.

Invoquez l'amour impersonnel

Mais surtout ne tournez pas autour des gens qui ne font pas partie de votre cercle familial en leur criant: «Je vous aime!» La plupart d'entre eux penseraient que vous exprimez un sentiment personnel et vous pourriez causer de l'embarras et des malentendus. J'ai connu un homme de profession libérale qui a fait l'erreur de dire à plusieurs de ses clientes: «Je vous aime»; il s'efforce encore aujourd'hui d'expliquer à leurs maris ce qu'il voulait vraiment dire.

Vous pouvez, en termes moins personnels, assurer les gens de votre intérêt, de votre approbation et de votre sincère appréciation. Il est toujours de bon goût d'exprimer l'amabilité et la courtoisie; vous pouvez, de la même façon impersonnelle, rayonner d'amour, de bonne volonté envers les autres.

Un directeur en relations publiques travaillant dans une compagnie d'assurance internationale m'a dit il n'y a pas longtemps qu'en travaillant avec des centaines d'employés, il avait remarqué qu'ils avaient besoin plus que tout d'amabilité. Il est persuadé que l'on peut satisfaire le besoin d'amabilité chez les autres en étant tout simplement chic avec eux.

Écrivez des déclarations d'amour

Il est bon de méditer sur l'amour, d'affirmer l'amour et d'exprimer des paroles d'amour mais il est aussi bon d'écrire des déclarations d'amour, pour le générer. Une femme entendit dire un jour que l'une de ses anciennes amies racontait d'elle des choses très méchantes. Elle la critiquait sévèrement et sans pitié. Elle téléphonait et rendait visite à un bon nombre de gens pour essayer de lui faire perdre son emploi. En apprenant ce qui se passait, elle commença à affirmer que l'amour divin était à l'action dans cette situation. Bientôt, l'une de ses amies, qui venait d'entendre plusieurs nouvelles critiques, lui dit avec insistance: «Cette situation doit cesser. Il te faut prendre des mesures en conséquence!» Tout l'après-midi, cette dame resta tranquillement assise et écrivit des dizaines de fois: **L'amour**

divin accomplit un travail parfait dans cette situation et tout va bien. C'est la seule mesure qu'elle prit.

Quelques jours plus tard, elle reçut un cadeau de la femme qui l'avait critiquée si sévèrement, ainsi qu'une note lui exprimant tout son amour et son appréciation. L'amour divin avait détourné l'orage.

Le rayonnement délibéré d'amour divin est surtout très utile dans les petites choses de la vie qui peuvent être si irritantes. Une série de petites choses, de petits événements, de petits changements peuvent souvent modifier complètement votre journée et votre monde. En les maîtrisant, vous apprenez à contrôler votre vie.

Les expressions personnelles de l'amour sont importantes

Nous avons mentionné plusieurs façons de générer et de rayonner l'amour dans les phases impersonnelles de la vie, mais ne négligeons pas le fait que les aspects personnels de l'amour doivent être exprimés régulièrement au sein de votre famille. Les psychologues nous assurent que tout le monde a besoin de se sentir aimé, apprécié et important; c'est un besoin fondamental de toute l'humanité. Souvent, les situations les plus troublées au sein d'un foyer ou d'une famille proviennent du fait que l'on n'exprime pas assez l'amour d'une façon personnelle.

Par exemple, j'ai récemment demandé à une femme qui avait des problèmes dans son mariage: «Quand avez-vous pour la dernière fois regardé votre mari droit dans les yeux en lui déclarant sincèrement: *Je t'aime et je pense que tu es un homme merveilleux!*» Surprise, elle me répondit: «Vous voulez dire que je dois dire des choses pareilles pour sauver mon mariage?» Et je me suis entendue dire: «Mais, n'est-ce pas de cette façon que vous avez conquis votre mari, au tout début?»

Les épouses devraient faire sentir à leurs maris qu'ils sont importants et qu'elles ont besoin d'eux. J'ai eu l'occasion de conseiller des hommes d'affaires qui avaient des aventures avec d'autres femmes. Lorsque je demandais: «Pourquoi cherchez-vous une autre femme, puisque vous avez une épouse adorable et un foyer merveilleux?» On me répondait généralement: «Cette autre femme me fait sentir que je suis important et qu'elle a besoin de moi; ma femme ne le fait pas.»

Le sexe, une expression importante de l'amour

La relation sexuelle au sein du mariage est également une façon importante d'exprimer l'amour. En fait, lorsqu'on sait bien le comprendre, le sexe est une partie vitale du saint sacrement du mariage. Lorsqu'on lui donne tout son sens, le sexe est tellement beau qu'il n'a pas de pareil. L'expression sexuelle au sein d'un mariage peut profondément développer le lien de l'amour.

Exprimez votre amour aux enfants

Tout comme les adultes, les enfants ont besoin de se sentir désirés et appréciés. Il n'y a pas longtemps, un professeur de sciences de septième année a fait une expérience intéressante avec les étudiants de douze et treize ans de ses classes. Elle demanda à 190 garçons et filles d'inscrire sur un petit morceau de papier, et de façon anonyme, quel était leur plus grand problème dans la vie. Elle me lut presque toutes les réponses.

Un garçon de douze ans écrivit:

Mon frère est un adolescent et tous ses amis sont des adolescents et ils se moquent constamment de moi. Mon problème, c'est que je suis allergique aux adolescents. Qu'est-ce que je peux y faire?

Un autre étudiant écrivit:

Mon père et ma mère me donnent tout ce que je désire en ce qui concerne les vêtements, l'argent et les cadeaux. Mais ils n'ont jamais le temps de parler et de passer quelques instants avec moi. Mes amis me disent que j'ai beaucoup de chance d'avoir des parents aussi généreux. Mais je préférerais avoir plus de leur temps et moins de leur argent.

En conseillant les parents sur ce qu'ils appellent *leurs enfants à problèmes,* on découvre très vite que, bien souvent, le vrai problème réside dans l'attitude des parents envers l'enfant. Bien souvent, il suffit que les parents changent d'attitude vis-à-vis de l'enfant, pour ramener à nouveau une relation heureuse. Il n'y a pas longtemps, au cours d'une conversation, un grand homme d'affaires semblait très troublé par le non-conformisme de son fils adolescent. Cet homme avait deux fils, dont l'un était devenu tout ce que son père désirait, aimant, obéissant. L'autre avait tout simplement refusé de se mouler au type de personne que son père désirait qu'il devienne.

Le cadet était de nature très créatrice et s'intéressait au monde des arts, de la musique et de la littérature. Malheureusement, le père avait condamné les talents artistiques de son fils, au lieu de reconnaître qu'ils venaient de Dieu. Dès que le père réalisa que son fils était parfaitement normal, qu'il avait tout simplement une personnalité très différente de celle de son frère ou de celle de chacun des membres de la famille, le père sembla soulagé et décida d'encourager les talents créatifs de son fils. Un peu plus tard, il encourageait son cadet à suivre les cours d'art dont il avait toujours rêvé.

L'une des actions les plus aimantes que vous puissiez faire pour les enfants qui semblent éprouver des difficultés, qu'il s'agisse de vos enfants ou de ceux des autres, est d'affirmer souvent pour eux: **Je te regarde avec les yeux de l'amour et je rends gloire à Dieu pour ta perfection. Tu es l'enfant de Dieu et** *il* **t'aime.** Il est aussi très bon de déclarer positivement: **Amour divin, manifeste-toi maintenant en cet enfant à travers lui et pour lui.**

Les enfants s'épanouissent par l'encouragement

Tout comme les adultes, les enfants s'épanouissent lorsqu'on les apprécie, qu'on les félicite et qu'on les encourage; c'est pour eux un tonique. Je me souviens d'un petit garçon qui ne travaillait pas du tout à l'école. Indignée de sa conduite, sa mère prit rendez-vous chez un psychiatre, pour quelques semaines plus tard. Comme nous parlions de choses et d'autres, elle me parla de son fils et je lui fis remarquer sa sensibilité et ses talents créatifs. Je lui expliquai que cette différence qui l'avait tellement troublée était en fait une grande puissance de succès. Je lui suggérai de consacrer chaque jour quelques instants de son horaire surchargé de femme d'affaires pour s'asseoir avec lui et discuter de tout ce qui lui venait à l'esprit et que surtout, elle le félicite chaque fois qu'il montrait une petite amélioration et de la bonne conduite.

Elle se mit à le féliciter sincèrement chaque jour et son travail à l'école commença immédiatement à s'améliorer. Son talent musical s'épanouit également. Bientôt, il fut choisi avec cinq autres enfants de son âge, pour participer à un concert spécial de la grande fanfare de la ville. On annula le traitement psychiatrique prévu.

La discipline avec l'amour

Ceci ne veut pas dire que vous ne devriez pas vous efforcer de corriger la mauvaise conduite des enfants ou les discipliner. En les disciplinant, vous devriez être ferme et plein d'amour. À l'origine, le mot discipline signifie *perfectionner*. Vos méthodes de correction et de discipline devraient amener la correction plutôt que la révolte, la résistance ou une conduite encore pire. J'ai remarqué qu'on avait intérêt à demander conseil à Dieu pour chacun des enfants plutôt que de demander conseil à d'autres gens ou de se bourrer le crâne de théories sur la question.

Pendant longtemps, les parents ont cru qu'ils étaient personnellement responsables de la tâche difficile d'élever leurs enfants en les bourrant de connaissances extérieures qui, pensaient-ils, allaient les préparer à la vie d'adulte. Lorsqu'on s'efforce d'élever les enfants sous cet aspect seulement, tout le monde risque d'en éprouver des difficultés et des déceptions.

L'éducation intellectuelle est importante, mais elle ne représente qu'une partie de l'éducation et du développement réels de l'enfant. Le mot *éduquer* signifie en réalité *faire ressortir* ce que l'enfant recèle au fond de lui dès la naissance. Le docteur Emilie Cady a écrit: «L'amour infini de Dieu se cache au fond de chaque être humain, n'attendant que l'instant où on l'amènera à se manifester. C'est ça, la vraie éducation.»

Une autre façon de montrer de l'amour aux enfants est de leur enseigner que Dieu n'a jamais voulu qu'ils échouent ou qu'ils manquent de quelque chose. Je connais une famille dans laquelle les enfants développent une vraie confiance en soi, parce que les parents leur déclarent constamment qu'ils peuvent réussir et que l'échec n'est pas une chose nécessaire. Ils rassemblent leurs enfants avant de se coucher pour faire la prière. En faisant les prières habituelles pour enfants, ces parents font aussi des affirmations positives de prospérité avec leurs enfants. Ils se laissent absorber par l'idée que la richesse et la prospérité sont des droits naturels. Ils reçoivent chaque cadeau comme un *cadeau de prospérité;* chaque vêtement devient un *vêtement de prospérité.* On ne s'étonne donc pas que ces enfants attirent constamment les cadeaux et la prospérité.

Commencez là où vous êtes à exprimer l'amour

Rappelez-vous que l'amour agit sur les phases personnelles et impersonnelles de la vie. Si vous ressentez un manque d'amour dans votre vie personnelle, vous pouvez être sûr que vous recevrez de l'amour dans ce domaine particulier dès que vous vous acharnerez à donner de l'amour de façon impersonnelle par vos services et votre bonne volonté. Si vous avez l'impression de manquer d'amour dans les phases impersonnelles de votre vie, vous pourrez être sûr de recevoir de la compréhension, du bonheur et du succès dès que vous vous efforcerez de faire rayonner l'amour de Dieu dans votre vie et dans vos relations personnelles.

Commencez là où vous êtes, avec l'amour qui agit maintenant dans votre vie. Bénissez-le, remerciez Dieu de ce que vous l'avez, soit dans le domaine personnel de votre vie en tant que relations familiales heureuses, soit dans les phases impersonnelles de votre vie en tant que succès au travail. En rendant grâces pour chaque expression d'amour dans votre vie, petite ou grande, vous libérez sa puissance décuplée qui peut remplir tous les vides.

Voici ce qu'a dit Charles Fillmore sur la puissance de l'amour:

> Vous pouvez être sûr que l'amour vous tirera de vos dif-
> ficultés. Rien n'est trop difficile pour lui, il peut tout ac-
> complir pour vous si vous lui faites confiance.

De grands savants ont fait une étude spéciale sur l'amour.
Jésus Christ, le Maître de la victoire, le place avant tout autre
chose. L'un des premiers fondateurs du christianisme, l'apôtre
Paul, déclare que l'amour est tout puissant.

Promettez-vous dès maintenant que vous allez également
commencer à générer délibérément l'amour de Dieu pour vous-
même, pour votre famille et pour toute l'humanité. Vos problèmes se transformeront alors en solutions et votre prospérité
s'accroîtra abondamment. Vous y arriverez en déclarant souvent
de façon positive: **L'amour divin prévoit tout et pourvoit richement à tout dès maintenant. Les résultats parfaits de l'amour
divin se révèlent maintenant.**

CHAPITRE 12

Les lois de la prospérité
La prière

Dans notre monde moderne, vous entendez beaucoup parler de la puissance de la prière. On dit souvent que la prière est la force la plus puissante de l'univers. Vous entendez souvent dire *la prière change les choses* ou *famille qui prie reste unie*. Le courrier vous arrive peut-être souvent marqué d'une estampille disant: *priez pour la paix* ou *l'action spirituelle est constructive* ou *l'O.N.U. a besoin de vos prières*. Partout, on écrit sur la puissance de la prière, on parle de la puissance de la prière et on l'utilise plus que jamais. Quelqu'un a très justement décrit la puissance de la prière de la façon suivante: «La prière est profondément simple et simplement profonde!»

Il n'y a pas longtemps, le vice-président d'une grande société immobilière me parla longuement de la puissance de la prière. Il me dit: «Notre monde actuel est bien plus spirituel que beaucoup de gens ne le pensent. Les gens portent souvent un masque, ils hésitent à dire qu'ils croient en la prière ou à raconter les exaucements qu'ils ont reçus.» Puis il me raconta qu'il n'y avait pas longtemps, alors qu'il était malade, ses amis, supposément des hommes d'affaires de trempe, vinrent discrètement lui rendre visite à l'hôpital, et plus tard à la maison, pour lui dire avec quelle puissance la prière pouvait rendre la santé. Même lorsqu'il fut rentré au travail, plusieurs de ses collègues de bureau consacrèrent des déjeuners entiers à lui raconter les nombreux exaucements dont ils avaient été témoins dans leurs propres vies.

La prière est naturelle pour l'homme

On a défini la prière comme l'effort persévérant de l'homme cherchant à connaître Dieu. Bien que la plupart des gens pensent le contraire, la prière est une chose toute naturelle pour l'homme, plutôt qu'une habitude étrange et mystérieuse. Les hommes ont toujours prié et prieront toujours. Dans sa conception primitive de la vie, l'homme des cavernes priait le soleil et les étoiles, le feu et l'eau, les animaux et les plantes, les images et les mythes; mais une chose reste certaine, l'homme des cavernes priait.

Plus tard, à mesure que l'intellect de l'homme progressait, ses idées progressèrent et il put concevoir Dieu comme un Dieu personnel éprouvant des émotions et des sentiments humains tout comme l'homme des cavernes. Les premiers Hébreux s'adressaient à un tel Dieu, un Dieu ayant des traits humains, un Dieu qu'ils pensaient devoir apaiser par des sacrifices et implorer pour recevoir ses faveurs. Leur compréhension spirituelle étant encore peu développée, les premiers Hébreux pensaient que Dieu les considérait comme des vers dans la poussière. Aujourd'hui encore, certaines personnes s'adressent à un tel Dieu, non pas que Dieu ait lui-même cette nature, mais parce que leur compréhension de la vraie nature de Dieu est restée très limitée.

Tous les hommes de tous les temps ont prié d'une façon ou d'une autre. Finalement, l'humanité émerge d'une approche de Dieu primitive et purement intellectuelle, dans la vraie compréhension spirituelle. Nos façons de prier changent, se développent et s'améliorent. L'humanité réalise enfin que Dieu n'est pas un être hostile doté de la double personnalité du bien ou du mal, mais que Dieu est un Dieu d'amour, le principe immuable du bien suprême qui anime notre univers bien ordonné. Comme il est facile de prier et de communiquer avec un tel Dieu!

Demandez-lui des résultats

Ce livre présente différentes lois de la prospérité, mais on n'insistera jamais trop sur la puissance de la prière, indispensable pour atteindre une prospérité permanente et satisfaisante. Celui qui prie chaque jour est certain de réussir, car il se synchronise sur la force la plus riche, la plus fructueuse qui existe dans l'univers. Jésus nous a promis: «*Et tout ce que vous demandez dans une prière pleine de foi, vous l'obtiendrez.*» (Matt. 21:22)

Cette promesse biblique affirme clairement qu'il n'y a pas de mal à demander des choses. Nombreux sont ceux qui n'utilisent pas la puissance de la prière, parce qu'ils pensent à tort qu'il n'est pas bien de prier pour obtenir des biens. Jésus ne voulait pas dire que prier pour des biens était la seule forme de prière, ou même la forme la plus élevée de prière, en faisant cette promesse. Mais *il* savait que si vous commencez par prier pour des choses, vous apprendrez à connaître la puissance de la prière et vous désirerez alors développer plus profondément la puissance de votre prière.

On raconte souvent l'histoire de la femme qui pria spécifiquement pour se trouver un mari et elle le trouva en six semaines. Puis elle pria six ans pour s'en débarrasser! Cette femme ne s'était pas aperçue que, lorsque vous priez pour recevoir des choses, vous devriez spécifier le *choix divin,* qui consistera toujours en la réponse juste, sublime, à un besoin spécifique.

Il est tout à fait juste de prier pour demander des choses lorsque vous en avez besoin, car vous vivez dans un univers riche qui désire satisfaire à tous vos besoins. Parmi les personnalités de la Bible qui prièrent spécifiquement pour des choses, on peut nommer Abraham, Asa, Daniel, David, Élisée, Ézéchiel, Habakkuk, Hannah, Josaphat, Jérémie, Jonas, Josué, Moïse, Néhémie, Samson et Salomon. À plusieurs reprises, Jésus pria spécifiquement pour des choses.

Tennyson exprime poétiquement la puissance de la prière pour des choses dans les vers suivants: «La prière façonne plus de choses que notre monde peut en imaginer!»

Voici en quels termes Emmet Fox décrivit un jour la puissance de la prière pour les choses:

La prière transforme les choses. La prière fait survenir les choses bien différemment de ce qui se serait passé si l'on n'avait pas prié. Quelles que soient les difficultés que vous éprouviez et les causes qui les auront suscitées, en priant suffisamment, vous vous en sortirez à condition que vous soyez assez persévérant dans votre cri à Dieu.

Vous avez peut-être entendu des milliers de fois cette phrase si connue: « Priez et tout s'arrangera.» Mais permettez-moi de vous présenter quatre façons fondamentales de prier pour que tout s'arrange.

1. La prière générale

D'abord, il y a la prière générale. Par la prière générale, vous vous adressez à Dieu comme à un père aimant et compréhensif, à votre façon. Vous pouvez le faire à genoux ou dans n'importe quelle position confortable. Vous pouvez l'exprimer oralement ou en communiant silencieusement. Vous pouvez le faire en lisant un livre de prières ou en parcourant la Bible, vous arrêtant sur vos passages favoris ou les paraphrasant pour exprimer ce que vous désirez.

Méthodes spéciales de prière générale

Il est bon par exemple, pour commencer une prière générale, de prendre *le Notre Père,* et d'en considérer chaque ligne silencieusement et verbalement. Les anciens croyaient que le Notre Père était une prière toute puissante; ils la répétaient souvent douze à quinze fois sans s'arrêter. À la chapelle de Lourdes, on disait aux malades de réciter la prière du Seigneur quinze fois pendant qu'ils entraient dans l'eau. On croyait que le nombre quinze avait le pouvoir de dissoudre l'affliction et l'adversité.

Je sais par expérience que l'on contacte et que l'on suscite une puissance spirituelle profonde en répétant sans cesse le *Notre Père*, silencieusement ou verbalement.

Il existe un autre moyen efficace de prendre contact avec la puissance spirituelle par la prière: on répète maintes fois, verbalement et silencieusement, le mot *Yahvé* de l'Ancien Testament, ou *Jésus-Christ* du Nouveau Testament. Une épouse me racontait un jour que son mari s'était mis à réussir brillamment en affaires, après avoir essuyé plusieurs faillites, lorsqu'elle s'était mise à invoquer et à répéter chaque jour le nom de *Yahvé.* Il lui avait semblé générer ainsi une puissance spirituelle qui suscitait les bonnes idées, les bonnes actions et les bons résultats.

Voici ce qu'a écrit Charles Fillmore sur la puissance que l'on génère en invoquant le nom de *Jésus-Christ:*

> *Jésus-Christ vit encore aujourd'hui dans les sphères de notre monde et reste en contact constant avec ceux qui élèvent à **lui** leurs pensées par la prière... En prononçant le nom de Jésus-Christ, on génère une vibration des plus puissantes. C'est un nom qui s'élève au-dessus de toute loi, de toute autorité, le plus grand des noms, qui renferme toute la puissance du ciel et de la terre. C'est un nom qui a la puissance de mouler la substance universelle... et lorsqu'on le prononce, il déclenche des forces qui apportent des résultats, comme Jésus l'a promis lorsqu'il dit: «Tout ce que vous demanderez à mon Père en mon nom, **il** vous le donnera. Quoi que vous demandiez en mon nom, je vous le donnerai.»*

Il existe un autre moyen de prier de façon générale, en invoquant le nom, la présence et la puissance de Jésus-Christ: on s'imagine mentalement que Jésus est en train de prendre soin de tout, de toute situation ou de toute personne qui cause des problèmes. Voici par exemple ce qu'une femme écrit sur ce type de prière:

> *Pendant vingt ans, j'avais accumulé de la haine pour mon mari. Je suis maintenant mariée au même homme et il est pour moi un compagnon toujours plus amoureux. Malgré tous mes efforts, je n'arrivais pas à aimer le premier homme. Il me semblait spirituellement mort, se montrait très égoïste, grossier, dur, indifférent et négligent. Ma situation me semblait désespérée. Comme je désirais la liberté! J'avais de petits enfants à ma charge et comme je ne pouvais pas travailler pour subvenir à leurs besoins, j'étais obligée de rester avec mon mari. Puis j'ai commencé à penser à la*

présence et à la puissance de Jésus-Christ et j'ai décidé de m'imaginer par la prière Jésus-Christ s'efforçant de régler la situation.

Tous les matins, je me suis mise à imaginer Jésus-Christ aller au travail avec mon mari. Je voyais le Christ travailler en lui, à travers lui, avec lui, prendre même son déjeuner avec lui. J'imaginais mon mari et le Christ avec lui, rentrant à la maison vers sa femme et sa famille, s'attablant heureux et satisfait, devant un dîner bien préparé.

Maintenant, grâce à cela, bien que je sois toujours mariée au même homme, en réalité c'est vraiment un homme différent, un homme aimable, plein d'attention, heureux et plein d'amour. À l'instant où j'écris ces lignes, il est assis sur la terrasse, sifflant joyeusement tout en raccommodant sa veste de cuir pour aller au travail demain matin. En amenant par la prière Jésus-Christ dans la situation, j'ai trouvé le compagnon dont j'avais tant besoin. J'aime vraiment mon mari. Je dis donc aux épouses qui se querellent constamment avec leurs maris et qui les critiquent: Essayez mon ordonnance.

Parfois une forme de prière générale vous aidera et d'autres fois, il vous faudra prier d'une autre façon. De nos jours, nous entendons beaucoup parler de la prière positive que l'on appelle souvent *la prière scientifique*, ainsi que de la méditation et de la prière silencieuse; mais il est bon de se rappeler que les bonnes vieilles prières sincères, d'une façon générale, sont encore à la mode et renferment toujours une grande puissance spirituelle.

La prière guérit

J'ai entendu un jour un homme d'affaires raconter à quel point la prière générale avait su satisfaire à un besoin dans sa famille. Son jeune fils était alité depuis plusieurs semaines avec une mauvaise toux. Les remèdes n'avaient pas agi et la toux persistait. Un soir, désespéré, cet homme emmena son petit garçon en pyjama dans la bibliothèque et s'enfonça dans le premier fauteuil qu'il trouva. Puis il pria brièvement et simplement, remerciant Dieu de ce que son fils était guéri de sa toux et de son infection. Sa prière aura certainement ressemblé à celle que Jésus fit avant de ressusciter Lazare: «*Père, je te rends grâces de m'avoir exaucé. Je savais bien que* **tu** *m'exauces toujours.*» (Jean 11:42) De toute façon, après cela, l'enfant ne toussa plus que deux fois, puis il guérit complètement. Voilà la puissance de la prière générale!

La prière dissout l'amertume

Une épouse m'écrivit il n'y a pas longtemps pour me raconter certaines de ses expériences avec la prière générale. Son mari et elle désiraient désespérément un enfant. Pendant trois ans, ils prièrent chaque jour que la volonté de Dieu soit faite à ce propos. Dieu exauça leur prière et ils ont maintenant une petite fille adorable.

Une autre épouse avait perdu de vue depuis bien longtemps son père, qui s'était divorcé de sa mère lorsqu'elle était très jeune. Un jour, alors qu'elle n'avait plus entendu parler de lui depuis des années, elle reçut une lettre où il lui annonçait qu'il désirait venir lui rendre visite. Tout d'abord, cette femme se sentit à nouveau envahie par l'amertume du passé à la pensée de revoir son père. Puis elle s'agenouilla à côté de son lit et pria Dieu que *sa* volonté soit faite à cet égard. Elle fut alors envahie d'un sentiment de paix et de calme et fut conduite à lui écrire de venir. Lorsqu'il arriva, elle fut surprise de voir tout ce qu'il avait en commun avec elle, avec son mari et avec leur enfant. Elle affirma: «Il a été le meilleur invité que j'avais jamais eu.» Ils se sont amusés, ont partagé beaucoup de choses et ont été très heureux pendant cette visite de dix jours. Six mois plus tard, elle reçut une lettre qui lui annonça qu'il était décédé dans une ville lointaine et elle se sentit très heureuse d'avoir prié pour demander conseil à Dieu et d'avoir eu tant de plaisir lors de la visite de son père.

Prier pour le mariage

L'assistante du secrétaire-trésorier d'une banque d'épargne se dit un jour qu'il était temps qu'elle se marie. C'était une belle jeune femme qui avait beaucoup d'amis et qui se consacrait à de nombreuses activités mais elle n'avait jamais rencontré *l'homme de sa vie*. En entendant sa remarque, le concierge lui dit qu'il était tout à fait possible qu'elle rencontre l'homme de sa vie et qu'elle fasse un beau mariage. Il lui conseilla de prier pour cela. Elle lui dit qu'elle avait déjà plusieurs fois fait cette demande à Dieu mais en vain. Elle consentit d'un air de doute à se remettre à prier à condition que lui le fasse avec elle tous les jours, et il le fit.

Quelques mois plus tard, un beau matin, elle exhibait un beau diamant et se précipitait à la banque pour annoncer à ses collègues qu'elle allait se marier très bientôt. Elle avait rencontré son futur époux en jouant au golf et ils avaient eu *le coup de foudre*. Dès lors, elle insiste sur le fait qu'elle doit son heureux mariage à la prière.

Prier pour du travail

Un musicien n'avait plus de travail. L'orchestre pour lequel il jouait avait été appelé en Floride. À leur arrivée, ils ne trouvèrent pas le travail qu'on leur avait promis et se retrouvèrent dans la rue. Notre musicien fit une prière générale en demandant à Dieu de faire comme bon *lui* semblait à cet égard. Un jour, il se trouvait avec les autres membres de l'orchestre au siège social du syndicat, espérant trouver quelque chose, lorsque leur agent appela de New York et leur annonça qu'il leur avait trouvé un travail au Texas. Personne dans le groupe ne savait que ce musicien croyait à la puissance de la prière et qu'il priait régulièrement. Cependant, il savait que les prières du groupe avaient été exaucées en arrivant au Texas pour remplir un long contrat fructueux.

Prier pour être protégé

Une maîtresse de maison se trouvait dans sa ferme, au milieu d'une dense région forestière. Alors que son mari était en voyage d'affaires, un grand feu de forêt menaça la propriété de tous les côtés. Comme l'incendie l'entourait, elle ne pouvait pas s'en aller pour avertir son mari qui, de toute façon était en voyage entre deux villes et par conséquent, impossible à rejoindre. Alors elle se mit à prier: «Père, c'est à toi de nous sauver, moi, notre maison et notre propriété. Je ne peux rien faire.» Puis elle abandonna son problème entre les mains de Dieu, se coucha et passa une bonne nuit. Elle se réveilla tôt le lendemain matin mais ne vit que quelques rameaux brûlant encore ici et là. Après avoir exploré les lieux, elle se rendit compte que l'incendie s'était propagé jusqu'aux limites de sa propriété et s'était arrêté! On aurait dit un miracle. Plus tard dans la journée, en arrivant, le garde forestier lui dit: «Il n'y a qu'une explication à cela. Vous avez dû prier.»

La prière est dynamique

Maintenant vous devez penser exactement comme mon fils pensait il y a quelque temps. Une de mes amies le rencontra dans la rue et lui demanda comment j'allais. Il lui répondit que j'allais très bien, sauf sur un point: «Il n'y a qu'une chose qui va mal chez ma mère.» Affolée, mon amie lui demanda ce qui n'allait pas. Il lui répondit avec emphase: «Elle prie trop.» Alors mon amie lui demanda: «Est-ce que quelque chose se passe, lorsque ta mère prie?» À quoi il répondit: «Oh oui, il y a toujours *quelque chose* qui se passe lorsque ma mère prie.»

Si vous avez l'impression que vos prières ne sont pas efficaces ni puissantes et qu'elles n'ont pas amené de grands résultats, il vous faut peut-être développer un type plus spécifique que la prière générale.

2. La prière de négation

Le deuxième type de prière est très peu connu et encore moins compris. C'est la prière de négation.

Beaucoup froncent les sourcils en entendant parler de *négation*, croyant que ce mot ne signifie que *enlever ou retenir*. Mais le mot *nier* signifie également *dissoudre, effacer ou se libérer, refuser d'accepter une vérité que l'on nous rapporte*. Les prières de négation servent au dernier objectif - refuser d'accepter comme nécessaire, vrai, durable ou juste, ce qui n'est pas bon ou satisfaisant.

Les prières de négation sont vos prières qui disent *non*. Elles vous permettent de rejeter les choses telles qu'elles sont et de faire dissoudre les pensées négatives qu'elles suscitent en vous pour laisser la place à quelque chose de mieux. Les prières de négation vous permettent d'effacer, de vous libérer de ce qui n'est pas le mieux dans votre vie. Les prières de négation sont celles par lesquelles on déclare: «Je ne veux pas accepter ou tolérer que cette expérience soit nécessaire, durable ou juste. Je refuse d'accepter les choses telles qu'elles sont. Je suis l'enfant de Dieu et je n'accepterai que ce qu'il a de parfaitement bon pour moi.»

L'humanité a bien besoin de faire des prières de négation ou des prières qui disent *non*. Que de gens ne vivent qu'une petite existence de crainte, de compromis qui ne les satisfait pas alors qu'ils pourraient vivre une vie heureuse, immensément bonne s'ils savaient seulement dire *non* à ce qui n'est pas le meilleur dans leur vie.

Il est bon de faire suivre les pensées de ce que vous ne voulez pas par des pensées de ce que vous voulez. Après avoir crié: «Non, je n'accepterai pas ceci», vous devriez ajouter: «Oui, j'accepterai cela ou quelque chose de mieux.»

Jésus parlait du pouvoir de votre oui et de votre non en disant: «Que votre langage soit: «Oui? oui», «Non? non.» (Matt. 5:37) Le prophète Osée expliquait plus en détails la façon dont vous devriez vous servir de votre pouvoir de non et de oui lorsqu'il disait: «*Munissez-vous de paroles, et revenez à Yahvé. Dites-lui: Enlève toute iniquité, que nous retrouvions le bonheur.*» (Osée 14:3) Ce passage est une formule de prière dynamique qui dit non et oui. Vous pouvez nier toute situation qui ne vous satisfait pas en déclarant au Père qui vous aime: **Enlève toute iniquité.** Ensuite, affirmez: **Je n'accepterai que ce qui est bon.**

Bien avant l'époque de Jésus, les Égyptiens obéissaient à l'ordre d'enlever toute iniquité par la puissance du refus. Les Égyptiens se servaient du signe de la croix pour indiquer qu'ils barraient ou effaçaient le mal, forme de refus que certaines églises utilisent encore aujourd'hui.

Daniel, dans la fosse aux lions, s'est certainement servi de prières de refus pour assurer sa sécurité. Un tableau réputé montre Daniel qui ne regarde pas les lions, mais qui leur tourne le dos, regardant par la fenêtre en direction de Jérusalem. Lorsque le roi demanda pourquoi Daniel n'avait pas été mis en pièces par les lions, Daniel déclara: «*Mon Dieu a envoyé son ange, il a fermé la gueule des lions et ils ne m'ont pas fait de mal.*» *(Daniel 6:23)*

Comment dissoudre vos craintes, vos inquiétudes et votre tension.

Les prières de négation vous débarrasseront de vos craintes, de vos inquiétudes, de vos chagrins, de vos maladies, de votre tension et autres émotions négatives. Les prières de négation semblent neutraliser les effets négatifs. Par exemple, un homme m'a raconté un jour qu'il avait épousé une femme qui venait de sortir de prison. Ils étaient très amoureux; elle était restée longtemps en prison où elle s'était montrée une prisonnière modèle. Mais il craignait *ce que les gens allaient penser*. Je lui demandai si l'un de ses amis savait qu'elle avait fait de la prison et il me répondit que non mais qu'il craignait qu'on le découvre.

Après avoir prié avec lui, j'ai senti que Dieu voulait qu'il épouse cette femme qui avait certainement droit à une deuxième chance dans la société après avoir payé son erreur. Je lui suggérai de faire la prière de négation de Daniel. Dès qu'une crainte ou une inquiétude essayait de l'envahir, il devait la refuser en déclarant: **Mon Dieu a envoyé ses anges et fermé la gueule des lions. Ils ne peuvent pas nous faire de mal.** Il se servit de cette prière et jamais personne ne s'opposa à son mariage.

En parlant de ces deux derniers types de prière - la négation et l'affirmation - il serait bon de souligner qu'il existe autant d'attitudes mentales que de méthodes conventionnelles de prière. Vous pouvez les pratiquer silencieusement ou verbalement, soit comme prières conventionnelles, soit de façon personnelle selon votre état d'esprit.

Toutes les secrétaires ont connu un jour les instants terribles où on les appelle pour leur dicter une lettre et qu'on leur demande expressément de la taper au plus vite. La situation peut s'avérer des plus troublantes si l'on ne sait pas penser *non*. Je me souviens d'un jour, alors que je travaillais comme secrétaire juridique, où l'on m'informa que le long contrat légal que l'on venait de me dicter devait être transcrit immédiatement (ou plus vite encore!) pour l'un des plus grands clients du patron. La tâche semblait impossible alors je me suis mis à me répéter: **Tu n'as pas à te presser. L'ordre divin est maintenant établi et maintenu dans cette situation.** Quelques minutes plus tard, le client changeait d'idée quant à l'urgence de la question et annonçait au patron qu'il reviendrait le lendemain pour signer les documents. J'avais maintenant tout le temps de les taper proprement.

Que de gens vivent en étant faussement persuadés que quelqu'un d'autre peut les empêcher de profiter des bons côtés de la vie et traversent ainsi leur vie tristement. Les prières de négation peuvent dissoudre cette erreur. Lorsque vous vous surprenez à penser d'une manière aussi limitée, modifiez votre pensée et déclarez: **Rien ne peut s'opposer à mon bien.** Vous remarquerez alors que, si les gens et les choses semblaient s'acharner contre vous, le vent tournera d'un seul coup et tout commencera à bien aller pour vous.

L'un des plus grands problèmes de l'humanité est celui de vaincre et de dissoudre la crainte. Dès que vous dominez la peur d'un problème, vous maîtrisez ce problème; ce n'est plus le problème qui vous contrôle; vous vous trouvez alors très près de la solution. Voici une prière qui nie la crainte d'une façon puissante: **L'amour parfait bannit la crainte.**

Sachez dire NON au malheur

Une jeune femme de l'étranger qui avait épousé un Américain pendant la guerre, arriva au pays avec son mari. Pendant quelques années, ils semblèrent heureux mais petit à petit les souvenirs de la guerre commencèrent à obséder cette femme. Elle devint très malheureuse, déprimée et troublée. Finalement, son mari la plaça dans un hôpital psychiatrique. Plus tard, il divorça d'elle et se remaria.

Au milieu de tout ce malheur, loin de son pays natal, parmi des étrangers, cette femme apprit à penser *non*. Elle n'avait qu'une seule amie en dehors de l'hôpital, à laquelle elle se mit à écrire: «Je ne veux certainement pas rester dans cet état. Je sais que je peux guérir. Je sais que je vais guérir.» Son état s'améliora petit à petit. Elle sortit bientôt de l'hôpital et alla travailler dans un autre hôpital. Au moment de se faire engager, elle dit à son amie: «Tu vois, je t'avais dit que j'en étais capable.» Bientôt, elle se remariait, au comble du bonheur, avec un médecin qu'elle avait rencontré dans le cadre de son nouvel emploi.

Si au moins les gens savaient dire *non* à leurs malheurs, plutôt que de les accepter avec résignation! Dieu avertissait constamment les Hébreux de ne pas se prosterner pour adorer de fausses idoles ou de faux dieux. Les dieux du malheur, de l'insuffisance et de la limitation sont *des dieux barbares* et ils nous accompagnent toujours. Ils font en nous autant de ravages que devaient en supporter les Hébreux lorsqu'ils adoraient de faux dieux.

En déclarant: **Je n'ai rien à craindre. L'esprit de Dieu agit et produit des résultats divins,** vous dissolvez vos craintes, vos inquiétudes, votre tension, votre anxiété. En déclarant (comme le savent les savants), **il n'y a d'absence de vie, de substance, ou d'intelligence nulle part, par conséquent il y a de la vie, de la substance, ou de l'intelligence dans cette situation ou dans ma vie,** vous dissolvez votre incertitude, votre confusion et très souvent vous dissipez vos maladies psychosomatiques et vos besoins financiers. Il y a quelques années, lorsque la grippe asiatique faisait ses ravages, je répétai constamment: **Il n'y a d'absence de vie, de substance, ou d'intelligence nulle part.** Un jour, mon fils rentra de l'école en me disant: «Aujourd'hui, j'étais le seul à me présenter à l'entraînement de football. Tous les autres étaient restés à la maison avec la grippe asiatique. Qu'est-ce que c'est?»

Immunisez-vous contre le négatif.

L'état d'esprit de négation n'attire pas les problèmes en en parlant. L'état d'esprit de négation dit mentalement *non* aux discussions avec autrui qui mettent l'emphase sur ce qui n'est pas le mieux, ou qui attire l'attention sur ce que vous ne voulez pas vivre. Au lieu de multiplier vos problèmes en en discutant à voix haute et longuement, au lieu de rabâcher les conditions mondiales ou les problèmes d'autrui, faites de votre mieux pour les corriger de façon constructive. Envers tout ceci, gardez une attitude qui affirme: «Non, je n'accepterai pas le fait que ceci est une situation durable, permanente ou nécessaire.»

Lorsque les gens essaient de vous troubler ou de vous ennuyer par un trait de pensée négative, affirmez mentalement: «Non, non, non, je ne veux pas entendre ceci. Je n'accepte pas que ceci soit vrai ou nécessaire.» Bientôt, ils passeront à des sujets plus constructifs ou ils s'en iront!

De même, au lieu de penser que vous devez *supporter* de façon permanente les choses qui ne vous satisfont pas dans votre vie, servez-vous de votre puissance du *non* en déclarant souvent: **Non, je ne suis pas obligé d'accepter cette situation. Dans sa bonté toute puissante, Dieu dissout et élimine toute négativité du monde dans lequel je vis. Aucune situation ne m'épouvante, car le bon esprit de Dieu est avec moi, il m'appuie et me soutient, et corrige toute chose dans ma vie.**

Voici une prière de négation pour le domaine financier: **Malgré les impôts, le coût élevé de la vie, le taux élevé du chômage, mon revenu financier peut, et il le fait, augmenter richement dès maintenant grâce à l'action directe de Dieu.**

Lorsque vous osez utiliser votre puissance mentale du «*non*» dans une situation grave, tumultueuse et malheureuse, vous apprenez à la contrôler mentalement et émotionnellement plutôt que de la laisser vous contrôler. Dès lors, vous êtes à même de distinguer les mesures positives que vous pourriez prendre pour la vaincre.

3. Les prières d'affirmation.

Avec les prières de négation, il est bon d'utiliser le troisième type de prière - les prières d'affirmation. En utilisant les prières de négation, vous effacez, vous dissolvez, vous liquidez. Vous désirerez alors raffermir un bien tout nouveau et vous le faites par la prière affirmative.

Un représentant me raconta un jour sa méthode. Écrasé de dettes, il avait essayé d'obtenir un prêt bancaire pour les rembourser. Comme il n'avait pas assez de garanties collatérales, on lui avait refusé le prêt. Désespéré, il décida de dire *non* à ses dettes et *oui* à la prospérité. Il affirma alors sans cesse: **Dieu me fait prospérer maintenant.** Quelques jours après s'être répété cette déclaration, il conclut la vente la plus extraordinaire qu'il ait jamais faite dans sa vie ce qui lui permit de rembourser toutes ses dettes, lui laissant même un excédent important. La prière affirmative est exposée en détails au chapitre 6, intitulé: La loi de la prospérité - le commandement.

4. Les prières de méditation et de silence.

Le quatrième type de prière est la prière de méditation et de silence. C'est souvent dans la méditation et la prière silencieuse, contemplative que vous ressentez le plus fortement la présence de la bonté de Dieu. Pour ce type de prière, vous choisissez quelques mots très significatifs, vous y pensez et vous vous en imprégnez silencieusement. En y pensant et en les contemplant, vous les faites croître dans votre esprit jusqu'à ce qu'ils deviennent de grandes idées qui vous poussent à faire ce qui est juste, ou peut-être se transforment en une certitude paisible qui vous assure que tout va bien et que vous n'avez pas à agir. Même si votre méditation ne suscite rien de nouveau, vous avez cependant ouvert votre esprit à la bonté de Dieu et, au temps voulu, les idées et les occasions opportunes vous seront révélées grâce à l'exercice spirituel de la méditation.

Vous pensez peut-être: «C'est une belle théorie spirituelle, mais qu'est-ce qui me dit que la méditation et la prière silencieuse produiront des résultats tangibles, satisfaisants, dans le petit monde de ma vie quotidienne?» Moïse, Élisée et Jésus, entre autres, ont prouvé que la méditation silencieuse avait la puissance de susciter des résultats pratiques.

Vous pensez peut-être: «Oui, mais moi, je ne suis pas Moïse, ni Élisée, ni Jésus et franchement, je ne sais pas bien pratiquer la méditation et la prière silencieuse.» En vérité, vous méditez même lorsque vous n'en êtes pas conscient. Tout le monde le fait. Le mot *méditer* signifie *penser à, contempler, considérer profondément et continuellement.*

Comment méditer

Le sujet de votre méditation, c'est ce à quoi vous pensez sans cesse. Dans la prière silencieuse, il est bon de méditer sur la solution divine à vos problèmes. Vous pouvez commencer en pensant tout simplement au terme *solution divine* et en le laissant croître dans votre esprit. Vous pouvez choisir une parole ou une expression spirituelle, y penser et la laisser se développer en vous; ou vous pouvez tout simplement vider votre esprit, fermer les yeux, diriger votre attention sur le tréfonds de vous-même et penser à *Dieu, l'amour, Dieu est amour, paix,* ou tout autre concept de ce genre qui vous détend et vous laisse un sentiment d'union avec le bien.

Je pratique souvent la méditation silencieuse pour recevoir un conseil ou un sentiment de renouveau, d'encouragement et d'énergie nouvelle. Lorsque je me retire dans ma chambre pour pratiquer la méditation silencieuse vers l'heure du dîner, à la fin d'une journée bien remplie, je remarque qu'au bout d'une demi-heure de méditation silencieuse, je me sens renouvelée et prête à passer une soirée active au travail, ou à d'autres activités. Quelqu'un a dit que *la prière nourrit.* Je peux certifier que la méditation me nourrit émotivement, me laissant un sentiment d'harmonie, d'encouragement et de paix; que la méditation me nourrit intellectuellement en suscitant en moi des idées nouvelles, ou souvent en faisant surgir de mon esprit quelque chose que je dois savoir sur ma situation actuelle; et la méditation me nourrit physiquement, renouvelant mon corps, me laissant une énergie nouvelle et un sentiment de bien-être qui dissout ma fatigue et ma tension.

La méditation résout les problèmes

J'organise souvent mes journées, mes conférences, mes écrits par la méditation silencieuse. Il n'est pas nécessaire d'être hautement développé spirituellement pour utiliser la puissance de la méditation silencieuse avec succès. J'utilisais souvent la puissance de la méditation lorsque j'étais dans le monde des affaires.

Nous obtenons les résultats les plus extraordinaires en faisant face à un problème et en méditant tranquillement de la façon suivante: **La solution divine est la solution sublime. J'accepte et j'invoque la solution divine dans cette situation maintenant.** Laissez doucement votre esprit développer cette pensée. Vous transformerez alors l'*énergie de la crainte* que vous dépensiez en vous inquiétant et en luttant contre votre problème, en *énergie de la foi,* qui vous donne les bonnes idées et la bonne réponse. Chaque fois que vous aurez un problème, entrez en méditation silencieuse et contemplez la solution d'un point de vue divin; la solution se révélera toujours à vous.

Un ingénieur en chef me dit un jour qu'il se servait de cette méthode. Lorsque ses hommes éprouvent de la difficulté à réaliser un projet de génie, il se charge du problème, entre dans son bureau, médite silencieusement sur le problème d'un point de vue divin et inévitablement, il en reçoit la solution. L'un de ses subordonnés lui demanda un jour comment il réussissait toujours à trouver les bonnes réponses au moment où il en avait le plus besoin. Lorsqu'il lui expliqua sa méthode si simple, le subordonné déclara d'un air de doute: «Vous voulez dire que vous vous *contentez de méditer* sur la solution, plutôt que de combattre le problème?» Le monde des affaires regorge de gens tourmentés, tendus, qui se sont mis eux-mêmes dans cet état en essayant de résoudre leurs problèmes par des moyens extérieurs, plutôt qu'en empruntant le *raccourci intérieur.*

Nous devrions tous consacrer chaque jour un peu de temps à la tranquillité et à la méditation. Le secret de votre puissance réside dans la méditation quotidienne. Vous êtes peut-être tellement occupé par trop d'activités et d'exigences, que vous avez l'impression de ne pas avoir le temps de vous en écarter le moindrement. Mais vous avez une invitation: *Venez vous-mêmes à l'écart, dans un lieu désert et reposez-vous un peu.* (Marc 6:31) C'est la seule façon de gagner une connaissance précise, une expérience toute neuve, de la persévérance dans vos objectifs et la puissance d'affronter l'inconnu de la vie quotidienne et de le vaincre. Lorsque vous vous mettrez à pratiquer la méditation quotidiennement, vous découvrirez que certaines de vos activités et exigences ne sont plus nécessaires; et que vous avez intérêt à les laisser, plutôt que de négliger les périodes tranquilles de méditation et de solitude avec vous-même et avec votre Créateur.

Lorsque vous vous retirez du monde pour méditer, ne pensez pas à vos échecs. Calmez-vous plutôt et concentrez votre attention sur Dieu et sur *sa* bonté toute puissante. Oubliez autant que possible tous vos petits ennuis pour un instant et dirigez vos pensées vers les mots simples du psalmiste. Gardez à l'esprit quelques pensées qui vous aident, aussi simples que: «Moi et le Père sommes un», «Que *ta* volonté soit faite en moi», «Je t'aime, Seigneur», «Merci, oh Père», «Je suis en ta présence, Seigneur», «C'est une journée que le Seigneur a faite, et je m'en réjouirai», «Soyez en paix».

Tant que vous n'aurez pas invoqué et vécu la présence de Dieu grâce à cette méthode simple, vous ne pourrez jamais imaginer avec quelle efficacité elle calme toute nervosité physique, toutes craintes, toute hypersensibilité, tous les petits ennuis de la vie quotidienne. Les périodes de calme, d'attente tranquille, que vous vivrez seul à seul avec Dieu, vous reposeront et vous renouvelleront. C'est *le lieu secret du Très-Haut* dont parlait le psalmiste. Vous entrerez dans votre chambre et en fermerez la porte, comme Jésus l'a recommandé.

De ces quatre types de prière: *la prière générale, de négation, affirmative, ou méditative,* servez-vous du type qui vous semble le plus approprié à votre situation, ou alors combinez-en plusieurs ensemble. Mais priez souvent! C'est le secret de la paix, de la puissance et de la prospérité.

CHAPITRE 13

Les lois de la prospérité:
La confiance en soi

Un agent de change déclarait qu'il avait étudié les lois de la prospérité sous tous leurs angles; il avait observé bien des gens qui visent à la prospérité en achetant et en revendant des valeurs immobilières; il avait lu beaucoup de biographies de gens qui ont atteint le succès; de ses observations et de ses études, il avait conclu que la prospérité pouvait se définir en une seule expression: *la confiance en soi,* ou la foi en nos qualités et nos talents profonds et le fait de croire que Dieu va nous aider à les développer.

Les psychologues affirment que la confiance en soi a la puissance extraordinaire de doubler nos pouvoirs et de décupler nos capacités. Mon ami, l'agent de change, me disait que dès qu'il eut fait confiance aux lois de la prospérité présentées dans ce livre, son revenu grimpa en flèche. Un mois après qu'il s'était mis à invoquer les lois de la prospérité présentées dans ce livre, son revenu avait quadruplé. Son succès est d'autant plus remarquable qu'il l'a réalisé durant une période de récession!

Le secret de la confiance en soi

Le secret de la confiance en soi le plus important de tous est probablement le suivant: on donne des cours et on écrit des livres pour vous aider à bâtir votre confiance en vous et pourtant vous l'avez déjà! Elle fait partie de votre nature spirituelle dont Dieu vous a doté en vous créant à son image et à sa ressemblance. Le psalmiste vous rappelle que vous avez été créé de peu inférieur aux anges et couronné de gloire et d'honneur. Et le Maître psychologue déclarait: «*N'est-il pas écrit...: Vous êtes des dieux?*» (Jean 10:34)

Le fait que nous soyons nés dotés de confiance en soi se reflète dans les actions et les réactions de la plupart des enfants, avant qu'ils se laissent remplir de craintes, de phobies et d'inhibitions mentales. Les enfants ont l'habitude merveilleuse de dire et de faire avec confiance tout ce qu'ils se sentent poussés à dire et à faire.

Un enfant brillant qui n'a aucune confiance en soi ne possède pas la moitié du potentiel de succès dans la vie de ce qu'un enfant moyen doté d'une bonne mesure de confiance en soi. Je connais une institutrice à l'école du dimanche qui, réalisant ce fait, demande tous les dimanches matins à ses élèves d'affirmer: **Dieu m'aime, Dieu vit en moi, Dieu respire par moi, je suis l'enfant de Dieu et** *il* **m'aime et** *il* **m'aide tout le temps!** Il est passionnant de voir ces élèves s'épanouir, trouver une confiance et un courage tout neufs, qui se reflètent dans leur travail scolaire, dans leur vie familiale et dans leur succès social.

La femme avec laquelle je parlais il n'y a pas longtemps est un cas bien différent. Elle affirme qu'il y a des années, elle s'est servie de la puissance de ce raisonnement de la prospérité et en a retiré de bons résultats. Mais une amie lui avait dit que de telles pensées étaient étranges et fausses et qu'elle devait les abandonner complètement. Elle se fia plus aux conseils de son amie bien intentionnée mais mal informée, qu'à ses propres convictions, qui lui venaient de Dieu. Elle doit maintenant retourner au raisonnement de la prospérité pour se réconcilier avec son mari, pour écarter les problèmes financiers et pour retrouver sa santé. Son manque de confiance dans la conviction que Dieu lui avait donnée a presque ruiné sa vie.

Bien entendu, il y a une grande différence entre l'égoïsme et une confiance en soi sincère. L'égoïste déclare: «*Non pas ta volonté, mais que ma volonté soit faite, Seigneur; j'apprécie ton aide, mais je préfère diriger les choses à ma façon.*» La confiance en soi est une foi humble en la nature divine qui est au fond de vous et en vos convictions intérieures sincères.

Pourquoi ne placeriez-vous pas une grande confiance et beaucoup de foi en vos convictions profondes? Après tout, les savants déclarent que vous êtes rempli d'une intelligence innée. Chaque atome de votre être vibre d'intelligence active. L'air que vous respirez et le monde dans lequel vous vivez sont animés par l'intelligence divine qui cherche à vous apprendre tout ce que vous désirez connaître. Cette même intelligence divine accomplira des merveilles au fond de vous si vous prenez contact avec elle par la foi.

Vous devez avoir confiance en vous pour réussir

Vous devez vous être demandé quelquefois, comme je l'ai fait moi-même, pourquoi certaines personnes s'élèvent à des postes bien payés alors que d'autres, qui sont tout aussi bien entraînées, sinon mieux, ne sont jamais promues. En étudiant bien ce phénomène, vous remarquerez que ceux qui avancent ont vraiment confiance en eux-mêmes et en leur capacité de réussite. Ils semblent être dotés d'une oreille intérieure avec laquelle ils écoutent les conseils et acquièrent des connaissances. Ils semblent savoir qu'au fond d'eux-mêmes, il y a quelque chose de spécial, une source à laquelle ils puisent constamment la sagesse et de plus grandes aspirations. Vous remarquerez que, généralement, ils rayonnent d'aplomb et d'assurance, de sorte que les autres croient tout naturellement en eux et adoptent leurs idées.

L'une des raisons les plus superbes de développer la confiance en soi est qu'elle est contagieuse! Elle pousse et persuade les autres. Josué, le premier commandant officiel des Hébreux, nous l'a prouvé. Bien que les Hébreux aient erré dans le désert pendant quarante ans, lorsque Josué prit la tête du peuple après la mort de Moïse, il s'assura avant tout que les Hébreux traversent le Jourdain pour entrer dans la Terre Promise en trois jours à peine - et ils l'ont fait! Il est intéressant de remarquer que le mot *succès* ne se trouve que deux fois dans la Bible et les deux fois, dans le livre de Josué.

On ne porte généralement pas tellement attention à celui qui n'a pas confiance en lui. Il n'attire pas les autres ni ne les convainc de sa valeur parce que son esprit est une force négative qui repousse plutôt que d'attirer.

Voici une affirmation que nous avons utilisée des centaines de fois dans nos classes sur la prospérité pour invoquer l'intelligence innée et la transformer en confiance en soi: **Rien ne réussit aussi bien que le succès. Je passe maintenant du succès à un plus grand succès avec l'aide riche de Dieu. Je rends grâces de ce que mon succès, puissant et irrésistible, apparaît maintenant!**

La confiance en soi dissout
les complexes d'infériorité

Vous accomplirez des prouesses divines dans le bien, en ayant tout simplement confiance en votre divinité et en la reconnaissant souvent. Il est bon d'exprimer chaque jour pour vous-même une affirmation de foi et de confiance telle que: .... (votre nom), **j'ai confiance à la sagesse et aux qualités que Dieu t'a données. Je te vois maintenant passer de succès en succès grâce à l'aide généreuse de Dieu. Ton succès est grandiose, puissant et irrésistible et il apparaît maintenant!**

J'ai vu plusieurs cas de gens qui se sont débarrassés de leurs complexes d'infériorité et qui ont retrouvé leur confiance en eux en se remplissant constamment l'esprit d'affirmations franches, osées, rassurantes.

Si vous vous demandez où les paroles positives exprimées oralement trouvent une telle puissance, vous serez intéressé de savoir ce qui suit: Une déclaration positive dans le bien est plus puissante que 1 000 pensées négatives; et deux déclarations positives dans le bien sont plus puissantes que 10 000 pensées négatives.

Par conséquent, lorsque vous sentez le découragement, le doute ou la crainte de l'échec vous envahir, affirmez ce qui suit: **Je suis fort dans le Seigneur et dans sa toute-puissance. Il m'a donné sa toute-puissance pour accomplir le bien suprême dans mon esprit, dans mon corps et dans mes affaires. Je la revendique et la ressens maintenant.**

Fortifiez votre confiance avant de vous endormir

Il existe un moyen puissant de développer la confiance en soi qui saura vous attirer la prospérité: Chaque soir en vous endormant, emplissez votre esprit de pensées imprégnées de confiance en vous. Les psychologues affirment que durant votre sommeil, votre subconscient se nourrit et agit selon les dernières pensées que vous aviez en vous endormant. Si vous remplissez votre esprit de pensées de succès, de prospérité et de bons résultats, votre subconscient, heureux et plein d'espoir, les considérera comme des ordres émanant de vous. Durant votre sommeil, votre subconscient obéissant s'affairera à produire pour vous un lendemain prospère. Vous maîtrisez ainsi chacune de vos journées le soir précédent, en vous mettant déjà dans l'atmosphère de ce que vous désirez que soit votre journée.

Une jolie jeune fille mannequin me racontait un jour les résultats qu'elle avait obtenus de cette façon. Elle se sentait triste, déprimée et avait perdu toute confiance en elle-même à cause d'un amour qui s'était terminé de façon malheureuse. Un soir, découragée, elle prit un livre que quelqu'un lui avait envoyé et qui traitait de la puissance du subconscient durant le sommeil.

Apprenant qu'elle avait le pouvoir de transformer sa situation malheureuse en contrôlant son état d'esprit et ses pensées, elle se mit à penser au bonheur de rencontrer quelqu'un de gentil avec qui elle pourrait s'entendre. Elle commença doucement à penser au type d'homme qu'elle désirait rencontrer. Cet état d'esprit la détendit et elle tomba dans un profond sommeil. Le lendemain matin, la sonnerie du téléphone la réveilla. Une brève conversation lui révéla que l'appel provenait d'un millionnaire célibataire; l'un de leurs amis communs lui avait suggéré d'appeler la jeune fille la prochaine fois qu'il passerait dans cette ville. Il s'avéra bientôt qu'il était la réponse au rêve de mariage de cette jeune femme!

L'un de mes amis, le docteur John Lee Baughman, recommande que l'on affirme positivement cette déclaration puissante avant de s'endormir: **Je vais m'endormir, mais Dieu reste éveillé en moi, Il travaille à résoudre mon problème actuel avec succès, selon l'ordre divin.**

Il est bon de fortifier votre confiance en vous en affirmant souvent: **Dieu m'aime, Dieu me guide, Dieu m'indique la voie.** N'attendez pas que les autres vous donnent de l'assurance, vous fassent des compliments ou qu'ils vous montrent qu'ils ont confiance en vous. Au lieu de vous décourager parce qu'ils ne le font pas, dites-vous avec assurance que *quelqu'un se préoccupe de vous* - c'est *celui* qui vous a créé et qui est toujours intéressé à vous aider.

Les affirmations positives développent votre confiance

Pour développer la confiance innée que vous avez en vos capacités de réussite, je vous suggère de relire le chapitre 6, intitulé *La loi de la prospérité - le commandement* et d'utiliser les paroles de commandement qu'il contient. Servez-vous d'affirmations pour libérer votre confiance en vous de trois façons: Faites des affirmations à haute voix pendant au moins cinq minutes chaque jour, dans un endroit où vous pouvez être seul.

À d'autres moments de la journée, jetez un coup d'oeil sur les affirmations que vous aurez écrites sur des cartes ou dans un cahier. Cherchez-les et regardez-les lorsque la crainte et l'incertitude semblent vous envahir. Vous pouvez le faire au milieu d'un groupe de gens, de sonneries de téléphones, dans un endroit affairé et personne n'a besoin de savoir où vous aurez puisé vos *injections revitalisantes* de confiance en vous-même.

Le superviseur d'un groupe de représentants de vente de livres cherchait, en pleine période de récession, à leur apprendre à vendre des encyclopédies; mais ils revenaient régulièrement de leurs expéditions de vente infructueuses en se plaignant des temps difficiles et de ce que personne n'achetait. Le superviseur, qui devait toujours rester positif et sembler plein d'assurance, me raconta que le seul moyen de neutraliser leur pessimisme et de les convaincre qu'ils étaient capables de vendre, était de s'enfermer dans un autre bureau, de sortir des affirmations positives et de les relire maintes fois.

Puis il relevait la tête, prenait une respiration profonde, retournait dans le bureau et affirmait positivement à ses hommes qu'il avait foi en eux, en leurs talents de vendeurs, en leur produit de qualité dont, il en était sûr, les clients avaient grand besoin malgré les difficultés économiques. Il leur redonna ainsi confiance en leurs talents de vendeurs et ils recommencèrent à vendre.

Une fois par jour au moins, écrivez quinze fois (ou plus) votre affirmation positive favorite sur le succès, la confiance et les résultats parfaits. En écrivant ces mots de confiance, vous gravez cette idée plus fermement dans votre subconscient qui travaille alors plus fort et plus rapidement à produire de bons résultats. Ces affirmations positives sauront mieux que tout fortifier votre confiance en vous.

Lorsque le doute ou la crainte quant à vos capacités de succès semblent vous envahir, il vous sera peut-être utile d'employer la série d'affirmations positives dont je me suis moi-même servie pour vaincre ma timidité et mon sentiment d'incompétence: **Dieu a pour moi de bonnes choses, je devrais les avoir et je les revendique maintenant!**

Lorsqu'une situation, un problème ou une personne cherche à détruire votre foi et votre confiance en la bonté de Dieu, affirmez de façon positive: **J'ai une foi inébranlable et je crois que chaque situation de ma vie se terminera d'une façon parfaite car Dieu en a le contrôle absolu.**

Après avoir exprimé ces affirmations positives, développez votre confiance en vous en prenant courage, pour ensuite vous lancer dans les entreprises que vous aviez toujours désiré accomplir auparavant sans jamais oser le faire. Déclarez d'abord: **Le pouvoir tout-puissant de Dieu me précède, rendant mes chemins faciles, prospères et agréables.** Si en cours de route, la crainte vous saisit à nouveau, reprenez courage en déclarant positivement: **Je peux tout par celui qui me fortifie. Je suis fort dans le Seigneur et dans sa toute-puissance. Le résultat parfait apparaît maintenant!**

Gardez fermement confiance en vous-même

Voici une autre pensée puissante qui remplira votre esprit de confiance en soi: **La sagesse infinie me guide, l'amour divin me fait prospérer et j'accomplis avec succès tout ce que j'entreprends.** Un homme d'affaires nous a fait remarquer récemment que très souvent, lorsqu'il affirme son succès et qu'il prend des mesures pour l'atteindre, sa foi et sa confiance sont mises à l'épreuve. Il a remarqué par exemple que souvent, après avoir acheté de nouveaux titres, il voit leur prix baisser pendant une certaine période; il pense alors avoir pris une mauvaise décision. Pendant ces périodes d'épreuve, il n'a jamais manqué de faire ces affirmations positives. Elles lui rendirent foi et confiance et il maintint ses décisions; invariablement, les actions se remettaient à monter et il réalisait un bénéfice important.

Il est très important de se rappeler ce point lorsque vous aurez osé suivre vos convictions. Vous aurez l'impression d'être défié par une force invisible qui met à l'épreuve la confiance que vous avez en vos décisions. Souvent, les gens essaieront de vous décourager. Il vous faudra alors vous accrocher à ce que vous croyez sincèrement être juste. Vous aurez déjà posé les bases intérieures en affirmant positivement votre succès et les résultats parfaits. Il faut maintenant prouver aux autres et à vous-même que vous êtes capable d'aller jusqu'au bout de vos convictions. Petit à petit, le vent tournera et votre confiance grandira; la confiance que les autres mettront en vous se trouvera alors souvent triplée. À ce moment, vous pourrez vraiment affirmer: **Rien ne réussit mieux que le succès.**

Lorsque les circonstances vous font trembler, il est bon d'invoquer votre confiance en vous en affirmant positivement: **Dieu a chargé ses anges de prendre soin de moi, de me garder sur toutes mes voies.** Un homme d'affaires me racontait récemment qu'un soir, dans la nuit noire, il avait vraiment eu la sensation qu'un ange gardien le protégeait. Comme il venait d'encaisser son chèque, il avait de l'argent plein ses poches. Un ami lui avait promis de lui rembourser une somme qu'il lui devait. Il traversa donc la ville obscure pour aller l'encaisser. Comme il passait dans l'ombre d'un immeuble sombre, deux hommes surgirent dans l'obscurité; l'un d'eux tendait le bras de façon à pouvoir attraper le prochain passant. Le second se tenait près de lui pour l'aider. Pourtant, lorsque l'homme d'affaires dépassa l'angle de l'immeuble, les deux hommes restèrent parfaitement immobiles et le laissèrent passer sans le toucher, bien que ses poches soient débordantes d'argent liquide. En entrant dans le quartier, cet homme avait silencieusement répété les paroles du psaume 23: **Je ne craindrai aucun mal, car tu es avec moi.**

Développez votre confiance par les images

Pour mieux apprendre à croire au succès que Dieu veut vous donner, je vous suggère de relire le chapitre 5, intitulé *Les lois de la prospérité - l'image mentale* et de vous faire une roue de fortune sur laquelle vous placerez des photos des biens que vous désirez obtenir. En contemplant chaque jour votre roue de fortune et les images des résultats que vous désirez obtenir, vous remplissez votre esprit d'images qui vous assurent que vous obtiendrez les biens que vous désirez.

Un jour, j'ai placé sur ma roue de fortune la déclaration suivante: **Les bontés de Dieu apparaissent maintenant** et cette affirmation a suscité toute une série d'heureux résultats. Voici une autre affirmation que j'ai trouvé puissante lorsqu'on la contemple chaque jour sur sa roue de fortune: **Je vis maintenant une période d'accomplissement divin. Je reçois miracle sur miracle et les bénédictions de Dieu ne cessent jamais.** En remplissant votre esprit d'images mentales, vous lui donnez la confiance nécessaire pour transformer ces images mentales en résultats visibles.

Réellement, l'image se concrétise en autant que vous avez une image mentale. Si vous ne croyez pas consciemment que vos désirs peuvent se réaliser, placez une photographie du résultat désiré là où vous pouvez la contempler chaque jour. Votre subconscient le réalisera et vos convictions pessimistes disparaîtront.

Une autre façon très simple de développer la confiance en vous est de demander directement à un père aimant de vous guider dans tout ce que vous faites. Comme nous l'avons déjà dit, la solution divine est la solution sublime!

Associez-vous à des gens qui ont confiance en eux

Il existe une autre façon plaisante de développer votre confiance en vous: il s'agit de vous lier à des gens qui ont confiance en eux. Sans vous en apercevoir, vous vous mettrez à absorber leur assurance qui bientôt prendra vie en vous.

En restant en contact avec une ou deux personnes qui désirent réussir et qui ont confiance en elles, vous vous sentirez petit à petit inspiré et transporté à des niveaux de pensée et d'espoir plus élevés. Jésus pensait peut-être à la puissance de la confiance en soi lorsqu'il affirmait: *Et moi, élevé de terre, j'attirerai tous les hommes à moi.* (Jean 12:32)

Développez vos pouvoirs profonds de confiance en vous

Il existe encore d'autres moyens par lesquels vous pouvez développer de la confiance en vous. Dans l'ère passionnante où nous entrons maintenant, vous devriez apprendre à connaître ces méthodes car ce sont des méthodes scientifiques d'accomplissement.

Dans les prochains chapitres, nous allons présenter deux de ces méthodes visant à développer la confiance en soi et qui vous apprendront à développer votre intuition et votre imagination créatrice. Votre intuition est ce *murmure doux et léger*, plein d'une sagesse profonde qui, tout au fond de vous, vous conduira vers ce qui est bon si vous apprenez à écouter et à comprendre son conseil. C'est ce que vous apprendrez dans le prochain chapitre.

Vous développez votre imagination créatrice en parlant avec au moins une autre personne de tout ce qui vous concerne et en demandant en toute confiance à cette personne d'accepter de vous aider à atteindre le parfait résultat. Vous déclencherez ainsi une puissance spirituelle décuplée sur la situation. Les savants appellent nos puissances de génie, l'intuition et l'imagination créatrice. C'est ce qu'elles sont lorsqu'on les comprend bien et qu'on sait les développer comme vous l'apprendrez dans le prochain chapitre.

Les savants affirment également que vous êtes doté de cinq pouvoirs spéciaux, ou «super-sens», que vous pouvez développer pour atteindre la prospérité et le succès. Lorsque vous comprendrez ces pouvoirs spéciaux et que vous commencerez à les réveiller, ils décupleront votre confiance en vous et votre pouvoir de réussite. Ces cinq pouvoirs spéciaux seront décrits dans le chapitre 15: il s'agit de la *télépathie,* la *clairvoyance,* la *perception extrasensorielle,* la *prémonition ou préconnaissance* et la *psycho-kinesthésie.*

Faites ressortir les talents d'autrui

Examinons maintenant une dernière façon de développer votre confiance en vous et de la faire ressortir chez les autres. Mettez-vous à apprécier, à complimenter et à faire ressortir les bons côtés des autres. Parlez-leur en toute confiance de leurs bons côtés. N'hésitez pas à les complimenter. Parlez-leur avec bonté, encouragez-les et parlez-leur de succès. Je connais un homme d'affaires qui transforma une faillite en réussite lorsque sa femme regagna confiance en ses talents d'homme d'affaires et le lui fit savoir chaque jour.

Il n'y a pas longtemps, j'ai entendu un photographe commercial affirmer qu'il avait réussi à photographier des mannequins réputés dans le monde de la mode après avoir su leur exprimer, avant les séances de photographie, la confiance qu'il avait en leurs talents de mannequin et en leur photogénie. Il suffisait de les assurer de la confiance qu'il avait en elles et elles devenaient rayonnantes devant la caméra; il accomplissait ainsi le double de travail en deux fois moins de temps. Peu de reprises étaient nécessaires.

Si vous appréciez une qualité chez quelqu'un, dites-le-lui! Si vous avez confiance en une personne qui lutte encore pour réussir, dites-le-lui. N'attendez pas que cette personne ait réussi pour lui dire après coup: «Jean, je suis vraiment fier de toi, mais j'ai toujours été convaincu que tu y arriverais.» Complimentez-le et exprimez-lui votre confiance en sa capacité de réussir *avant* qu'il n'ait réussi. C'est là qu'il en a vraiment besoin.

La plupart des gens portent un masque. Si vous pouviez les voir derrière ce masque, vous sauriez quel tonique vos paroles aimables représentent souvent pour eux. Vous aurez l'impression de lancer une bouée de sauvetage à un homme qui se noie. Mieux vaut exagérer, si une telle chose est possible, que de manquer une occasion de complimenter quelqu'un. Votre bon mot pourrait devenir le point décisif de l'ascension d'une personne vers le succès. Et quelqu'un le fera pour vous lorsque vous en aurez le plus besoin. Même les hommes qui ont la réputation de réussir infailliblement ont terriblement besoin de paroles de confiance, d'attention et d'appréciation. Lorsqu'on l'exprime, la confiance sincère en soi et en autrui accomplit des miracles.

Une maîtresse de maison l'a récemment prouvé en nous écrivant ce qui suit:

Je connais mieux que personne la puissance des compliments et des mots d'appréciation pour autrui. Avant de découvrir cette puissance, j'étais une ronchonneuse chronique et je passais ma vie à chercher ce qui n'allait pas et à me plaindre. J'ai découvert que les mots de confiance, les bonnes pensées et les paroles d'appréciation aidaient les autres et que, par-dessus tout, elles dissipaient la douleur de mon corps et le trouble de mon esprit.

Depuis que je me suis mise à exprimer mes compliments et mon appréciation envers les autres, l'atmosphère familiale a beaucoup changé; j'ai surtout de meilleures relations avec mes serviteurs et avec mes enfants. Je ne blâme plus mes domestiques pour leurs bonnes intentions, leur fidélité et leur bonté. J'ai découvert que le seul fait de leur exprimer ma confiance et de parler d'eux de façon favorable faisait ressortir en eux les qualités que leur travail exigeait. J'ai remarqué que cette méthode accomplissait ce que certains appelleraient des miracles.

La puissance des compliments

Je fus récemment témoin de la puissance des paroles de confiance alors que je rendais visite à une famille heureuse qui se composait du mari, de son épouse et de leurs cinq enfants. Je fus émerveillée de voir ces cinq enfants si équilibrés et si bien élevés. Je ne pus m'empêcher de demander: «Comment faites-vous pour que vos enfants soient si heureux, si équilibrés, à notre époque où la délinquance juvénile est si répandue?» L'épouse, qui de nature ne parlait pas beaucoup, affirma rapidement: «Le secret, c'est mon mari. Il est *si* merveilleux avec les enfants.» Je pensai: «Comment est-ce que votre mari peut être *si* merveilleux avec les enfants, alors qu'il passe dix heures par jour, six jours par semaine au travail?» Mais je remarquai une expression d'adoration sur le visage de son mari. Il *pensait* honnêtement qu'il était bon avec les enfants!

Plus tard, en préparant le barbecue, la femme dit à son mari d'un ton d'appréciation sincère: «Chéri, quel beau feu tu as préparé!» De nouveau, je pensai: «Qui a jamais félicité un homme d'avoir fait un feu!» Mais cette bonne parole fut efficace - il prépara presque un feu de camp! J'ai l'impression que si, dans son zèle, il avait mis le feu à la maison, son épouse se serait probablement exclamée: «Mon mari est un merveilleux pompier, n'est-ce pas?» On ne s'étonne donc plus que cette famille soit si heureuse.

Invoquez silencieusement la confiance

Tout en adressant délibérément des compliments, des mots aimables, des paroles de considération et d'appréciation à quelqu'un, il est bon de déclarer silencieusement pour lui: _____ (son nom), **j'ai confiance à la sagesse et aux capacités que Dieu t'a données. Je te vois maintenant passer de succès en succès avec l'aide généreuse de Dieu. Ton succès est grand, puissant et irrésistible. Il apparaît maintenant.**

Ceci ne signifie pas que vous essayez de contrôler par un pouvoir d'hypnose l'esprit d'une autre personne. Vous essayez tout simplement de le faire profiter de vos pensées élevées de succès. Celui qui pense prospérité ne cherche jamais à contrôler l'esprit de quelqu'un d'autre. L'hypnose est utile dans les domaines de la médecine et de la recherche scientifique mais pas dans la vie quotidienne. Personne n'a le droit spirituel de contrôler la pensée d'un autre. De telles initiatives n'amènent généralement que la confusion et le malheur pour toutes les personnes impliquées.

La liberté est l'une des plus grandes lois morales de l'univers et celui qui pense prospérité le sait. Tant que vous vous contentez d'affirmer des idées de succès générales et de bien pour autrui, vous ne risquez pas d'essayer de contrôler son esprit. On se met à contrôler les autres lorsque l'on cherche à forcer mentalement leurs actions de façon spécifique, selon notre propre façon de penser égoïste. En faisant des affirmations positives pour vous-même, vous ne vous hypnotisez pas. Ces affirmations vous déshypnotisent au contraire des pensées d'échec et de négatif que vous aviez acceptées par habitude avant de découvrir les pouvoirs de la pensée.

Un homme d'affaires réputé, directeur dans une grande société, arriva au succès en exprimant sincèrement des compliments, des mots d'appréciation et de confiance à ses employés. Par exemple, on lui amena un jour un jeune prisonnier en libération conditionnelle qui désirait se faire engager. Le directeur déclara qu'il avait confiance aux capacités de bien agir de cet ex-prisonnier. Puis il l'engagea. Au cours des années qui suivirent, il ne cessa de dire à cet employé à quel point il avait confiance en lui et foi en ses capacités. Au moment où j'écris ces lignes, cet ancien prisonnier est directeur dans cette même compagnie!

Votre confiance en vous se décuplera

Vous ne saurez peut-être jamais le bien qu'auront fait vos paroles de confiance, ni jusqu'où ce bien se sera répercuté chez les autres. Une vérité éternelle s'applique ici: lorsque vous exprimez la confiance que vous avez en autrui, vous ne pouvez vous empêcher de l'attirer sur vous-même puisque tout ce que vous émettez vous revient décuple.

Outre les différentes méthodes de développement de votre confiance en vous et les méthodes plus scientifiques qui vous seront décrites dans les deux prochains chapitres, il y en a une que l'on ne devrait jamais sous-estimer. Les psychologues affirment que la prière est le moyen le plus efficace qui existe pour développer la confiance et je le crois aussi. Je vous suggère de relire le chapitre douze qui vous présente les quatre méthodes fondamentales de prière. En priant, vous canalisez ce *quelque chose de divin* qui est au fond de vous et tout autour de vous et qui libère une grande puissance et une foi forte. Vous vous sentirez alors rempli de confiance et de zèle pour aller de l'avant.

Quelqu'un a dit que *Quand on veut, on peut* réussir. Souvenez-vous que le pouvoir de placer le bon pied en avant développe lui aussi votre confiance. En influençant tant que vous pouvez votre sentiment et votre apparence de confiance, vous donnez l'impression aux autres et à vous-même que le succès est assuré.

Vos propres pensées et celles des autres se multiplient alors dans le sens de la réussite.

Grâce aux différentes méthodes présentées dans ce livre, vos pensées s'élèveront, vous prendrez l'habitude d'avoir confiance en vous, ce qui, à votre insu, vous fera avancer vers la réussite. Votre prospérité se déversera alors dans une avalanche de succès louables.

CHAPITRE 14

Vos pouvoirs de génie
pour la prospérité

Outre les pouvoirs ordinaires de l'observation et de la perception, nous possédons tous les qualités mentales plus profondes de l'intuition et de l'imagination ainsi que des pouvoirs spéciaux qui seront présentés dans le prochain chapitre.

Les gens que tous considèrent comme des génies ont généralement le courage et la confiance d'écouter leur intuition et leur imagination créatrice et de suivre leurs conseils. En suivant ces conseils personnels, on retire généralement des résultats si merveilleux que les gens pensent que nous sommes dotés de talents exceptionnels. Ces personnes ne possèdent pas vraiment de pouvoirs exceptionnels. Elles se servent activement de leur intuition et de leur imagination créatrice plutôt que d'étouffer ces puissances mentales comme nous avons presque tous tendance à le faire. Nous aussi, nous pouvons stimuler notre intuition et notre imagination créatrice pour en faire des pouvoirs de génie qui nous attireront la prospérité, le succès et un mode de vie plus satisfaisant.

En développant vos pouvoirs de génie, vous aurez parfois l'impression d'écouter ce «*tambour différent*» dont parlait Henry David Thoreau. J'ai toujours eu une intuition hautement développée et m'en suis souvent trouvé confuse parce que je ne savais pas la comprendre. On m'avait donné l'impression que lorsque je lui obéissais, je devenais une personne étrange, excentrique et même anormale. Souvent, lorsque j'étais enfant, je ne réussissais pas à expliquer aux autres ce qui me poussait parfois à suivre les conseils de mon intuition. D'un autre côté, je remarquais que lorsque je n'obéissais pas à cette intuition et aux ordres qu'elle me dictait, ou si je laissais ce «sixième sens» m'obséder, j'en devenais confuse et malheureuse. Je découvris que lorsque je suivais mes intuitions avec confiance, j'arrivais inévitablement au bon résultat.

Vous découvrirez, en observant les gens qui, autour de vous, sont considérés comme des originaux, qu'ils ne se préoccupent plus de ce que les gens pensent, ils peuvent alors exprimer librement leur nouvelle connaissance créatrice. À l'époque passionnante, progressiste où nous vivons, les gens ont besoin de ce type de pensée originale.

Dans le domaine de la prospérité, les gens n'ont pas appris à se servir de leurs pouvoirs de génie que sont l'intuition et l'imagination créatrice. Ceux qui développèrent cette sensation profonde, cette connaissance qui nous traverse comme un éclair de temps à autre, furent généralement considérés par leurs associés en affaires comme des personnes étranges et anormales, lorsqu'ils l'exprimaient au lieu de la réprimer. On nous a généralement appris à ne pas les prendre au sérieux.

Vous avez été doté de pouvoirs de génie

Pourtant, à notre époque de grandes connaissances intellectuelles, nous commençons à nous rendre compte que, si notre nature humaine est dotée de seulement cinq sens physiques, notre nature mentale et spirituelle est dotée de pouvoirs spirituels que l'on ne reconnaît et que l'on n'utilise que très peu. Il semble que, justement dans ce domaine inexploré de notre esprit, se trouve la puissance de génie qui nous permettra d'atteindre la prospérité et la réussite.

Comme nous dirigeons régulièrement notre attention sur les activités du monde extérieur, nous ne prenons pas la peine d'écouter les conseils de notre intuition, nous les ignorons. Un homme d'affaires déclara récemment que, si nous tenions une liste des ordres de notre intuition, nous serions étonnés de constater que, la plupart du temps, elle nous dictait la bonne voie et que nous aurions réussi si nous l'avions écoutée.

Nous avons tous déjà entendu l'expression *intuition féminine* que l'on utilise souvent d'un ton un peu moqueur. On a tendance à penser que l'intuition n'est peut-être qu'une excentricité étrange, triviale, propre aux femmes, mais à laquelle les hommes peuvent rarement se fier. Nous apprenons cependant maintenant que chacun a de l'intuition, autant les hommes que les femmes. Les femmes semblent développer leur nature intuitive d'une façon plus évidente que les hommes, peut-être par le fait que l'homme a davantage dirigé son attention sur le monde des affaires et autres exigences extérieures. De tels intérêts peuvent malheureusement nous distraire lorsque nous cherchons à développer nos puissances mentales. Traditionnellement, la femme reste à la maison, dans une atmosphère généralement plus tranquille, plus apte à lui permettre d'obéir aux ordres profonds de sa nature intuitive.

Cependant, ces derniers temps, la situation a changé. Autant les femmes que les hommes dirigent maintenant leur attention sur le monde des affaires et autres activités extérieures. Pour développer nos pouvoirs géniaux de l'intuition, il nous faut donc suivre certaines instructions bien déterminées.

Vous devriez développer votre intuition

Le dictionnaire définit l'intuition comme une *forme de connaissance ou d'apprentissage immédiat qui ne recourt pas au raisonnement; compréhension spontanée.* Littéralement, votre intuition est votre connaissance intérieure. L'intuition est comme un récepteur-radio par lequel les idées, les plans et les pensées surgissent comme des éclairs dans notre conscient. On a appelé ces éclairs pressentiments, inspiration, suggestions de notre *murmure doux et léger* intérieur.

Élisée découvrit que ce *murmure doux et léger* était la voix de Dieu lui-même nous transmettant son conseil et sa sagesse suprêmes. Votre *bruit d'une brise légère* (1 Rois 19:12) est votre pouvoir de génie, car c'est le pouvoir que Dieu vous a donné.

À notre époque où le conformisme règne, il est temps que nous réalisions que nous ne nous accomplirons vraiment que lorsque nous oserons *être différents,* en laissant notre individualité distincte s'exprimer. Ceci ne signifie pas que vous devez vous efforcer de rejeter la société. Cependant, comme l'a écrit Charles Fillmore: «Si vous avez été éduqué et moulé selon le modèle ordinaire de la famille humaine, vous pourrez vivre toute votre vie sans jamais avoir une seule pensée originale.»

Ces dernières années, on a eu tendance à penser que, lorsqu'un individu ne se conformait pas à un certain modèle de pensée et de comportement, c'était un *inadapté*. On se rend compte maintenant du danger d'un tel conformisme, bien que l'on pousse encore les individus à se conformer très strictement au reste de la société. Par exemple, plusieurs grandes sociétés ont récemment changé d'attitude. On s'est aperçu que le conformisme des employés amenait la stagnation et une diminution de la production. Certaines sociétés cherchent maintenant un moyen de stimuler un nouvel individualisme. Le progrès qu'ont fait les États-Unis dans tous les domaines découle de l'ingéniosité et de l'individualisme. Un écrivain a fait remarquer que l'ère spatiale exige *un individualisme audacieux et persévérant* et que l'on retrouve généralement cette qualité chez les gens qui ont appris à s'écouter intérieurement et à obéir aux conseils de leur intuition.

Vous n'avez peut-être pas suivi les conseils de votre intuition parce qu'ils vous semblaient un peu bizarres et vous avez attendu d'avoir raisonné ces suggestions avant d'agir. L'intuition n'a aucun rapport avec la raison car l'intuition est une faculté de l'esprit qui n'explique rien. Elle ne fait que vous montrer la voie, vous laissant libre de vous y engager ou de vous en écarter, de suivre ou d'ignorer ses suggestions. Les hommes de génie ont assez de confiance en eux et de foi aux conseils de leur intuition pour les suivre sans réfléchir. C'est pour cette raison qu'on les considère hommes de génie. Les individus ordinaires attendent généralement d'avoir une *preuve* et ils se retrouvent ballottés au milieu des conflits de leur remise en question intellectuelle.

C'est par l'intuition que les musiciens, les artistes, les écrivains, les savants et les saints ont pris contact avec l'esprit omniscient de Dieu pour être à même de déverser leur inspiration dans l'univers. Certaines intuitions vous viennent de l'intérieur, certaines autres vous viennent de l'extérieur mais soyez sûr qu'elles vous viendront si vous le leur permettez.

Les phases «oui» et «non» de l'intuition

L'intuition a des phases de «oui» et «non». Souvent, la phase «oui» de l'intuition vous vient d'une façon si douce et discrète que vous avez tendance à ignorer ses suggestions, tout au moins au début. Elle ne cherche pas à vous convaincre de quoi que ce soit. Généralement cependant, si vous l'ignorez, cette même suggestion vous reviendra sans cesse à l'esprit, doucement, jusqu'à ce que vous la remarquiez.

La phase «non» de l'intuition est souvent plus prononcée. Pendant des années, il m'a semblé que mon intuition ne se manifestait qu'en me soufflant catégoriquement *non* et en m'envahissant de sentiments d'inquiétude, d'agitation, de mécontentement. La phase «non» de l'intuition semble souvent plus forte et plus catégorique. Elle vous remplit d'une sensation de malaise dont vous ne vous débarrassez qu'en suivant son conseil qui vous dit «non».

Vous apprendrez à contacter les phases «oui» et «non» de votre intuition et à écouter ses conseils en observant chaque jour des moments de calme au cours desquels vous libérerez votre esprit de toute pensée préoccupante et où vous serez détendu et prêt à recevoir les conseils de votre intuition. Généralement, l'intuition ne s'impose pas à vous: elle attend patiemment que vous soyez détendu pour travailler en vous avec plus d'efficacité. Toutefois, lorsqu'il le faut, un pressentiment peut s'introduire dans un esprit préoccupé.

Développez votre intuition en cinq étapes simples

Voici une formule sûre qui vous permettra de développer les pouvoirs «oui» et «non» de votre intuition.

Premièrement: Dites-vous que l'intuition est une faculté spirituelle de l'esprit qui n'explique pas ni ne raisonne mais qui se contente de vous indiquer la voie qui vous profitera le plus. Par exemple, une secrétaire fit trois demandes d'emploi pour des postes différents. L'un d'eux l'aurait très bien payée, le second un peu moins, et le salaire initial du troisième était plutôt bas, mais ce dernier lui offrait plus de possibilités d'avancement et de satisfactions personnelles.

Son raisonnement humain chercha à la persuader d'accepter le premier emploi, qui lui rapportait immédiatement un revenu élevé. Son raisonnement humain lui fit également remarquer que le second emploi, assez bien rémunéré, lui procurait un *poste de prestige* dans un cadre enchanteur.

Mais l'intuition de cette secrétaire lui suggérait d'accepter le troisième emploi, qui payait moins et qui ne se trouvait certainement pas dans des bureaux très luxueux. Mais il lui offrait plus de possibilités car son patron avait des débouchés à venir illimités dans la nouvelle entreprise qu'il venait de créer.

Elle obéit donc à son intuition qui, au lieu de chercher à raisonner ou à prouver sa valeur à la jeune fille, se contentait de lui montrer la voie. Cet emploi fut le meilleur qu'elle ait jamais eu. Bientôt, on amenait au bureau de nouveaux meubles luxueux. Petit à petit, son patron s'éleva à la tête de l'entreprise et le salaire de la jeune fille atteint trois fois le montant que les deux autres postes lui avaient offert.

C'est à vous de suivre les voies de votre intuition en toute foi et en toute confiance, pour revendiquer le bien qui vous est dû. Tout ce que vous voyez dans le monde qui vous entoure provient du fait que quelqu'un a eu le pressentiment ou l'impression que la chose était réalisable. Vous pouvez également vous servir de vos idées et de vos sensations intérieures pour créer un monde plus merveilleux encore.

Deuxièmement: À chaque instant de votre vie quotidienne, que votre travail soit mental ou physique, agissez comme si vous étiez en présence de l'intelligence divine, l'intuition divine. Habituez-vous à l'idée que l'intuition divine est là avec vous, qu'elle s'intéresse à vous, qu'elle est au courant de tout ce qui vous concerne et qu'elle se fait un plaisir de vous conseiller et de vous aider.

En acquérant cette attitude mentale sur tout ce que vous faites et tout ce qui vous concerne, vous sentirez une puissance nouvelle travailler pour vous et tout autour de vous. Vous vous découvrirez une nouvelle capacité de réussite. Vous vous attirerez des conditions meilleures et d'heureuses expériences.

Plus vous penserez que cette intelligence divine omnisciente et pleine d'amour et son conseil intuitif travaillent avec vous et pour vous, plus il vous deviendra facile d'amener toute chose à bonne fin.

Pour réussir à atteindre cette attitude mentale, affirmez souvent de façon positive: **L'intuition divine m'indique maintenant la voie. L'intuition divine travaille maintenant en moi et par moi au fond de toutes les personnes concernées et à travers elles, amenant avec rapidité et facilité l'issue parfaite, le résultat parfait.**

Troisièmement: En suivant mentalement ces étapes, vous remarquerez que vous n'avez pas à lutter, même en pensée, pour améliorer les choses et les mener à bien. Vous découvrirez au contraire que tout ce à quoi vous pensez, sur lequel vous dirigez votre attention, ou tout ce qui vous intéresse, se mettra à vous révéler ses secrets. Le dictionnaire décrit aussi l'intuition comme étant la capacité de regarder ou de contempler. Vous découvrirez toujours mieux que la chose que vous regardez ou que vous contemplez désire vous connaître.

Vous cesserez de penser que le bien que vous désirez est éloigné, écarté, séparé de vous. Vous cesserez de penser que le bien que vous désirez est difficile à obtenir. Vous cesserez d'échafauder et d'essayer de manipuler les gens ou les événements. Au contraire, vous commencerez à vous rendre compte qu'avec l'aide de l'intelligence divine, toutes choses sont déjà à portée de la main, prêtes à se manifester sous forme d'idées, de plans et de procédures et, en leur temps, sous forme de résultats.

Quatrièmement: Lorsque vous commencerez à tout accomplir comme si vous étiez en présence de l'intelligence divine et de la sagesse intuitive qui connaît vos besoins, s'intéresse à vous, est capable et heureuse de vous aider, non seulement vous rendrez-vous compte que vos capacités augmenteront toujours plus mais aussi que vous êtes informé du tréfonds de vous-même sur de nombreuses choses qu'il vous est nécessaire de connaître!

Il vous viendra tout d'un coup une *impression* ou un *pressentiment* vous indiquant la voie à suivre ou à ne pas suivre. En obéissant à ce pressentiment ou à cette suggestion, vous serez étonné et à la fois enchanté de vous apercevoir que l'intuition divine qui vous avait fait la suggestion, vous a précédé et a déjà préparé pour vous la voie de l'accomplissement! Vous découvrirez qu'à mesure que vous suivrez cette suggestion intuitive avec foi, sans chercher à la raisonner, votre bien se manifestera plus vite que vous ne pourrez l'accepter.

Ainsi, les pressentiments, ou suggestions intérieures, indiquent tout simplement que ce que vous désirez désire en fait être vôtre. *Le désir, c'est Dieu qui frappe à la porte de votre esprit, cherchant à vous donner un plus grand bien.* Le fait que vous désiriez profondément quelque chose est la preuve positive que cette chose a déjà été préparée pour vous et qu'elle n'attend que l'instant où vous la reconnaîtrez et où vous l'accepterez. Ceci ne signifie pas que vous désirez accepter le bien de quelqu'un d'autre. Vous désirez peut-être l'équivalent divin du bien de quelqu'un d'autre et vous devriez rendre grâces pour l'*équivalent divin* que Dieu vous a donné.

Si après avoir pensé à un pressentiment, vous avez besoin d'un peu plus de certitude avant de vous lancer en avant pour l'atteindre, soyez assuré qu'il vous suffit de demander cette certitude pour l'obtenir. Demandez une indication ou un signe vous montrant que vous vous engagez dans la bonne direction. Il est bon alors de créer une attitude mentale puissante telle que: **Je choisis ceci, à condition que ce soit pour mon plus grand bien. Sinon, intuition divine, envoie-moi maintenant l'équivalent divin.** Lorsqu'il vous vient des doutes quant aux suggestions de votre intuition, il est bon de déclarer: **Intuition divine, quelle est la vérité parfaite quant à cette situation? Révèle-la moi maintenant, de façon si simple et si claire que je ne pourrai pas m'y tromper.**

Cinquièmement: Lorsque vous aurez invoqué l'intelligence divine au fond de vous, préparez-vous à des surprises. Vos problèmes ne se résoudront pas toujours tel que vous le pensiez et l'héritage que Dieu vous avait réservé ne vient pas toujours comme votre esprit humain l'attendait. À ce stade, si vous n'êtes pas prêt à des surprises, vous risquez de passer à côté de votre bien.

Maintenant, décidez fermement que vous ne choisirez que le bien et que vous n'accepterez que les bons aspects des différentes expériences qui vont suivre. Les décisions produisent toujours des résultats; les événements commenceront à obéir à vos décisions.

Dans cet état d'esprit, vous pouvez développer intérieurement votre intuition sous forme de pressentiment ou de suggestion ou sous forme de connaissance directe que vous transmet la petite voix douce au fond de vous, s'exprimant en *oui* ou *non*.

L'intuition se révèle aussi extérieurement

Mais l'intuition peut vous venir également de l'extérieur. Une fois que vous avez demandé conseil, les suggestions intuitives pourront vous venir des paroles d'un ami, d'une phrase que vous aurez lue dans un livre ou dans une revue ou à travers une série d'événements extérieurs qui surviennent autour de vous.

Par exemple, l'une de mes amies demanda si elle devait partir en vacances ou non. Quelques jours après avoir demandé conseil, elle n'avait reçu ni conseils intérieurs, ni pressentiments. Mais en feuilletant une revue, ces mots en gros caractères lui sautèrent aux yeux: *Pourquoi n'y allez-vous pas?* La question était réglée! Elle accepta le fait qu'il lui était possible de partir en vacances et dès lors la voie s'ouvrit rapidement.

Les voies extérieures par lesquelles l'intuition peut vous faire des suggestions sont aussi variées qu'intéressantes. Une mère s'inquiétait pour son fils dont le comportement était devenu tout un problème. Elle réfléchit à la possibilité de l'envoyer dans une école privée, même s'il lui semblait trop jeune pour vivre en dehors de la maison. Ne sachant plus vraiment que faire, elle eut l'idée de demander un conseil intuitif précis. Peu de temps après, ouvrant le journal du soir, elle fut frappée par les mots suivants: *La place des enfants difficiles est à la maison*. Considérant cette phrase comme un conseil, elle chassa de son esprit l'idée d'envoyer son enfant ailleurs. Elle fut ensuite conduite à accorder plus d'attention à son fils, ce qui amena ce dernier à mieux se comporter.

L'intuition de cet homme d'affaires lui avait dit «non»

Un homme d'affaires me racontait il n'y a pas longtemps que son intuition lui avait dit «non» par des voies extérieures, alors qu'il ne recevait aucun conseil intérieur. Il désirait faire un voyage de plaisance assez dispendieux mais il n'en avait pas les moyens; il pouvait cependant s'arranger pour emprunter. Il désirait si ardemment faire ce voyage malgré les avertissements de sa raison qu'il ressentit le besoin de recevoir des indications extérieures précises. Un beau matin, comme son désir d'effectuer ce voyage le brûlait plus que jamais, malgré les dettes qu'il impliquait, cet homme décida de régler la question coûte que coûte. Il déclara fermement qu'il voulait le jour même savoir quoi faire. Puis il essaya plusieurs fois de me téléphoner pour me demander de prier pour qu'il reçoive conseil mais il ne réussit pas à m'atteindre.

Vers le milieu de l'après-midi, il déclara que s'il ne réussissait pas à m'atteindre avant cinq heures, il considérerait cet échec comme un signe lui indiquant que la réponse était «non». Ayant réussi finalement à me libérer à cinq heures et quart, je répondis immédiatement à son message. Cependant, il avait fixé son échéance à cinq heures. Il en conclut par conséquent que son intuition lui suggérait de ne pas emprunter pour des vacances aussi dispendieuses. Il resta alors tranquillement à la maison, se reposa et pour se distraire, il accomplit une multitude de choses que l'horaire surchargé de son travail ne lui permettait pas de faire habituellement. La réponse avait été «non» et il se rendit vite compte que c'était pour son plus grand bien. Il s'aperçut également que son désir brûlant de faire ce voyage n'avait pas été un conseil de son intuition mais un caprice humain plus superficiel le poussant à agir de façon humaine.

Demandez une connaissance directe en toute chose

Un médecin déclarait qu'il ne traite jamais un patient avant d'obtenir un conseil intuitif sur ce qu'il doit faire exactement. Tant qu'il est indécis au sujet du problème du patient ou du diagnostic, il se contente de parler avec la personne et de l'examiner. Il avait remarqué qu'il était souvent nécessaire qu'un patient se rende à plusieurs consultations avant que ce médecin puisse, par son intuition, décider avec certitude du traitement approprié. Sa grande clientèle prouve très évidemment la puissance de succès de l'intuition.

J'ai souvent remarqué que, lorsque je demande une connaissance ou un conseil précis, quelqu'un qui n'a aucune idée de mon besoin me téléphone, m'écrit ou prend rendez-vous avec moi pour me dire exactement ce que j'ai besoin de savoir.

Résolvez vos problèmes par intuition

Lorsque vous faites face à un problème personnel ou professionnel, ne le transportez pas partout avec vous et ne l'alimentez pas en vous disant que le temps vous en soulagera. Demandez plutôt directement conseil et connaissance, puis surveillez la réponse intérieure ou extérieure que vous donnera votre intuition.

Commencez dès maintenant à développer votre intuition. Si vous agissez avec une foi parfaite selon les conseils intérieurs ou extérieurs que votre intuition vous envoie, vous ne serez jamais ni en retard, ni en avance et tout ira bien. Si les choses semblent aller mal une fois que vous avez commencé à suivre de fermes conseils, ne vous troublez pas. Affirmez positivement que l'intuition divine produit le résultat parfait et le bien apparaîtra. Parfois les choses semblent mal tourner alors qu'en réalité, elles se réajustent vers la solution.

Emerson reconnaissait le pouvoir génial de l'intuition lorsqu'il prédisait dans ses essais: «*Nous sommes en train de passer dans un monde nouveau. L'esprit régnera glorieusement dans le coeur de l'homme. Puis naîtra une philosophie intuitive par laquelle le génie se transformera en pouvoir pratique.*» La perspicacité est un autre nom pour la connaissance intérieure ou l'intuition à partir de laquelle la puissance de génie peut se transformer en puissance pratique et en résultats pratiques.

Votre deuxième pouvoir de génie, l'imagination créative

Salomon décrivait bel et bien votre pouvoir génial d'imagination créative lorsqu'il déclarait: *faute de vision, le peuple vit sans frein; heureux qui observe l'enseignement.* (Prov. 29:18)

Vous pouvez vous servir de vos pouvoirs géniaux d'imagination créative de façons très intéressantes. Pour vous-même, vous pouvez développer votre imagination créative en une puissance de prospérité de façon très simple et plaisante. Nous désirons tous maîtriser spirituellement les événements à venir et nos plans de prospérité. Chaque soir, avant de nous coucher, il est bon de penser à nos plans du lendemain. Je vous suggère donc de vous servir de la technique suivante pour libérer votre pouvoir génial d'imagination créative.

Au lieu de vous inquiéter des événements du lendemain ou de vous tourmenter à cause d'une phase difficile de la journée, contentez-vous de penser à tout ce que vous savez sur les événements du lendemain. En partant des activités les plus matinales, arrangez mentalement les activités de toute votre journée comme vous désirez qu'elles surviennent. Chaque fois qu'une activité suscite en vous des sentiments de détresse, contrôlez-la en affirmant positivement: **Je te comble de la bonté toute-puissante de Dieu. La bonté de Dieu te maîtrise maintenant et tout va bien.** Mettez joyeusement l'emphase sur les événements positifs que vous désireriez vivre le lendemain et maîtrisez tout le reste en affirmant positivement le bon contrôle de Dieu sur les événements. Pour les activités de la journée entière, affirmez positivement: **Je rends grâces pour l'accomplissement divinement satisfaisant et pour les résultats divinement satisfaisants.** Ensuite, chassez le tout de votre esprit.

Vous vous êtes servi de votre imagination créative pour créer une issue favorable à chaque situation. Toutes les circonstances, les situations, les personnalités impliquées concourront à une issue parfaite, à un accomplissement parfaitement prospère. C'est une méthode puissante, qui utilise l'esprit pour mener à bien vos affaires familiales, professionnelles, sociales ou spirituelles.

L'imagination créative
peut dissoudre les mauvais souvenirs

Vous pouvez également vous servir de votre imagination créative pour dissoudre les mauvais souvenirs, les échecs en affaires, la discorde dans vos relations et autres expériences négatives du passé. Dans le royaume de l'intelligence divine, il n'y a ni passé, ni présent, ni avenir. Le temps n'y existe pas. Puisque vous vivez, que vous vous déplacez et que vous existez dans cette intelligence infinie, vous pouvez maîtriser votre passé, votre présent et votre avenir. Vous pouvez donc rappeler à votre esprit les événements de toute situation passée que vous désireriez dissoudre et effacer à jamais.

Remémorez-vous le temps, l'endroit et les personnes impliquées. Puis revoyez mentalement les événements de la situation et affirmez à nouveau: **Je te bénis de la bonté toute-puissante de Dieu.** Revivez alors mentalement cette expérience comme vous désireriez qu'elle se soit passée. Lorsque vous agissez de façon constructive sur un souvenir négatif, les pensées négatives en sont dissoutes par les pensées positives et aimantes que vous y substituez. Déclarez à ce souvenir réorganisé et à tous ceux qui s'y rattachaient qu'ils soient vivants ou non: **Je vous bénis encore et encore pour la bonté de Dieu qui travaille en vous et par vous. J'affirme pour moi-même et pour vous que cette expérience ne contient que la bonté toute-puissante de Dieu. Tout le reste en est dès maintenant dissout de façon permanente.** Lorsque des émotions négatives et des sentiments profonds semblent réapparaître, affirmez-leur de façon positive: **Dissous-toi, maintenant et à jamais.**

Cette méthode vous permettra de libérer votre esprit de tous souvenirs négatifs qui engorgeaient et bloquaient votre esprit peut-être depuis des années. Vous vous sentirez alors plus libre, plus léger que jamais. Bientôt, des idées riches et prospères toutes nouvelles rempliront l'espace que vos souvenirs négatifs occupaient auparavant. Ainsi, votre imagination créative peut vous attirer un bien nouveau.

Quelqu'un peut se joindre à vous

La coordination de groupe et les échanges d'idées ont fait grandement prospérer bien des gens. Lorsque deux personnes se mettent à réfléchir en toute harmonie sur un objectif, leur puissance spirituelle se décuple et elles libèrent beaucoup plus d'énergie et d'idées sur leur but commun. Jésus mentionnait cette puissance lorsqu'il affirmait: «*Si deux d'entre vous, sur la terre, unissent leurs voix, pour demander quoi que ce soit, cela leur sera accordée par mon Père qui est aux cieux.*» (Matt. 18:19)

Il suffit de vous entendre avec un ami ou un membre de la famille en qui vous avez confiance. Vous ne pourrez cependant libérer la puissance géniale du bien que si votre relation avec la personne à qui vous faites confiance est parfaitement harmonieuse et à condition que cette personne ne discute pas de votre problème ou de votre idée avec quelqu'un d'autre. En ces moments-là, votre force est vraiment *dans la tranquillité et dans la confiance.*

Il est bon de dire tout ce que vous avez à l'esprit à la personne à qui vous faites confiance, de vous décharger entièrement devant elle et de lui demander de vous aider par ses idées et ses prières. Bien souvent, le simple fait de discuter d'une situation avec une âme en qui vous avez confiance amène rapidement des idées toutes neuves, une nouvelle perspective de la situation et d'excellents résultats. Lorsque deux esprits s'accordent pour aspirer à un même but, ils semblent capter une puissance plus élevée, remplie d'idées plus élevées et d'une intelligence omniprésente qui leur révèle alors la façon adéquate de procéder.

Surmontez la dépression grâce à l'imagination créative

Lorsque vous vous sentez las, déprimé, découragé et que vous avez l'impression de ne plus pouvoir aller de l'avant, il est grand temps de vous servir de votre imagination créative. Allez parler à une personne sur laquelle vous pouvez décharger votre fardeau et permettez-lui de vous aider à retrouver une façon de voir toute fraîche, nouvelle, pleine de courage. C'est à ces moments-là que les autres peuvent raffermir votre confiance en vous alors que vous vous sentez incapable de le faire vous-même.

Je me souviens qu'une fois, il y a bien des années, l'une de mes collègues de travail *m'avait complètement démolie.* Elle m'avait dit que j'étais une vraie ratée, que je n'étais pas à la hauteur, que j'étais incapable de réussir et que j'étais en plein déclin. Ces mots me secouèrent durement car auparavant, elle m'avait encouragée dans toutes mes entreprises. Si je n'avais pas connu la méthode de l'imagination créative, je pense que j'aurais tout laissé tomber.

Mais je me rappelai qu'une seule personne m'aidant à nier chacune des pensées négatives qui m'avaient été adressées, pouvait entièrement retourner la situation. Peinée, je racontai dans tous les détails ce qui s'était passé à un ami en qui je pouvais avoir confiance et qui renversa alors chaque parole négative qui avait été dite sur moi. Cet ami déclara: «Voyons, tu sais que tu n'es pas une ratée. Tu as réussi bien souvent et tu vas continuer à réussir. Tu sais que tu en es capable et par-dessus tout, tu sais que tu n'es pas *en plein déclin*. Au contraire, tu es *en plein essor!*» Mon ami m'expliqua ensuite que les commentaires négatifs qui m'avaient été adressés n'étaient pas tellement importants. L'important, c'était la réaction qu'ils avaient provoquée en moi. Grâce à l'aide compréhensive de cet ami, je pus retrouver confiance en moi-même. En fait, dans toute cette histoire, la seule chose qui se grava dans ma mémoire fut sa déclaration joyeuse et positive: *Tu es en plein essor!* Je l'ai souvent affirmée avec joie.

Servez-vous de votre imagination créative au foyer

On entend beaucoup parler ces derniers temps de la technique de remue-méninges, qui est une méthode très élaborée d'utiliser l'imagination créative comme pouvoir de génie vers le bien. Des hommes d'affaires se réunissent pour discuter d'un objectif et, unissant leurs suggestions, ils arrivent souvent à des résultats étonnants. Une femme racontait récemment que la société pour laquelle son mari travaille utilise cette méthode. On présente un objectif, ou un plan; puis on demande à tous les *Thomas* du groupe d'exposer les raisons pour lesquelles la proposition serait irréalisable. Lorsque chacun a vidé son esprit de toute pensée négative quant à l'objectif en question, le chef de groupe déclare: «Maintenant, nous savons de quelle façon et pour quelles raisons nous ne sommes pas en mesure d'atteindre cet objectif. Mais ce n'est pas ce que nous désirons. Nous désirons *atteindre* cet objectif.» Il demande alors que l'on exprime des suggestions constructives à partir desquelles il élabore un plan visant à accomplir le projet.

Il existe une façon merveilleuse de libérer le pouvoir génial de l'imagination créative dans votre foyer: toute la famille se réunit et s'entend sur des objectifs communs. Souvent, les parents doivent travailler dur pour offrir de petits luxes à leurs enfants; mais si les enfants s'unissaient à eux pour réaliser de tels désirs, ils les atteindraient facilement, sans devoir se démener.

Je connais une famille qui agit ainsi. On demande à chaque enfant d'établir une liste de ses désirs. On demande également à chacun de faire une liste de désirs qui pourraient bénéficier à toute la famille. Il fut intéressant de constater avec quelle puissance l'entente des membres de cette famille sur ces objectifs et l'union de leurs pouvoirs spirituels ont su produire des résultats extrêmement satisfaisants.

Vos pouvoirs de génie exigent de l'harmonie

Dans les cas d'objectifs communs, vous jouissez d'une grande puissance de réussite tant que vous restez en harmonie avec ceux qui approuvent vos objectifs. Selon cette méthode, vous captez des idées et des pouvoirs plus élevés qui vous permettent d'accomplir votre objectif. Il vous suffit de réfléchir à un objectif de cette façon pour qu'il vous révèle lui-même de quelle manière il se réalisera, tant que vous persévérez à y concentrer toute votre attention.

Cependant, l'harmonie, l'accord, le consentement mutuel et l'objectif commun sont indispensables lorsqu'il s'agit de libérer l'imagination créative et de la transformer en puissance géniale au sein d'un groupe ou d'une corporation. Si une seule personne du groupe ne se trouve pas en harmonie avec votre objectif, cette personne peut remplir l'atmosphère de doute, de crainte et d'antagonisme, créant ainsi un milieu négatif qui entravera le courant des idées créatives. Pour libérer le pouvoir génial de l'imagination créative au sein d'un groupe, il vous faut choisir vos associés avec beaucoup d'attention.

Vos deux pouvoirs de génie - l'intuition et l'imagination

créative - agissent mieux dans des esprits harmonieux. Vos pouvoirs géniaux sont des pouvoirs délicats qui ne se manifestent que dans une atmosphère et un esprit réceptifs.

Il faut du silence

Votre intuition et votre imagination créative agissent avec efficacité dans une atmosphère d'isolement et de silence et plus spécialement pendant vos moments de détente et de repos. J'ai remarqué que mon intuition et mon imagination créative m'apportent souvent les meilleures idées et les meilleurs conseils juste avant que je me retire pour la nuit.

Un soir, j'étais tranquillement assise à la maison, détendue, à la fin d'une journée remplie. Mon fils était déjà couché et l'atmosphère était paisible. Soudain, je réalisai qu'il fallait absolument que je m'occupe d'une question financière; puisque je ne savais pas comment la traiter, je l'avais repoussée tout au fond de mon esprit. Mais voilà qu'elle resurgissait dans mes pensées et je m'aperçus que je devais absolument la résoudre dans les jours prochains.

Alors, je demandai: **Intuition divine, quelle est la vérité quant à cette question financière. Comment vais-je la régler?** En un éclair, toute une série d'idées précises surgirent dans mon esprit, me montrant dans tous les détails la façon de procéder. Cette procédure ne me semblait ni logique, ni raisonnable mais je l'observai néanmoins le lendemain. À mesure que je suivais mes conseils intérieurs, les étapes se développèrent logiquement et petit à petit, elles produisirent un résultat parfait.

Ne sous-estimez jamais le pouvoir de la tranquillité

Les instants de tranquillité, de réflexion, de paix au cours desquels votre esprit est détendu et en quelque sorte oisif, sont ceux qui permettent le mieux à vos pouvoirs intérieurs de se révéler à vous et de libérer à travers vous le vrai génie. Les gens qui courent toujours d'un air affairé et qui ne savent pas se ménager des moments de tranquillité, de paix et de réflexion doivent souvent travailler très fort. S'ils écoutaient plus souvent les suggestions de leur intuition, ils recevraient des idées riches, fraîches, intelligentes qui faciliteraient et enrichiraient leur vie.

Un homme d'affaires me racontait récemment les résultats merveilleux qu'il avait obtenus grâce à cette méthode. Selon les règlements de la société où il travaillait, il allait devoir prendre sa retraite; cependant, il ne se sentait nullement prêt à s'écraser dans une chaise berceuse. Il se mit alors à affirmer qu'un travail divin et satisfaisant allait s'ouvrir à lui. Comme il ne savait pas qui contacter pour trouver ce travail, il ne contacta personne. Il resta plutôt assis tranquillement dans son bureau pendant de longues heures, pensant: «Intelligence divine, quelle est la vérité quant au bon endroit où je dois servir?» Un jour, après être rentré de son déjeuner au Rotary Club, il s'assit tranquillement et se mit de nouveau à affirmer qu'il savait qu'il existait une solution divine à sa situation; qu'il existait pour lui un travail tout à fait nouveau et que la vérité sur ce travail était en train de lui être révélée.

Son assistant entra pour lui dire que quelqu'un avait téléphoné pendant son déjeuner et qu'il devait retourner l'appel. Il s'avéra que cette personne l'appelait pour lui offrir un poste similaire dans un autre état. La même semaine, il reçut par lettre une autre offre d'une autre société. De quelle façon ces deux firmes obtinrent son nom, il ne le sait toujours pas. Il n'avait parlé à personne de son désir de continuer à travailler. Un peu plus tard, il prit sa retraite, vendit sa maison et s'en alla travailler dans un autre état, à un poste qui lui réserve un avenir illimité.

Ces pouvoirs géniaux développent votre confiance en vous

En développant votre intuition et votre imagination créative, vous ressentirez et vous démontrerez une plus grande confiance en votre passé, votre présent et votre avenir. En résumé: Développez votre intuition *intérieure*, qui se manifeste sous forme de conseils «*oui*» et «*non*» que vous percevrez en observant les sentiments, les pressentiments et les idées qui surgissent du fond de vous. Développez votre intuition *extérieure* en observant les événements, les situations et les déclarations frappantes qui attirent votre attention, après avoir demandé à l'intuition divine de vous montrer la voie.

Développez votre imagination créative en imaginant le bien que vous désirez, en vous faisant une image mentale de votre passé, de votre présent et de votre avenir comme s'ils étaient parfaits; en parlant avec une personne à qui vous faites confiance et que vous inciterez à approuver les résultats que vous désirez; en formant un groupe d'imagination créative où vous inciterez les membres à s'accorder harmonieusement avec vous sur les résultats désirés. Il peut s'agir soit d'un groupe d'hommes d'affaires, soit de membres de votre famille, soit d'amis en qui vous avez confiance. Ces méthodes simples vous permettent de développer, de capter et de libérer les pouvoirs de génie qui vous attireront la prospérité.

Ne sous-estimez jamais vos pouvoirs de génie! Ils désirent travailler pour vous et vous amener un plus grand bonheur, plus de succès et plus de confiance en votre capacité de recevoir conseil à chaque étape du chemin de votre vie. Pourquoi ne pas les laisser faire? Pour cela, déclarez souvent: **Je rends grâces de ce que mes pouvoirs géniaux d'intuition et d'imagination créative sont maintenant libérés et de ce que j'accomplis avec bonheur ma destinée divine.**

CHAPITRE 15

Vos pouvoirs spéciaux
pour la prospérité

Dans notre ère spatiale, les pouvoirs profonds de notre esprit, qui sont demeurés latents à des époques précédentes, ressuscitent maintenant de façon plus générale au sein de l'humanité. Dans le monde scientifique, on appelle ces puissances profondes de l'esprit *la télépathie, la clairvoyance, la perception extrasensorielle générale, la prémonition* (ou préconnaissance) *et la psycho-kinesthésie*. Étudions un peu ces pouvoirs spéciaux de l'esprit non seulement d'un point de vue scientifique mais aussi en faveur de la prospérité.

La télépathie est un art de l'Antiquité

La télépathie, c'est la conscience des activités mentales d'autrui, sans que cette conscience soit transmise par la vue, l'ouïe, le toucher ou tout autre sens connu. Autrement dit, lorsque l'esprit communique avec d'autres esprits sans passer par un sens physique ou un appareil mécanique, ce transfert de pensée entre plusieurs esprits est appelé télépathie mentale.

La télépathie ne devrait pas sembler spectaculaire. Les indigènes hawaïens l'ont pratiquée pendant des siècles avant que l'homme blanc ne vienne les *civiliser*. À Tahiti, on s'est servi abondamment de la télépathie pendant plusieurs années. On sait qu'en Afrique, les nouvelles annonçant des décisions politiques arrivaient par télépathie des heures, et parfois même des jours, avant d'avoir été annoncées officiellement. Pendant des siècles, les prêtres et les chefs d'Orient ont également fait de la télépathie un exercice mental quotidien. De nos jours, le docteur J.B. Rhine de Duke University a accompli beaucoup pour rendre la télépathie scientifiquement vraisemblable.

La Bible en donne de nombreux exemples. Jésus n'hésitait certainement pas à se servir de ses pouvoirs télépathiques pour faire le bien. Lorsque la samaritaine lui dit: «*Je n'ai pas de mari*», Jésus lui répondit: «*Tu as raison de dire: Je n'ai pas de mari; car tu as eu cinq maris, et l'homme que tu as maintenant n'est pas ton mari. En cela, tu dis vrai.*» (Jean 4: 17,18)

En vous concentrant plus sur le sujet et en vous exerçant, vous pourrez développer des qualités télépathiques plus qu'accidentelles.

Si vous savez bien la développer, la télépathie pourra vous apporter une vie pleine de succès et de prospérité bien plus rapidement. Cependant, ce pouvoir spécial n'est qu'une phase de vos pouvoirs de prospérité. Ne vous laissez pas fasciner par la télépathie au point d'en «*perdre la tête*» et d'en oublier tous les autres pouvoirs vers la prospérité.

Comment développer la télépathie

Dans le passé, les gens n'ont généralement pas considéré ces pouvoirs spéciaux très sérieusement et ceci provient peut-être d'un fait que j'ai souvent observé: les gens dotés de qualités télépathiques et clairvoyantes semblent souvent déséquilibrés et manquent totalement de sens pratique. Mais vous pouvez, et vous devriez, développer vos pouvoirs spirituels spéciaux dans un autre but: dans le but de rendre votre vie plus équilibrée, plus prospère et y apporter plus de succès. Vous pourrez profiter de vos pouvoirs spéciaux en suivant de très près les suggestions présentées dans ce chapitre. Pour cela, affirmez positivement: **La télépathie divine me révèle maintenant tout ce qui concerne mes pouvoirs spéciaux de prospérité.**

Lorsque vous désirez prendre contact avec quelqu'un pour votre bien commun et que, peut-être, il ne vous est pas commode de le faire extérieurement, vous pouvez atteindre cette personne par télépathie en affirmant: **La télépathie divine nous révèle maintenant à toi et à moi toute la vérité sur la situation présente.**

Il n'y a pas longtemps, il m'arriva de désirer entrer en contact avec une amie d'enfance que je n'avais plus revue depuis des années. J'avais entendu dire qu'elle s'était mariée et qu'il y avait eu beaucoup de changements dans sa vie depuis la dernière fois que nous nous étions vues mais je n'avais aucune idée de l'endroit où elle pouvait se trouver. En faisant un effort et avec un peu de temps, j'aurais peut-être pu la retracer mais le besoin n'en était pas si urgent. Néanmoins, j'avais vraiment envie de la revoir. Plusieurs fois, lorsqu'il m'arrivait de penser à elle, je songeais: **La télépathie divine devra se charger d'entrer en contact avec elle pour moi, car je ne sais pas où elle se trouve.** Une dizaine de jours plus tard, je sursautai en apercevant dans mon courrier une lettre de cette amie dans laquelle elle répondait à toutes les questions que je m'étais posées à son sujet et me donnait sa nouvelle adresse.

Il nous arrive souvent, au milieu d'une journée affairée, de ressentir des besoins dont nous n'avons pas le temps de nous occuper immédiatement. Si vous pensez aux personnes concernées et que vous les bénissez en pensant que la télépathie divine leur révèle tout ce qu'elles doivent savoir, elles recevront vos pensées par télépathie et se mettront alors à prendre les mesures appropriées.

La télépathie est une puissance conciliante

En développant votre pouvoir de télépathie, vous éviterez les conversations, les appels téléphoniques, les lettres et autres activités fatigantes, inutiles qui font souvent perdre tant de temps. Votre qualité télépathique vous permettra de garder votre calme et d'accomplir avec plus de facilité vos tâches les plus importantes.

Une femme d'affaires devait terminer un travail pour une date précise. La veille de l'échéance, elle se heurta à un besoin urgent d'aide technique. Elle savait exactement qui allait pouvoir l'aider mais cette personne n'était pas à la maison et elle ne savait pas du tout où l'atteindre le soir. La femme d'affaires hésitait à chercher son amie car elle craignait de la déranger en lui demandant de travailler si tard. Finalement, elle décida de ne pas chercher à atteindre son amie, se disant calmement: «Si elle doit m'aider, la télépathie divine le lui révélera. Autrement, je remercie Dieu dès maintenant de m'apporter une solution à cette situation.»

Quinze minutes plus tard, le téléphone sonnait et son amie lui disait: «Je suis en train de dîner dans un restaurant en ville. J'ai l'impression que tu as besoin de mon aide ce soir. Si c'est le cas, je suis libre et je serai très heureuse de travailler avec toi.» Une demi-heure plus tard, les deux femmes s'affairaient pour terminer le travail.

Se trouvant en grandes difficultés, un pasteur désirait parler à l'un de ses meilleurs amis qui avait déménagé à l'autre bout du pays. Il se disait sans cesse: «Si au moins je pouvais parler de ma situation avec cet ami, je me sentirais tellement mieux. Il pourrait m'aider à la contempler sous un angle nouveau.»

Le lendemain matin très tôt, à l'autre bout du pays, l'autre homme se réveillait en pensant à son ami le pasteur. Au bout d'un moment, il pensa: «J'ai vraiment envie de bavarder avec lui». Alors il lui téléphona et le pasteur s'exclama: «C'est vraiment incroyable. Je dois prendre une décision aujourd'hui et je ne cessais de penser qu'en en parlant avec toi, je réussirais à résoudre la situation. J'hésitais à t'appeler ou à t'écrire, parce que je n'ai déjà que trop abusé de ton aide dans le passé.» Puis ils se mirent à discuter du problème et ils arrivèrent à une solution satisfaisante.

Nous avons tous des pouvoirs de télépathie

Nous avons tous des qualités télépathiques. Il s'agit tout simplement de s'en rendre compte puis de développer ces qualités d'une façon constructive. Bien entendu, comme pour tout autre pouvoir, vous ne devez jamais vous servir de vos qualités télépathiques pour forcer ou induire les autres à adopter votre ligne de pensée et d'action. Ce serait une chose destructive qui ne vous apporterait que des expériences destructives.

Il n'y a pas longtemps, on me parlait d'un homme qui s'était tellement laissé fasciner par ses profonds pouvoirs spirituels qu'il avait concentré tous ses efforts à les développer. Puis il s'était mis à s'en servir d'une façon égoïste, pour forcer les autres à faire ce qui lui plaisait. Dans plusieurs cas, il troubla bien des gens mentalement et émotionnellement avant que l'on découvre son petit manège.

Si vous vous servez de vos pouvoirs mentaux d'une façon égoïste et destructive, ils diminueront. Non seulement y perdrez-vous, mais si vous essayez d'en abuser ou de mal vous en servir sur autrui, certains effets négatifs retomberont sur votre personne. Dans le cas de cet homme, ses affaires personnelles s'embrouillèrent et sa santé commença à s'altérer. Un autre homme, qui lui aussi se servit de façon négative sur autrui de son pouvoir spirituel, tomba dans la dépression, puis dans l'alcoolisme et finit à l'asile psychiatrique. On évitera toute destruction mentale en affirmant que la télépathie divine révèle tout ce qui est nécessaire au plus grand bien des personnes concernées.

Vous pouvez donc utiliser cette affirmation pour développer vos qualités télépathiques; de plus, vous pourrez le faire en pensant à toute situation, personne ou condition qui vous cause quelque problème. En fait, écrivez le nom de la personne en question ainsi que le problème qu'elle vous pose. Vous vous attarderez alors chaque jour devant le nom de cette personne, pensant à elle et vous posant mentalement la question problématique; puis, dans la tranquillité, écoutez les idées qui surgissent à votre esprit et qui vous révéleront la réponse. Si la réponse ne vous arrive pas à ce moment-là, il se peut très bien qu'un peu plus tard, elle traverse votre pensée comme un éclair lorsque vous y ferez le moins attention. Si cela ne se produit pas, continuez cet exercice chaque jour et vous recevrez par télépathie tout ce qu'il vous faudra savoir. Il s'agit tout simplement d'une méthode à exercer chaque jour et qui saura vous apporter la vérité d'une façon bien plus simple, moins fatigante et plus rapide que toute méthode ordinaire. Cette méthode vous révélera les attitudes et les motifs réels d'autrui que vous n'aviez jamais remarqués auparavant.

Votre second pouvoir spécial

La clairvoyance est votre second pouvoir spécial capable de vous attirer la prospérité. Littéralement, ce mot signifie *voir clair* et il indique que vous avez conscience de faits ou d'événements extérieurs sans que cette connaissance vous ait été transmise par l'un de vos cinq sens. Il peut s'agir d'événements passés, présents ou futurs. Cependant, les savants ont nommé une phase de la clairvoyance *préconnaissance* ou *prémonition* d'événements à venir.

En tout temps, les membres du clergé ont appris à développer leur clairvoyance. Les peuples des civilisations antiques de la Chine, de l'Égypte, du Mexique et même les premiers Amérindiens ont cherché à développer cette conscience des événements qui se passent à distance.

La Bible témoigne des pouvoirs de clairvoyance de l'homme. Jésus aperçut Nathanaël avant que ce dernier n'arrive en sa présence alors que le Maître méditait sous un figuier. (Jean 1:47). Ceci prouve de façon certaine que l'esprit ouvert, réceptif et croyant est en mesure de voir des choses surgir de l'invisible dans le royaume visible lorsqu'il le fait dans un but positif. Pour développer la clairvoyance, il s'agit de reconnaître que l'on désire élever sa conscience des faits et des événements extérieurs par notre nature divine seulement. On ne veut certainement pas se sensibiliser à ces couches de la pensée humaine, dans lesquelles flottent des idées négatives de guerre, de crime, de maladie et autres obsessions destructives.

J'ai connu une femme qui avait développé ses qualités de clairvoyance de cette façon négative. Le fait de capter de telles idées et conditions négatives la détruisit et la déséquilibra. Finalement, son mari la laissa, ses enfants lui furent enlevés, sa santé s'altéra et elle s'en retrouva émotionnellement détruite.

Il s'agit pour vous de développer votre conscience clairvoyante pour le bien seulement. En affirmant le développement de vos pouvoirs divinement clairvoyants, vous grandirez spirituellement et vous serez amené à contribuer au bien-être d'autrui.

Un certain nombre de rapports élaborés récemment parlaient de clairvoyants auxquels furent révélés des événements négatifs. On ne s'étonne donc plus que le public ait écarté toute idée de clairvoyance parce qu'il ne désire pas s'impliquer dans les problèmes mondiaux, puisqu'il en a déjà bien assez des siens!

La conscience clairvoyante d'événements négatifs seulement encombre l'esprit et vous empêche d'être mentalement réceptif aux choses positives, progressives et prospères de la vie. De plus, il n'est pas nécessaire de *capter* les courants de pensées négatives. Lorsque votre clairvoyance vous révèle leur probabilité, vous pouvez vous servir de votre puissance mentale du «*non*» pour les dissoudre plutôt que de les accepter en vous persuadant qu'ils sont inévitables.

Laissez la clairvoyance vous guider

Lorsque vous cherchez conseil pour quelque problème d'affaires et que vous désirez recevoir une certaine connaissance de faits ou d'événements extérieurs le concernant, faites-le de la façon suivante: tout comme Jésus sous son figuier, méditez, en toute tranquillité, incitant votre esprit à écouter. Puis, laissez la pensée suivante s'introduire doucement dans votre esprit: **La clairvoyance divine me révèle maintenant toute la vérité sur cette situation, cette condition, cet événement, autant dans le passé que dans le présent.**

Lorsque vous désirez prendre connaissance de certains faits ou de certains événements, déclarez dans votre méditation: **la clairvoyance divine me révèle maintenant toute la vérité quant à ces faits ou ces événements spécifiques.** Puis revoyez doucement chacune de ces questions spécifiques, pour autant que vous puissiez les comprendre. Votre esprit absorbera la pensée de chaque question, absorbera également l'idée que la clairvoyance divine vous révèle toujours plus clairement la vérité sur cette question et tout d'un coup la vérité vous illuminera. Certains événements extérieurs compléteront alors les impressions mentales que vous aurez reçues sur les questions.

Une technicienne en milieu médical s'était rendu compte qu'elle pouvait développer ses qualités de clairvoyance et elle avait déclaré positivement que la clairvoyance divine lui révélait tout ce qu'elle devait apprendre. Elle se préparait à partir en voyage et préparait de nouveaux vêtements pour son départ. Un soir, alors qu'elle méditait, pensant à une robe de lin adorable qu'elle désirait pour le voyage, elle affirma positivement: *La clairvoyance divine sait où se trouve cette robe et me conduit vers elle, s'il est bon pour moi de l'avoir.*

Le lendemain, une amie lui téléphona d'un grand magasin du centre-ville et lui dit: «*Il y a ici une robe adorable. Quand je l'ai vue, j'ai pensé à toi*». Deux heures plus tard, la technicienne terminait son travail et s'arrêtait au magasin. Mais on lui annonça que quelqu'un avait déjà acheté la robe. Sachant que par la clairvoyance elle avait déjà vu la robe, elle ne se troubla point. Elle dit d'un ton nonchalant: «*Si cette robe doit m'appartenir, je l'aurai. Sinon, j'en trouverai une semblable.*»

Le lendemain, son amie la vendeuse la rappela pour lui dire: «*La cliente est venue rendre la robe de lin. Elle est là dans la penderie et je vais te la mettre de côté si tu veux venir la voir.*» Un peu plus tard, elle achetait avec joie la robe en question qui était identique à celle qu'elle avait vue dans sa méditation le jour d'avant.

En développant vos pouvoirs spirituels profonds qui sont pour vous des serviteurs obéissants et qui adorent travailler pour vous, vous vous rendrez compte que vous n'aurez pas besoin de faire tant d'efforts physiques pour atteindre les bons résultats. Cette vérité me fut révélée récemment lorsque je reçus, un matin très tôt, un appel interurbain m'annonçant que le plan de ma journée avait changé. Il me fallait faire un voyage imprévu de plusieurs centaines de kilomètres. D'instinct, je me dis que je n'avais aucune envie de faire ce voyage; qu'il ne convenait pas du tout à l'horaire que j'avais établi pour cette journée-là, et que je n'avais aucune envie de conduire seule. Puis, me rappelant la méditation, j'affirmai: *La clairvoyance divine me révèle maintenant la vérité sur cette expérience.* Je fus alors envahie d'une sensation paisible, harmonieuse, en pensant à ce changement imprévu dans mes plans.

Un peu plus tard ce matin-là, une de mes amies entra dans mon étude et me dit: «*Me voilà; je pars en voyage avec toi.*» Surprise, je lui demandai: «*Comment savais-tu que j'allais faire ce voyage aujourd'hui? Je viens de l'apprendre moi-même, il y a à peine quelques minutes.*» Mon amie me répliqua que, dans sa méditation du matin, elle s'était senti obsédée par le fait qu'elle allait faire un voyage avec moi. Connaissant la puissance des pensées, elle avait modifié ses plans. Plus tard, en parlant avec ma secrétaire, elle avait appris que je devais faire un voyage imprévu. Non seulement m'accompagna-t-elle, mais elle conduisit elle-même et mon voyage fut des plus agréables.

La clairvoyance vous apporte la solution

Un homme d'affaires se trouvait en conflit avec deux autres hommes d'affaires. Il avait essayé par tous les moyens de régler la dispute mais en vain. Un soir, alors qu'il parlait avec un ami par téléphone de cette situation confuse, il déclara qu'il avait fait tout ce qui était en son pouvoir et qu'il se préparait à laisser la situation se régler d'elle-même. Vers la fin de la conversation, il vit dans son esprit, comme un éclair, le visage de l'un des hommes impliqués dans la querelle. Son intuition lui souffla que cet homme allait lui rendre visite dans un jour ou deux pour régler la querelle. Sans faire part à quiconque de cet éclair de clairvoyance, il affirma: **La clairvoyance divine se révèle à toutes les personnes impliquées pour produire une solution parfaite et harmonieuse.**

Deux jours après, tard dans l'après-midi, rentrant dans son bureau à la fin d'une réunion d'affaires, il trouva ce même homme qui l'attendait pour le voir! L'homme le salua cordialement et lui dit: «J'ai eu l'impression que si nous pouvions tout simplement nous réunir et parler, nous réussirions à régler notre conflit». Et ils y réussirent à ce moment même.

L'une de mes amies parle souvent des qualités de clairvoyance de son gendre. Ce dernier sait toujours lorsque quelque chose ne va pas à la maison. Souvent, il arrête tout au milieu de sa journée d'affaires et téléphone à sa femme. D'autres fois, il dit à sa secrétaire: «Ne me dérangez pas car ma femme va m'appeler pour quelque chose d'important.» Son intuition s'est toujours révélée juste.

La clairvoyance dissout le passé

Comme nous l'avons affirmé plus haut, la clairvoyance révèle des événements actuels qui se passent à distance; mais elle peut également révéler des événements passés, s'ils s'avèrent importants pour le présent. Je connais deux personnes, un homme et une femme, qui ont le pouvoir de clairvoyance pour *voir* dans le passé. À chaque fois, ils assurent les gens qui vont leur demander de l'aide qu'ils ne voient le passé d'une personne que si cette expérience peut aider la personne en question à se libérer de son passé. L'homme a souvent su décrire en détails à quelqu'un des actions passées qui se rapportent à quelque problème actuel.

Vous pouvez vous aussi développer cette phase de la clairvoyance pour votre bien, en déclarant sur toute situation que le passé semble rendre mystérieuse ou incertaine: **Clairvoyance divine, révèle-moi la vérité passée et présente quant à cette situation.** Vous serez surpris alors de voir que tout événement passé que vous devez connaître vous réapparaîtra.

Un homme qui avait vécu une enfance malheureuse, réalisa soudain que pour le bien de certains événements à venir, il lui fallait retourner dans sa ville natale qu'il n'avait plus visitée depuis des années. Il se demandait quel accueil l'attendait là-bas. Puis il se dit que la clairvoyance allait le préparer à l'avance à cette réaction s'il demandait qu'on lui montre ce qui l'attendait. Il se mit à affirmer sur les événements passés et présents: **Clairvoyance divine, révèle-moi la vérité présente et passée sur cette visite. Que pensent les gens de mon passé?**

Envahi d'une sensation de paix quant à la situation, il chassa le problème de son esprit. Quelques jours plus tard, il recevait une lettre d'un ami de sa ville natale dont il n'avait plus entendu parler depuis des années. Son ami lui écrivait joyeusement: «*Il n'y a pas longtemps, j'ai rencontré l'un de tes parents dans la rue. Je lui ai demandé de tes nouvelles puisque je n'ai plus entendu parler de toi depuis des années. Il m'a raconté avec joie tout ce que tu avais accompli, ainsi que ton intention de venir bientôt nous rendre visite. Quand il m'a raconté tout ce que tu fais, je me suis senti si heureux que je n'ai pas pu m'empêcher de le redire à tous tes vieux amis. Mon cher ami, ils veulent que tu saches à quel point ils sont heureux pour toi et ils attendent tous ta visite avec impatience!»*

Vous vous êtes peut-être servi de votre clairvoyance sans le savoir, en recherchant quelque chose que vous aviez perdue. Vous restiez très tranquille pour vous concentrer sur l'objet égaré. Tout d'un coup, comme un éclair, l'endroit où l'objet se trouvait vous traversait l'esprit.

Votre troisième pouvoir spécial

Vous possédez un troisième pouvoir spécial qui saura vous attirer prospérité et succès: la perception extrasensorielle générale. Elle s'allie à la télépathie qui vous dévoile les pensées d'autrui, à la clairvoyance qui vous révèle des faits ou des événements. Nous avons presque tous, une fois ou l'autre, utilisé jusqu'à un certain point ce pouvoir spirituel spécial.

Par exemple, un conférencier se préparait à se rendre dans une province très éloignée où un ami l'avait invité à parler en public. Il fixa une date et élabora quelques plans. Quelques semaines avant son départ, le conférencier commença à se sentir envahi d'une sensation désagréable lorsqu'il pensait au voyage et il se demanda s'il était sage de s'y lancer. Dans ses méditations, il affirma: **Perception divine, révèle-moi la vérité sur ce voyage. Devrais-je partir, ou non?**

En méditant sur la situation, il sentit qu'il émanait de cette ville une grande hostilité. Il avait l'impression que quelqu'un, dans la ville où il devait faire son discours, s'opposait personnellement à lui et ne voulait pas l'y voir arriver. Tout ceci semblait absurde mais il finit par écrire à son ami pour lui exposer ses impressions étranges. Bien entendu, son ami lui répondit immédiatement qu'il devait faire erreur, qu'il n'y avait aucune hostilité et que tout le monde là-bas attendait avec impatience la conférence qu'il allait donner. Mais, inflexible, le conférencier annula son voyage. Il causa ainsi un froid entre lui et son ami pendant un certain temps mais il se sentait soulagé.

Par la suite, chaque fois qu'il repensait à cette situation, le conférencier affirmait: **Perception divine, révèle à toutes les personnes impliquées la vérité sur cette situation. S'il y a de**

l'hostilité, dévoile-la. Environ six mois plus tard, il reçut une lettre provenant de la ville où il devait donner cette conférence. Il s'agissait d'un billet anonyme d'une écriture qu'il ne connaissait pas, exprimant des propos hostiles sur son ami. Il posta le billet non signé à son ami qui reconnut l'écriture de l'un de ses amis. Il semblait que l'auteur du billet était jaloux de l'amitié qui liait les deux hommes. On apprit plus tard que, peu de temps après avoir posté son billet hostile, cette personne était déménagée. Le conférencier put ainsi donner son discours tel que prévu à l'origine.

Comment développer la perception extrasensorielle

Nous avons tous fait preuve de perception extrasensorielle une fois ou l'autre. Avez-vous déjà eu l'impression que quelque chose de merveilleux allait vous arriver et peut-être même saviez-vous déjà de quoi il s'agissait? N'avez-vous jamais eu à d'autres occasions la sensation que quelque chose de déplaisant allait vous arriver, sensation qui vous troublait, vous inquiétait?

Dès que vous sentez que quelque chose de bien va vous arriver, vous avez le pouvoir et l'autorité de l'aider à se manifester de façon parfaite; il vous suffit de penser: **Je bénis le résultat parfait qui va s'exprimer, avec l'aide de la perception divine.** D'un autre côté, lorsque vous avez l'impression que quelque chose de négatif va vous arriver, consacrez quelques instants de tranquillité à dissoudre cette sensation en déclarant: **Dissous-toi, avec l'aide de la perception divine.** Puis, pensez-y comme si elle était déjà dissoute jusqu'à ce que vous en sentiez le fardeau ou l'inquiétude s'évanouir.

Vous ne savez peut-être pas exactement ce que vous dissolvez mais si cette expérience vous rend mal à l'aise, vous trouble, vous laisse une sensation négative, vous pouvez être sûr qu'elle ne travaillera pas à votre plus grand bien. Vous avez le pouvoir de la dissoudre mentalement car tous les problèmes prennent naissance dans le royaume de l'esprit. En utilisant ce pouvoir spécial, vous pouvez avorter bien des expériences malheureuses si vous avez le courage de consacrer le temps voulu à leur dire «*non*» et à les neutraliser.

Un homme d'affaires était en voyage de plaisance avec son épouse. Tôt un matin, alors qu'ils se préparaient à s'engager dans les quelque 800 kilomètres de route qu'ils avaient prévus pour cette journée-là, le mari se leva avec un sentiment de malaise, d'appréhension. Sans se rendre compte que sa perception extrasensorielle tentait de l'empêcher de s'engager dans ce long voyage, ils se mirent en route. À quelques kilomètres de là, ils eurent un accident au cours duquel lui, son épouse et une tierce personne furent sérieusement blessés. L'homme d'affaires me confia plus tard que s'il avait su comprendre la signification de son sentiment de malaise, il aurait pu éviter l'accident.

Votre quatrième pouvoir spécial

La préconnaissance, ou prémonition, est un autre pouvoir spécial qui saura vous attirer le succès. La clairvoyance est une connaissance d'événements passés ou présents qui surviennent à une certaine distance; la préconnaissance est une phase de la clairvoyance qui vous dévoile les événements à venir sans se servir d'agents de communication physiques. Elle vous dévoile parfois l'action d'événements à venir par des rêves, des éclairs d'inspiration ou des périodes de méditation.

Je connais un enfant qui a souvent pu prédire des événements de sa vie pour la semaine suivante. Une fois, il vint me voir pour me demander: «Comment se fait-il que je sache tout ce qui va se passer la semaine prochaine?» Je lui suggérai d'écrire tout ce qu'il prévoyait puis de revenir une semaine plus tard pour en discuter.

En lisant ses notes, je m'aperçus que rien de vraiment extraordinaire ne s'était passé. Il avait pu prédire quelle somme d'argent ses parents allaient lui donner. Il avait vu d'avance certains événements qui allaient arriver à l'école du dimanche ainsi que le résultat de certaines compétitions sportives à l'école. Il avait même pu prévoir le nombre de cornets de crème glacée qu'il allait acheter cette semaine-là! Un soir, il ne s'était pas fatigué à étudier pour un examen, affirmant qu'il savait déjà qu'il allait obtenir 94; et c'est ce qui arriva.

Au cours de sa deuxième visite, il me déclara qu'il ne pouvait pas toujours prédire avec une semaine d'avance, bien que souvent il puisse le faire d'un jour à l'autre. Je lui suggérai de ne discuter de son pouvoir de préconnaissance clairvoyante avec personne, mais d'affirmer souvent: **La préconnaissance divine me facilite la voie vers le succès. Je sais tout ce que je dois savoir au moment où il est bon que je le sache, pour mon plus grand bien.** Je l'assurai qu'il n'était aucunement différent des autres ni anormal et que son talent de prédictions d'événements de la vie quotidienne était un pouvoir très spécial dont tout le monde était doté mais que très peu de gens avaient su développer.

Il fut émerveillé d'apprendre que s'il venait à prédire quelque événement futur qui lui semblait négatif, il pouvait le dissoudre mentalement en lui disant «*non*». À plusieurs occasions, il réussit à renverser mentalement ce qui aurait dû être une expérience malheureuse en pensant: «*Non, je n'accepterai pas que ceci m'arrive. Je n'accepte que ce qui travaille à mon plus grand bien.*» Puis il se mettait à penser aux résultats qu'il désirait vraiment obtenir.

Une mère de famille que je connais affirme qu'elle doit toujours faire très attention de ne pas gagner à tous les jeux de cartes auxquels elle joue avec ses amies. Son talent de prédiction des résultats lui a souvent dévoilé quelles cartes les autres tenaient et quels allaient être les résultats finals.

Développez tranquillement ce pouvoir

Lorsque vous recevez des impressions ou des éclairs sur des événements et des résultats à venir, au lieu de courir vers d'autres gens pour discuter de vos prédictions, demandez tranquillement conseil quant à ces prédictions. Une mère de famille pressentit que le mari de sa voisine allait mourir dans quelques mois. Après avoir prié pour demander si elle devait le dire à sa voisine, elle se sentit poussée à le faire pour lui expliquer la raison du changement de comportement de son mari; la voisine fut des plus reconnaissantes d'avoir été avertie car elle aussi avait l'impression que son mari arrivait au terme de sa vie et qu'il s'en rendait peut-être compte lui-même. Elle fut alors en mesure d'amener bien plus de bonheur dans les derniers mois de la vie de son mari et le choc de sa mort ne la terrassa pas.

Les rêves nous dévoilent souvent les événements à venir. Cependant, au lieu de vous laisser aller à une analyse excessive de votre rêve, vous pouvez en recevoir la signification véritable en demandant: **Intelligence divine, quelle est la vérité sur ce rêve? Que signifie-t-il?**

Voici ce que l'on écrit sur Charles Fillmore, agent immobilier qui fut co-fondateur de Unity:

> Tout comme Joseph et Daniel, Charles Fillmore avait l'impression que Dieu se manifestait à lui en rêves et en visions pendant la nuit pour lui révéler en grande partie la vérité sur laquelle il écrivait et parlait. Il regardait toujours vers l'avant. Il prédit l'avènement de la radio et en parla dans ses sermons et dans ses articles. Il prédit que l'on allait pouvoir diviser l'atome pour en obtenir une source de puissance.

Le Bible est pleine d'exemples de préconnaissance. Par exemple, un rêve avertit les Rois Mages de ne pas retourner auprès d'Hérode après avoir vu l'enfant Jésus mais de rentrer chez eux par un autre chemin. (Matt. 2:12) Les premiers Chrétiens recevaient régulièrement leurs instructions par les rêves et c'est ainsi qu'ils réussirent à répandre la Bonne Nouvelle chrétienne au-delà des mers.

Votre cinquième pouvoir spécial

Le cinquième pouvoir spécial qui vous apportera la prospérité est la psycho-kinesthésie; il s'agit de l'influence directe qu'exerce une personne sur un objet physique sans se servir d'énergie ou d'instruments intermédiaires physiques. Dans des recherches scientifiques, on s'est servi de ce pouvoir pour influencer mentalement la retombée des dés.

En pensant à des objets physiques, vous pouvez les influencer pour le bien. Dans le domaine de la prospérité, vous pouvez mentalement influencer votre porte-monnaie, votre compte en banque, vos investissements, vos vêtements, vos automobiles, ainsi que les édifices et la région dans lesquels vous travaillez et vivez. En fait, pensée par pensée, vous moulez constamment votre monde extérieur.

Vos pensées influencent les objets inanimés

Les objets *inanimés* ont le pouvoir de réagir à vos bonnes pensées surtout lorsque vous pensez richesse car, remplis d'intelligence divine, ils semblent *savoir* que vous pensez à eux. Lorsque l'un des objets qui vous entourent *fait des siennes,* faites-le profiter de votre bénédiction en lui envoyant de bonnes pensées plutôt que de le critiquer.

Je connais une histoire à propos d'une machine à écrire électrique toute neuve qui n'a jamais bien fonctionné parce que le patron qui l'avait achetée ne voulait pas vraiment que son employée ait cette machine à écrire; il lui trouva toujours un défaut, après l'avoir achetée à contre-coeur.

Tout ce qui fait partie de votre monde est plein d'intelligence, même ce qu'on appelle les objets inanimés. Traitez-les d'une façon intelligente si vous désirez en obtenir des résultats intelligents et harmonieux. Une maîtresse de maison affirme souvent que son argent lui profite beaucoup plus lorsqu'elle se fait belle pour aller à l'épicerie. On a presque l'impression que la substance et l'intelligence que contiennent les produits d'épicerie sur les tablettes l'attirent avec reconnaissance et se décuplent pour elle, la remerciant de ses pensées et de son apparence riches.

Une autre maîtresse de maison raconte qu'elle a utilisé la psycho-kinesthésie pour influencer directement les objets physiques et les attirer à elle. Pendant des années, son mari et elle ont dû trimer dur pour réussir à payer leurs factures d'épicerie. L'immense clan familial qui venait régulièrement leur rendre visite *nettoyait* souvent leur garde-manger. Ils adoraient leur famille mais ils pouvaient à peine se permettre d'accepter ces visites! Un jour, cette femme décida que son pouvoir spécial de psycho-kinesthésie devait d'une façon ou d'une autre lui permettre d'attirer les produits d'épicerie pour satisfaire à ses besoins croissants. Elle se mit à réfléchir à un moyen d'influencer et d'attirer la bonne nourriture dans sa cuisine grâce à ce pouvoir spécial de l'esprit.

Elle pensa doucement à des produits d'épicerie de toutes sortes, ainsi qu'à leur provenance. Elle pensa à des fruits de mer qui, de chez le pêcheur, passaient au marché, puis chez elle. Elle pensa au bétail dans les champs qui, de la camionnette du fermier, finissait chez elle. Elle se fit des images de légumes, de produits en boîte, de produits surgelés, de pains, de pâtisseries et autres aliments, tout en remerciant les innombrables personnes qui préparaient pour elle tous ces bons produits nutritifs. Elle imagina toutes sortes d'aliments, les voyant arriver en abondance dans sa cuisine sans jamais penser au fardeau financier ni à des limites d'approvisionnement.

Suite à cela, à chacune de leur visite, les membres de la famille apportèrent en cadeau de la nourriture excellente: des fruits de mer frais de la côte; du pain, du beurre, du lait et autres produits laitiers; des pâtisseries et ainsi de suite. Elle n'eut plus jamais à s'inquiéter de ses factures d'épicerie ni de la provenance de ses provisions. Elle a presque l'impression que les différents produits alimentaires savent qu'elle les aime et qu'elle les apprécie et qu'ils ont tendance à se précipiter vers elle en abondance dans leur qualité la meilleure et la plus avantageuse.

Tout reflète votre attitude

Lorsque vous parlez négativement de vos affaires financières, vous faites mauvais usage de votre pouvoir spécial de psycho-kinesthésie. Jésus se servit de ce pouvoir spécial pour faire dessécher le figuier dans le but de prouver l'effet des mots sur les objets physiques. Mentalement et verbalement, vous influencez tout ce qui fait partie de votre monde. Un homme d'affaires racontait récemment sa façon d'apprécier un magnolia qu'il avait acheté pour son jardin de fleurs. Ses amis lui dirent que le magnolia ne fleurirait pas avant sept ans. Désirant pouvoir admirer les belles fleurs du magnolia et jouir de leur parfum, il imagina constamment la beauté de son arbre, l'arrosant avec autant d'amour et d'appréciation que possible. Au bout de quatre ans seulement, son magnolia était tout en fleurs!

Ne parlez jamais d'un objet d'un ton méprisant. N'appelez jamais un vêtement ou un meuble *ce vieux truc,* à moins que vous ne désiriez qu'il s'use et qu'il s'évanouisse rapidement de votre monde. Souvenez-vous que toutes les choses qui vous entourent reflètent votre attitude vis-à-vis d'elles et qu'elles réagissent en conséquence.

Je me souviens du jour où je visitai une dame qui avait toujours de belles pensées très élevées. Elle respectait hautement le bien et le milieu dans lequel elle vivait resplendissait de beauté et d'élégance. Un an plus tard, je retournai à ce même endroit mais elle n'était plus là. J'y retrouvai les mêmes meubles, les mêmes rideaux et toutes les autres choses étaient à leur même place mais elles semblaient avoir perdu leur beauté resplendissante. Certains meubles semblaient plutôt tristes et miteux. Je réalisai bien vite qu'ils n'avaient pas pu s'user à la corde en un an. Les belles pensées d'appréciation de cette femme élégante avaient littéralement entretenu la beauté de l'ameublement.

Pour irradier une atmosphère de beauté, vous pouvez vous servir de la belle prière suivante: **Je fais un avec le Dieu toutpuissant. Le cadre dans lequel je vis brille d'une beauté radieuse, d'une richesse radieuse et d'un bien radieux.**

La psycho-kinesthésie agit partout

Vous avez souvent senti la puissance de la psycho-kinesthésie dans différents cadres dans lesquels vous entriez. Ces endroits vous ont communiqué soit de l'harmonie, soit du déplaisir. Les gens qui sont les plus actifs au sein d'un milieu particulier influencent directement les objects physiques qui s'y trouvent par leurs pensées et leurs paroles d'harmonie ou de discorde et vous pouvez en sentir et en voir le résultat.

Voici comment Charles Fillmore décrit la façon dont on peut utiliser adéquatement le pouvoir de la psycho-kinesthésie dans le but de faire du bien:

En bénissant la substance, on en accroît l'afflux. Si votre provision d'argent est basse ou que votre portefeuille est vide, prenez-le entre vos mains et bénissez-le. Voyez-le déjà rempli de la substance vivante prête à se manifester. En préparant vos repas, bénissez les aliments par la pensée spirituelle. En vous habillant, bénissez vos vêtements et soyez conscient que vous êtes constamment revêtu de la substance de Dieu. Plus vous serez conscient de la présence de la substance vivante, plus elle se manifestera à vous et plus vous enrichirez le bien commun de tous.

Croyez en vos pouvoirs spéciaux

Hésitez-vous à croire que vous êtes doté de ces pouvoirs spéciaux qui vous attirent la prospérité? Nous vivons maintenant dans l'ère la plus éclairée que le monde ait jamais connue. On a dit que les hommes avaient accompli plus de progrès sur notre planète au cours de ces cent dernières années qu'en dix mille ans d'antiquité! Jésus nous a promis que, lorsque l'*esprit* de la *vérité* serait arrivé, il nous guiderait vers toute la vérité. Nous vivons justement à l'époque où la vérité sur Dieu, sur l'homme et sur l'univers est exploitée et dévoilée plus que jamais auparavant.

Ne doutez jamais de la puissance de vos pouvoirs spéciaux profonds qui vous attirent la prospérité, une croissance nouvelle et un riche accomplissement. N'hésitez pas à penser à eux, à croire en eux et laissez-les dévoiler devant vous leurs secrets. À mesure que vous en aurez besoin, l'intelligence divine témoignera de ses pouvoirs à travers vous avec une puissance qui accomplira des miracles. À mesure qu'ils vous seront dévoilés, vous reconnaîtrez vos pouvoirs spéciaux intérieurs et vous pourrez apprendre à en accentuer l'expression en vous servant des déclarations spécifiques données dans ce chapitre.

En développant vos pouvoirs, vous découvrirez qu'ils sont en réalité l'équipement spécial dont vous aurez besoin pour vivre victorieusement dans notre ère spatiale.

CHAPITRE 16

Les lois de la prospérité: La ténacité

Jésus décrivait la puissance de la ténacité lorsqu'*il* déclarait: *Quiconque à mis la main à la charrue et regarde en arrière, est impropre au royaume de Dieu.* (Luc 9:62) Autrement dit, dès que vous réalisez que la prospérité est votre héritage divin, vous devez la revendiquer avec ténacité.

Un homme d'affaires qui m'envoie souvent des livres et des articles sur la prospérité, me fit part récemment de la déclaration suivante de Calvin Coolidge:

> Rien au monde ne peut remplacer la ténacité. Le talent ne la remplacera pas: rien n'est plus commun qu'un homme talentueux qui ne réussit pas. L'éducation non plus: le monde est plein de ratés cultivés. Seules la ténacité et la détermination sont toutes-puissantes. Le slogan **en avant** a toujours résolu et résoudra toujours les problèmes de l'humanité.

Lorsque vous sentez le découragement vous envahir, que vous avez l'impression de vous être efforcé en vain d'atteindre le succès, accrochez-vous à cette déclaration: **Rien au monde ne peut remplacer la ténacité.**

La ténacité est votre attitude: Je le peux

Je connais un jeune homme qui avait tout essayé sans jamais rien réussir. Et pourtant il possédait un talent, des qualités et un charme extraordinaires. Il savait que la vie lui avait réservé une place qu'il n'avait toujours pas découverte. Il décida finalement de s'enrôler dans la Marine et cette décision fut le point tournant de sa vie. À partir de cet instant, il réussit tout ce qu'il entreprit. Il reçut maintes promotions et marques d'honneur pour son accomplissement dans la Marine. Son chef écrivit récemment une lettre louant son attitude générale de *Je le peux*. L'officier affirmait que grâce à cette attitude, le jeune homme avait surmonté les défis de nombreuses tâches difficiles. Il lui conseillait de s'accrocher à cette attitude de *Je le peux* dans tout ce qu'il entreprenait.

La loi de la ténacité vers la prospérité pourrait bien se définir par cette attitude de *Je le peux*. Un bon nombre de gens font face à la vie avec l'attitude contraire - l'attitude de *Je ne peux pas,* qui est la garantie de l'échec. En observant autour de vous les gens qui réussissent, vous remarquerez qu'ils ont cultivé l'habitude d'être tenaces face à tout ce qui ressemble à l'échec, donnant ainsi l'impression d'avoir été immunisés contre la défaite. Malgré toutes les attaques du destin, ils sont tenaces dans leur acharnement et atteignent inévitablement leur but.

La ténacité n'a rien de tiède, de désabusé ni de désenchanté. Elle est audacieuse, téméraire, courageuse. Elle n'hésite pas, elle s'acharne à obtenir ce qu'elle veut jusqu'à ce qu'elle tienne les résultats. Voici une bonne déclaration à utiliser face aux attaques décourageantes du destin: **Je ne suis pas découragé: je suis tenace, je vais de l'avant.** Rappelez-vous souvent: **Je ne me retire pas. Je monte toujours plus haut!**

En nous disant de mettre la main à la charrue sans regarder en arrière, Jésus décrivait la puissance suprême de la ténacité. La charrue servait à couper, à retourner ou à ouvrir le sol avant de semer. Votre ténacité est votre charrue mentale qui vous aide à couper les vieilles attitudes d'échec de votre esprit qui auparavant vous ont empêché d'atteindre le succès. Une fois que vous aurez coupé vos sentiments de défaite, vous serez prêt à vous lancer avec une attitude de *Je le peux* qui vous montrera infailliblement la voie vers le succès.

Ne capitulez pas devant l'échec

L'individu moyen ne se laisse que trop facilement décourager par les apparences alors qu'il ne lui aurait suffi que d'un tout petit peu plus de ténacité pour faire tourner le courant des événements de l'échec au succès. Le mot *ténacité* signifie littéralement *refuser d'abandonner*. Il signifie également *continuer avec fermeté, assurance, insistance*. Quand vous vous sentez découragé et que vous ne voyez plus rien de positif en avant de vous, déclarez: **Je refuse d'abandonner. Je continuerai avec fermeté, assurance et insistance jusqu'à ce que mon bien apparaisse.** Continuez à labourer le sol dur de l'échec et de la limitation jusqu'à ce que votre attitude victorieuse et vos actions positives vers le succès l'ouvrent complètement.

Il n'y a pas longtemps, une de mes anciennes amies rencontra mon père dans la rue et lui demanda ce que je devenais. Après avoir entendu mon père lui raconter mon ministère de pasteur et d'écrivain, elle m'écrivit une note joyeuse pour me dire: «Je me demandais comment une si petite fille pouvait penser si grand mais je suis heureuse que tu l'aies fait!»

Il suffit souvent de penser grand avec un tout petit peu plus de ténacité, de travailler avec assurance et de s'attendre à recevoir de grands résultats pour les faire apparaître dans votre vie. Une annonce publicitaire récente mentionnait: «Ce sont les gens qui courent après les rêves qui ont le plus de chances de les attraper.»

La ténacité amène le succès

L'histoire de Jacob luttant avec l'ange jusqu'au petit jour illustre avec quelle puissance la ténacité attire le succès. Il jura à l'ange: «*Je ne te lâcherai pas, que tu ne m'aies béni*». *(Genèse 32:27)* L'ange le rebaptisa *Israël*, ce qui signifie *Prince de Dieu*, à cause de sa ténacité.

En faisant face à la déception avec un esprit positif, vous pouvez continuer vers un bien meilleur. On dirait que lorsque vous refusez de renoncer, *les années qu'ont dévorées la sauterelle...* (Joël 2:25) vous sont rendues. En fait, par votre ténacité, vous ajoutez tant de bien au moment présent que vous en oubliez tout le vide, le découragement et la défaite du passé.

L'échec peut être le prélude du succès

Bien souvent, l'échec n'est qu'un signe du succès cherchant à naître en plus grand et la ténacité vous aide à attirer ces grands résultats. J'écris depuis plusieurs années des articles d'inspirations pour les diverses publications de Unity. Puis, à un certain moment, je *suis tombée sur un os*. Tous les écrits que je soumettais étaient rejetés et je me demandais si ma carrière d'écrivain allait se terminer si tôt. Je traversai une période déconcertante, où je dus constamment lutter contre le sentiment de défaite et je me demandai ce que tout cela signifiait.

Des mois plus tard, lorsque je commençai à développer les lois du raisonnement de la prospérité, je m'aperçus que mes articles étaient rejetés parce que je ne pensais pas assez grand. Il était temps que je me mette à écrire des livres plutôt que des articles. Ces petites notes de rejet n'étaient que des signes du succès qui désirait naître en plus grand. C'est à ce moment que germa en moi l'idée d'écrire ce livre.

D'instinct, je me disais: «Si tu ne sais même pas écrire des articles que les éditeurs puissent accepter, comment au monde peux-tu imaginer qu'un éditeur acceptera l'un de tes livres?» Mais le raisonnement de la prospérité persistait à me pousser dans l'autre direction - l'échec de mes articles ne faisait qu'indiquer qu'il était grand temps que je me lance vers de plus hauts sommets. Si mes articles avaient continué à être acceptés, je n'aurais probablement jamais atteint le niveau où je me trouve actuellement. Je réussis donc à créer en moi et à nourrir l'attitude suivante: **Je refuse d'abandonner. Je vais continuer avec fermeté, assurance et insistance jusqu'à ce que le bien de cette expérience apparaisse.** Quelqu'un a dit que le succès n'est qu'un retournement de la défaite. Je le crois aussi!

Refusez que l'on vous réponde «NON»

Dans toute l'histoire de l'humanité, les accomplissements durables sont nés de ce que des hommes ont constamment refusé qu'on leur réponde «NON». Je me souviens d'une phrase que l'un de mes professeurs du secondaire répétait souvent. Elle nous parlait souvent de la puissance du fait de *marcher le deuxième mille* dans la vie. Ces mots me sont souvent revenus à la mémoire lorsqu'au bout du premier mille, j'avais envie de m'arrêter et de tout abandonner.

En étant tenace intérieurement, on n'a souvent pas besoin de l'être extérieurement. Le pouvoir du raisonnement de la prospérité vous enseigne avant tout à résoudre les choses par votre attitude mentale plutôt que de vous tuer à courir de tous côtés, cherchant à manipuler les événements pour forcer la manifestation du résultat désiré par des moyens extérieurs. Votre attitude intérieure produit les résultats extérieurs - mais vous devez avant tout produire cette attitude intérieure.

Dès que vous êtes convaincu que votre idée est bonne, soyez tenace dans votre conviction. Si les portes extérieures semblent se fermer devant vous, n'hésitez pas. Soyez tenace dans vos préparations intérieures. Le royaume intérieur de votre pensée contrôle toutes vos actions extérieures. Lorsque vous êtes animé de la bonne attitude, le monde extérieur des résultats et des personnalités doit s'y conformer. C'est la loi de l'action mentale.

Face à l'échec apparent, déclarez: **Dieu m'a destiné(e) à réussir et il tient à m'aider. J'attends et je revendique maintenant son aide divine.** Quelqu'un a dit que l'on n'est vaincu que lorsqu'on l'admet. Le timide accomplit rarement de grandes choses.

La ténacité travaille dans les deux sens

La ténacité travaille dans les deux sens. Nous nous sommes tous servi de la ténacité pour échouer quand nous aurions dû l'utiliser pour réussir. Si vous persistez à attendre la défaite et à en parler, aucune puissance sur terre et dans les cieux ne pourra en empêcher la manifestation dans votre vie. On raconte l'histoire du pessimiste qui disait à un autre: «Savais-tu qu'il nous arrive une dépression?» Son ami lui répondait: «*Comment, nous arrive? J'ai toujours vécu dans la dépression!*»

D'autre part, si vous persistez à attendre la prospérité et à parler de succès, aucune puissance sur terre et dans les cieux ne pourra l'empêcher de se manifester dans votre vie. Ces derniers mois, j'ai observé des hommes et des femmes qui affirmaient et attendaient avec ténacité le succès alors que tout le monde autour d'eux parlait de temps difficiles et de récession. Les résultats qu'ils obtinrent prouvèrent avec quelle puissance la ténacité attire la prospérité. À la suite de ses affirmations tenaces, un homme d'affaires du groupe avait vu ses valeurs en bourse remonter alors qu'ils étaient restés très bas l'année précédente. En deux mois, ses valeurs en bourse lui rapportèrent plus d'argent qu'au cours des douze mois précédents!

Le propriétaire d'une usine d'épuration vit ses affaires s'améliorer d'une semaine à l'autre après qu'il s'était mis à faire des déclarations de succès malgré la récession apparente. En fait, trois autres usines d'épuration de la région durent fermer leurs portes alors que les revenus de l'usine de cet homme augmentaient de $400 chaque semaine.

Une épouse n'avait pas reçu le chèque de sa part du revenu de la propriété d'un de ses parents à la date où elle le recevait chaque année. Elle persista dans son attente d'un résultat positif et le chèque arriva enfin. Il était en retard - mais il portait trois fois le montant de l'année précédente!

Une autre épouse affirmait le succès avec ténacité durant cette même période. Son mari reçut une offre d'emploi dont il n'avait jamais osé rêver... ingénieur pour le programme spacial. De plus, son nouvel employeur insista pour qu'il reçoive $100 de plus par mois que ce qu'il avait demandé!

Une bonne attitude suffit

Les physiciens ont découvert que tout peut se réduire à quelques éléments de base et que si l'on détruisait tout l'univers, on pourrait le reconstruire à partir d'une seule cellule. De même, vous pouvez étendre et reconstruire votre monde financier à partir d'une seule bonne attitude, à condition de vous y accrocher avec ténacité. En refusant d'abandonner ou de vous laisser aller à la défaite, vous finissez par détruire la défaite par votre ténacité et l'insuccès cède sa puissance au succès.

L'apôtre Paul nous l'a prouvé. Les historiens l'ont appelé le «*génie versatile*» mais je crois que sa plus grande puissance de génie fut la ténacité. À son époque, le Christianisme était encore une croyance illégale. Paul fut souvent emprisonné, battu et persécuté à cause de son ministère de missionnaire chrétien. Il brava les critiques qui l'attaquaient de toutes parts, la trahison de ses disciplines, les privations et même le naufrage pour accomplir le travail qu'il considérait important. Sans la ténacité de Paul, le Christianisme ne se serait peut-être jamais répandu hors de la Terre Sainte et se serait probablement évanoui avant la fin du premier siècle.

La ténacité joyeuse semble rayonner d'un mystérieux pouvoir qui semble attirer de bons résultats bien plus rapidement. J'ai souvent entendu l'histoire de mon grand-père qui se servit de la puissance de la ténacité joyeuse lors de la récolte du coton dans sa plantation de Caroline du Sud, au début de notre siècle.

Aux heures les plus étouffantes de la journée, lorsque les ouvriers commençaient à ralentir, il se joignait à eux dans les champs. En ramassant le coton, il se mettait à chanter. Les ouvriers se mettaient alors à chanter eux aussi. Il se mettait alors à chanter un peu plus vite en travaillant un peu plus vite; tout le monde se mettait à faire comme lui. Il créa ainsi une méthode efficace et joyeuse d'accélérer la production dans les champs de coton!

Face à l'épreuve, armez-vous de ténacité

Les efforts violents n'accomplissent pas grand-chose. Lorsque l'épreuve surgit, attaquez-la sur son propre terrain avec ténacité en vous attendant à en retirer du succès. Ne traitez pas les conditions difficiles avec douceur: vous ne feriez que labourer une terre dure avec une lame mal effilée. Vous ne ferez que très peu de progrès en essayant de résoudre des problèmes difficiles sans enthousiasme. Attaquez-vous aux problèmes difficiles en refusant avec ténacité de les laisser vous abattre. Faites-leur face avec un courage et une audace sans égal.

S'il vous est déjà arrivé d'avoir le souffle coupé, vous vous serez aperçu qu'il vous fallait plus que la respiration normale pour retrouver votre souffle. Vous deviez chercher de l'oxygène désespérément. De même, lorsqu'un échec apparent vous décourage, si vous ne persistez pas vigoureusement à croire que vous pouvez réussir et que vous réussirez, vous risquez de vous laisser broyer à jamais entre les pinces de la défaite et de l'échec.

Le psychologue américain William James énonça la théorie qui parle du deuxième souffle mental, émotionnel et physique. Il conseille de persévérer jusqu'à ce que l'on trouve ce deuxième souffle. Il persévéra souvent malgré la fatigue pour découvrir soudain qu'une nouvelle force toute neuve l'envahissait et il attrapait ainsi son deuxième souffle, puis son troisième et même son quatrième. Cette nouvelle énergie produisait en lui une puissance toute nouvelle et il arrivait à la victoire. Il avait l'impression qu'un associé invisible s'était chargé de son effort.

En temps d'urgence ou de grand besoin, l'homme se voit souvent envahi d'une puissance de réserve que seul un urgent besoin a le pouvoir de libérer. Ces moments de défi sont pour vous un signe qu'il existe au fond de vous une grande puissance qui désire se libérer pour vous aider, travailler pour vous et à travers vous.

Revoyez vos plans de succès

Par conséquent, lorsque le découragement cherche à vous abattre, lorsque le désespoir vous souffle: «Ce n'est pas possible, tu n'y arriveras jamais», il est temps de revoir vos plans, de les réécrire et de les réviser tel qu'indiqué au chapitre 4. Il est temps de vous refaire maintes images mentales de votre bien tel qu'indiqué au chapitre 5. Il est temps d'affirmer: **Je traverse une période d'accomplissement divin. Les miracles se succèdent maintenant et les merveilles ne cessent de se manifester selon le plan divin de ma vie.**

Il est temps de déclarer: **Le travail de mes mains et les plans de ma vie approchent maintenant rapidement de leur réalisation sûre et parfaite. Je me prépare à recevoir ce bien. Je place maintenant toute ma confiance en l'action juste de Dieu.**

Il est temps de répéter souvent: **Je fais partie de tout ce qui est bon et le bien vaincra.** Il est temps de parler à un ami en qui vous avez confiance pour qu'il vous encourage ou de former un petit groupe d'imagination créative qui travaillera avec vous au succès plutôt que de nourrir toute possibilité d'échec. Il est temps de parcourir la Bible pour y chercher inspiration et conseil. Il est temps de relire le Psaume 23 et de méditer sur la signification des mots suivants: *Yahvé est mon pasteur; je ne manque de rien.* Et de relire le Psaume 91: *Il a pour toi donné ordre à ses Anges de te garder en toutes tes voies; eux sur leurs mains te porteront pour qu'à la pierre ton pied ne heurte.*

Persévérez vers la victoire

Souvenez-vous des moments, dans le passé, où vous atteigniez la victoire. Lorsque le découragement et le désespoir cherchent à vous empêcher de persister dans votre objectif, rappelez-vous les gens qui ont réussi malgré leurs handicaps, leur cécité, leur surdité ou leur faiblesse nerveuse: Toscanini était si myope qu'il ne voyait pas le cahier quand il dirigeait son orchestre; Lord Byron avait un pied bot; Homère et Milton étaient aveugles; Sir Walter Scott était invalide; Beethoven était sourd; Dostoyevski et de Maupassant étaient épileptiques; Franklin D. Roosevelt ne pouvait pas se servir librement de ses jambes.

Shakespeare décrivait probablement la puissance de la ténacité lorsqu'il écrivait: «Il y a une marée dans les affaires de l'homme qui, lorsqu'on la prend haute, mène à la fortune». Amenez à vous votre marée haute de bien en affirmant les paroles de Jésus: «*Tout ce que me donne le Père viendra à moi.* (Jean 6:37)

Souvenez-vous que ce ne sont pas toujours ceux qui ont le plus de talent et d'éducation qui réussissent. Ce sont les persévérants. Ce sont ceux qui refusent catégoriquement d'abandonner, qu'ils soient talentueux ou brillants. L'histoire du lièvre et de la tortue est l'histoire de la ténacité qui gagne sur les grands atouts. Autrement dit, comme la tortue, vous ne pouvez pas échouer si vous n'abandonnez jamais.

En général, ce ne sont pas les hommes aux traits de génie éblouissant qui restent à la tête des grandes sociétés et industries; ce sont au contraire les hommes de nature patiente et persévérante. Ces hommes ne peuvent pas échouer car ils n'abandonnent jamais.

Pour partir dans la vie, il ne vous est pas nécessaire d'avoir de l'argent, ni d'hériter de biens, d'un grand renom ou de quelque autre privilège. Il ne vous est pas indispensable non plus de vous cultiver outre mesure. Cependant, il vous faut une chose: un objectif, ainsi que la détermination tenace persévérante d'atteindre ce but quoi qu'il arrive.

Ne regardez pas en arrière - regardez vers l'avant

Lorsque la déception cherche à vous détourner de votre route, affrontez-la aussi bien que possible et continuez votre chemin. Les expériences négatives ne peuvent pas vous freiner longtemps si vous ne regardez plus en arrière une fois que vous les avez passées. Inspirez-vous de l'histoire de la femme de Lot qui fut transformée en statue de sel lorsqu'elle regarda en arrière. (Gen. 19:26)

Au contraire, fixez à nouveau votre objectif et remettez-vous à marcher vers lui en faisant le pas qui vous semble le plus logique en cet instant. Si l'on vous a détourné de votre chemin et que vous ne pouvez rien faire pour le moment, trouvez toutes les petites actions qui vous aideront à retrouver le sentiment que vous vous dirigez vers votre but. Faites-les: elles vous attireront de plus grandes occasions. Il vous suffit de faire un pas à la fois, petit ou grand. Faites-le et il vous conduira au pas suivant et ainsi de suite.

Un homme raconta un jour une histoire qui démontrait de façon impressionnante l'importance de regarder vers l'avant avec ténacité. Lorsqu'il était enfant, un chaud samedi d'été, son père et lui partirent pour la ville avec la charrette et le cheval. Au premier croisement, ils s'arrêtèrent pour écouter le discours d'un candidat à un poste politique. Cet homme semblait persuadé qu'on devait l'élire à ce poste parce que son père et son grand-père avaient été de grands chefs politiques dans la région. Comme il venait d'une famille très versée dans la politique, il était sûr de savoir mieux que quiconque servir les intérêts du peuple.

En continuant leur route vers la ville, le père et son jeune fils arrivèrent à un second croisement où un autre candidat politique faisait son discours. Lui aussi assurait que, venant d'une famille très versée dans la politique, il saurait mieux que quiconque servir les intérêts du peuple.

Au croisement suivant, un autre candidat donnait un discours. Il déclarait: «Je n'ai jamais occupé de poste politique de toute ma vie. Personne dans ma famille n'a fait de politique. Cependant, je crois que je servirai très bien les intérêts des habitants de notre région car je crois qu'il est bien plus important de regarder où l'on va que de regarder d'où l'on vient!» Et c'est lui qui fut élu!

Vous aussi pouvez gagner, quel que soit votre passé, à condition de décider où vous voulez arriver et de marcher vers votre but avec ténacité.

L'âme tenace devrait souvent répéter avec Paul: *Oubliant le chemin parcouru, je vais droit de l'avant... je cours vers le but.* (Phil. 3:13,14) Comme Shakespeare le faisait déclarer à Cassius: «Nous ne dépendons pas de notre étoile, mais de nous-mêmes.»

Seule la ténacité est toute-puissante

Celui qui n'est pas tenace n'atteint pas un succès durable, dans quelque domaine que ce soit. Celui qui ose persister à marcher vers le succès même s'il manque d'éducation, de talent, d'influence, d'argent ou qu'il n'a ni un passé, ni une réputation reluisante, cet homme-là est sûr de réussir. La détermination obstinée déjoue le manque de talent et produit des résultats plus durables. La ténacité est une qualité à laquelle le succès se soumet invariablement.

Calvin Coolidge nous a laissé ce joyau: **Seule la ténacité est toute-puissante.** La défaite peut vous éprouver; elle ne doit pas nécessairement vous arrêter. Considérez la défaite, la déception ou l'insuccès apparents tout simplement comme des signes indiquant que le succès est tout proche. Servez-vous en pour vous poussez plus avant et tout d'un coup, sur votre chemin, se dessinera le désir de votre coeur ou mieux encore.

Préparez-vous...
le succès peut arriver tout d'un coup

Le succès a la manie de vous arriver tout d'un coup à la suite d'une longue attente de calme persévérance. Si vous persistez à marcher vers votre but, préparez-vous à recevoir des résultats passionnants, rapides et pleins de succès. Planifiez soigneusement ce que vous ferez lorsque vous aurez atteint le succès, parce que la marée changera au moment où cela vous semblera le moins possible. Il vous faudra alors prendre une longue inspiration et vous mettre à accepter votre marée haute de bien, pas à pas, tel que vous l'aviez planifié.

Lorsque l'accomplissement de vos désirs vous surprend, ne vous laissez pas désarçonner. Soyez aux aguets, prêt à le recevoir; autrement, il risque de s'évanouir devant vous et tout sera à recommencer. Lorsque votre succès arrivera, ayez la sagesse de l'accepter et de le nourrir avec ténacité; autrement, il vous glissera entre les mains.

La ténacité est la clé vers l'accomplissement des désirs de votre coeur et de leur conservation. Répétez-vous souvent la promesse que Dieu fit à Isaïe: «*Je marcherai devant toi en nivelant les hauteurs. Je fracasserai les battants de bronze, je briserai les barres de fer. Je te livrerai les trésors secrets et les richesses cachées.*» (Is. 45:2,3)

Votre réalisation peut et va arriver par la toute-puissance de la ténacité au moment peut-être où vous vous y attendez le moins. Grâce à la ténacité, vous pouvez être vous aussi l'une de ces personnes heureuses et victorieuses qui ne se contentent pas de courir après les rêves mais qui les attrapent! Celui qui se montre tenace persévère aussi assez longtemps pour que son rêve le rejoigne!

CHAPITRE 17

Et les dettes?

Un dessin humoristique récent montrait une salle de vente dans laquelle on présentait plusieurs merveilleuses voitures neuves. Au-dessus des nouveaux modèles, on pouvait lire: «Essayez notre nouveau mode de crédit en paiements e-z». Pendant qu'un futur client contemplait l'une des nouvelles autos, un vendeur se précipitait vers le gérant pour lui demander d'un air perplexe: «Qu'est-ce que je fais? Ce client veut payer comptant!»

À notre époque axée sur le crédit, comment allier les dettes à la pensée prospère? Sagement utilisé, le crédit est un grand atout de succès financier; utilisé avec excès, il conduit à l'endettement et à l'échec financier. Il n'est pas bon de se servir du crédit dans un geste de désespoir pour essayer de reporter un peu le désastre financier. Il n'est pas bon non plus de s'en servir pour se procurer des articles que vous ne pouvez pas payer sans inquiétude. Le crédit a été créé pour qu'on s'en serve intelligemment pour jouir des conforts de la vie de façon raisonnable. On peut aussi s'en servir intelligemment pour se faire des bénéfices.

Une épouse, se retrouvant soudain veuve avec trois enfants à nourrir, désirait se lancer en affaires. Elle emprunta de l'argent, l'investit, en retira un bénéfice peu de temps après et ouvrit son entreprise avec l'excédent. L'utilisation intelligente du crédit fut pour elle un atout financier.

Voici une bonne règle à suivre pour éviter les dangers d'un crédit mal utilisé: ne vous chargez pas de factures qui vous laissent un sentiment d'insuffisance et de privation. Vous pouvez vous créer des obligations financières raisonnables si vous êtes en mesure de le faire l'esprit léger, sachant que vous serez capable de les rembourser d'une façon raisonnable.

L'endettement naît de la crainte et de la rancoeur

Toutes les dettes que vous craignez ou détestez sont mauvaises, car elles deviennent un fardeau. La seule pensée du fardeau arrête souvent le courant de la substance dans vos affaires et entrave l'afflux d'idées neuves et prospères dans votre pensée. Dès que votre flot de substance est arrêté de l'une de ces deux façons et que vous vous trouvez dans l'incapacité de payer vos factures, vous vous laissez gagner par la rancoeur et la panique.

Tant que vous ne vous laissez pas dominer par la rancoeur ou la crainte de l'obligation financière, vous gardez le contrôle mental et émotionnel de votre endettement autant dans votre pensée, vos sentiments que dans vos réactions. Tant que vous gardez le contrôle, sans vous sentir désespérément lié par les dettes, vous restez ouvert au flot de la riche substance de l'univers - qui vous arrive de façon attendue et inattendue - qui vous permet de rembourser chacune de vos dettes.

Il est une chose absolument certaine: tant que vous *regarderez vers le haut,* vous recevrez toujours ce dont vous aurez besoin. Pour que les dettes n'embarrassent pas votre existence, il vous faut nourrir un esprit positif, libre de toute crainte, rancoeur et condamnation.

Une épouse racontait que ses pensées de crainte, de rancoeur et de condamnation l'avaient plongée dans les dettes; mais dès qu'elle avait changé d'attitude, elle fut délivrée de son endettement. Son mari était un excellent vendeur, mais il dut se déplacer loin de chez lui pour son travail. Au début de leur mariage, ils avaient acheté une ferme dans les montagnes du Kentucky, pensant qu'ils pourraient ainsi élever leurs enfants dans un cadre idéal. Comme son mari voyageait constamment, son épouse était responsable de la ferme et de l'éducation des enfants. Elle se mit bientôt à sentir le poids de ces responsabilités. Elle en développa une rancoeur qui entrava toujours plus sa capacité de payer les obligations financières que lui causait la ferme.

Elle dut finalement emprunter de l'argent pour payer ses ouvriers, acheter de l'équipement et payer les dépenses générales de la ferme. Elle se trouva bientôt écrasée par les dettes malgré tout le potentiel de sa ferme. Elle entendit alors parler de la pensée prospère et commença à examiner l'attitude mentale qu'elle nourrissait vis-à-vis de son endettement. Un après-midi très affairé, se demandant comment au monde elle allait réussir à payer ses employés, elle partit se promener sur une belle colline où son bétail broutait paisiblement. Elle s'arrêta pour méditer tout en contemplant le paysage merveilleux qui s'étendait au-dessous d'elle.

Elle découvrit qu'elle était mécontente que son mari ne soit pas à la maison, même si elle savait qu'il s'éloignait dans le seul but de pourvoir aux besoins de sa famille. Elle découvrit également qu'elle s'était toujours sentie malheureuse de devoir endosser toutes les responsabilités de la ferme, bien que ce talent soit des plus précieux à sa famille. En méditant sur cet état d'esprit, elle se sentit envahie d'un sentiment de paix et ses pensées de fardeau financier, de rancoeur et de condamnation s'évanouirent. Elle se mit alors à prier Dieu de la conseiller quant à son mari, ses enfants, la ferme, les ouvriers. Elle le remercia de l'avoir libérée de ses dettes et de lui avoir apporté le succès financier.

Le lendemain, en réglant ses affaires en ville, elle rencontra un ami qui désirait acheter certaines de ses machines agricoles. Elle lui dit qu'elle en avait quelques-unes au hangar, qu'elle n'utilisait pas. La vente se conclut rapidement et lui permit de liquider toutes ses dettes. Plus tard, alors que sa rancoeur avait fait place à de l'amour et de l'appréciation pour la ferme, son mari décida de laisser tomber son emploi de vendeur, de transférer sa famille en ville et de se lancer dans la construction. On engagea un homme compétent pour s'occuper de la ferme. Cette femme continua à louer et remercier Dieu de lui envoyer tant de bénédictions et la ferme ainsi que l'entreprise de son mari se mirent à prospérer. Elle vit maintenant une vie heureuse au foyer avec son mari et ses enfants, tout en participant activement aux affaires de son église et de sa communauté.

Cette dame avait découvert, à sa grande satisfaction, que ses pensées de rancoeur et de condamnation l'avaient chargée d'un lourd fardeau moral, qui à son tour avait empêché la substance de se déverser dans ses affaires. Dès qu'elle avait cessé de détester ses obligations, elle en avait pris contrôle et avait réussi à les vaincre.

La critique suscite l'endettement

Lorsque vos factures arrivent à échéance, accueillez-les sans vous affoler, en vous rappelant qu'elles représentent une bénédiction dont vous jouissez déjà. Une attitude critique et négative envers les factures jette souvent les gens dans un endettement dont ils ne réussissent plus à se débarrasser. Une famille que je connais rageait toujours sur les factures mensuelles. Certaines de ces factures grimpèrent à des montants peu raisonnables; cette famille se retrouva bientôt ensevelie sous les dettes. En apprenant avec quelle puissance la pensée prospère aidait à rembourser les dettes, ces gens cessèrent de condamner leurs factures. Ils se mirent alors à affirmer de façon positive: **Nous nous servons de la puissance prospère de l'intelligence divine en sagesse, en intégrité et en bon jugement, dans nos affaires. Nous rendons grâces de ce que chacune de nos obligations financières est remboursée à temps.** À partir de ce moment, les montants de leurs factures diminuèrent et redevinrent raisonnables.

Il est non seulement déplaisant et inutile, mais aussi insensé et dangereux, de gaspiller votre temps et votre énergie à critiquer, surtout les dettes que l'on vous doit ou que vous devez. Une habitude si négative peut vous jeter dans l'endettement et même dans une ruine financière totale. Si vous n'êtes pas prêt à donner de la substance que vous recevez pour payer vos factures, comment voulez-vous que la riche substance de l'univers se déverse dans votre vie? L'état d'esprit ingrat n'amène que des résultats financiers ingrats et limités.

La gratitude fait prospérer

Un état d'esprit reconnaissant vous fait prospérer dans tous les domaines. J'ai découvert cette vérité il n'y a pas longtemps, alors que je donnais des conférences à Palm Beach, en Floride. Un pasteur de là-bas me dit que seuls les membres les plus riches de sa congrégation semblaient apprécier les services spirituels qu'il leur rendait. Il racontait que souvent, lorsqu'il arrivait au chevet d'une personne à revenu moyen qui l'avait fait demander de son lit d'hôpital, le malade l'accueillait avec ces mots: «Mais où étiez-vous donc? Pourquoi avez-vous mis tant de temps à venir?» D'un autre côté, à chaque fois qu'il visite un millionnaire à l'hôpital, le malade se montre infiniment reconnaissant qu'il ait consacré un peu de son temps à venir le voir. Il faisait remarquer que régulièrement, ses amis millionnaires lui envoyaient un petit mot de reconnaissance pour sa bonté envers eux. Il avait l'impression que leur état d'esprit reconnaissant était une preuve formelle de leur richesse.

Si vous désirez vous débarrasser de vos dettes à tout jamais, ne critiquez et ne condamnez jamais rien ni personne. Comme nous l'avons mentionné dans le chapitre qui traitait des pouvoirs spéciaux vers la prospérité, les savants sont maintenant convaincus que toute chose contient une intelligence innée qui sait ce que vous dites, ce que vous pensez et ce que vous ressentez à son propos. En parlant des choses, des gens et des conditions d'une façon positive et prospère, vous gagnez leur collaboration inconsciente. Alors qu'en critiquant le monde qui vous entoure, vous repoussez les bénédictions qu'il pourrait vous apporter pour n'amener dans votre vie que des conditions négatives et limitées.

Un marchand constatait qu'il ne réussissait plus à vendre, alors que dans le passé il avait connu beaucoup de succès. Il essaya de faire des ventes spéciales, des offres spéciales et autres méthodes pour vendre sa marchandise. Plusieurs de ses clients avaient accumulé chez lui des comptes qu'il ne semblaient pas pouvoir percevoir. Personnellement, il s'enfonçait toujours plus profondément dans les dettes. Il finit par s'apercevoir qu'il s'était mis à critiquer très fortement sa propre personne, son commerce, ses clients, sa famille, ses voisins, sa communauté et le monde entier en général. C'est alors qu'il avait demandé à un ami, qui connaissait la puissance de la pensée prospère, de l'aider à corriger sa façon de penser. Son ami lui suggéra de modifier sa façon de penser en se servant de la déclaration suivante: **Il n'existe ni critique, ni condamnation en moi, pour moi, ni contre moi. L'amour, la sagesse et l'ordre divins me révèlent maintenant leur conseil parfait et produisent des résultats parfaits en moi et dans le monde qui m'entoure.**

Animé de ces bonnes pensées, le marchand développa un sentiment d'amitié pour ses clients. Il décida d'accompagner ses factures mensuelles de petites notes de meilleurs voeux à ceux qui lui devaient de l'argent depuis longtemps. Il en retira des résultats étonnants! Les gens qui avaient accumulé chez lui des comptes immenses se mirent à le rembourser! Une dame lui envoya un chèque pour régler un compte qu'elle lui devait depuis dix ans.

La technique de remboursement des dettes - autant celles que vous devez que celles qui vous sont dues - commence par un travail intérieur dans le royaume de l'attitude mentale. Les gens sont tellement repoussés par vos pensées de critique, de manque de tolérance et de condamnation qu'ils n'ont aucune envie de vous payer ce qu'ils vous doivent. Dès que vous vous mettez à penser à eux d'une façon toute différente, ils le sentent inconsciemment et réagissent d'une façon plus positive.

Faites vos écritures

Au lieu de vous torturer à cause des dettes que vous devez ou que l'on vous doit, asseyez-vous dans un endroit tranquille et dresser carrément une liste de ces obligations sur papier. Puis, faites un pas de plus et prenez le courage d'inscrire la date à laquelle vous voulez voir chacune de ces dettes entièrement remboursée. Ensuite, écrivez au bas de la liste la déclaration suivante que vous répéterez quotidiennement: **Je rends grâces pour le remboursement immédiat et complet de toutes les obligations financières. J'ai foi en l'aide de Dieu, pour rembourser dans leur totalité chacune de ces obligations!**

Un homme d'affaires qui travaillait à son compte avait essayé toutes les méthodes habituelles de se faire rembourser ce qu'on lui devait mais sans grand succès. Il entendit parler de la technique mentale positive de régler les questions financières et décida de l'essayer. Il dressa une liste des noms de ses clients ainsi que le montant que chacun lui devait et affirma positivement le remboursement complet de chacune des obligations. En allant percevoir ses comptes, il fut ébahi de voir que personne ne s'opposait à lui ou cherchait à l'éviter. Au contraire, tous les clients de la liste le remboursèrent immédiatement!

Une spécialiste en décoration intérieure, ayant été en chômage pendant un certain temps, avait accumulé une dette de $2 500. Un été, alors qu'elle n'avait pas de travail, elle assista à une conférence sur la puissance avec laquelle la pensée prospère aidait à surmonter les difficultés financières. Elle dressa une liste de ses obligations financières, à laquelle elle ajouta l'affirmation ci-dessus, qu'elle répéta chaque jour en imaginant ses factures déjà remboursées. En agissant ainsi, elle se sentit envahie d'un sentiment d'accomplissement, qui remplaça l'impression de futilité qu'elle avait nourrie jusqu'alors. Alors qu'elle affirmait que Dieu remboursait ses dettes de la manière qu'*il* avait choisie, une chose intéressante survint: l'ami d'un de ses anciens clients lui demanda un devis pour la décoration d'un nouvel édifice à appartements. On ne lui avait jamais demandé de soumission pour un travail aussi important. De plus, jamais un client ne l'avait contactée de son propre chef; elle avait toujours dû chercher elle-même ses nouveaux clients.

On accepta son devis, qui s'élevait entre huit et dix mille dollars. Elle reçut le contrat et en retira une commission de $2 500! Non seulement réussit-elle ainsi à rembourser ses factures, mais ce contrat se révéla être le premier d'une longue série à venir. Auparavant, elle avait travaillé dur pour ne retirer que de petites commissions; maintenant, elle travaille à un rythme normal pour de grosses commissions. Elle fait toujours le même travail, mais elle en retire beaucoup plus de satisfaction dans tous les sens.

Encouragez la confiance des autres
pour éviter l'endettement

L'endettement a une caractéristique agréable: vous avez des dettes parce que quelqu'un a cru en vous et a eu assez de foi en vous pour vous donner de l'argent avec confiance. Si les autres vous doivent de l'argent, c'est que vous leur avez fait confiance. La confiance est un élément divin merveilleux et lorsqu'on l'encourage, elle produit des résultats divins. Chaque fois que vous pensez à une dette que vous devez ou que l'on vous doit, rendez grâces pour la confiance qui a donné naissance à cette transaction financière. Rappelez-vous également que cette même confiance qui a suscité la dette, peut encore en susciter le remboursement intégral. Recréez cette attitude en affirmant de façon positive: **La même confiance divine qui a donné naissance à cette transaction financière travaille maintenant avec puissance à la régler pour le plus grand bien de toutes les personnes impliquées.**

Un gérant de crédit se servait de cette méthode pour percevoir d'importantes sommes dues à sa compagnie et réussissait souvent là où les autres percepteurs avaient échoué. On l'avait chargé un jour de percevoir un compte de $17 000 qui était dû depuis plusieurs années. En parlant avec le débiteur, il s'aperçut tout de suite que cet homme avait de grandes difficultés financières. Le gérant de crédit déclara cependant à cet homme qu'il lui faisait confiance, sachant qu'il allait se libérer de cette dette aussitôt qu'il serait en mesure de le faire. Il raviva ainsi la bonne volonté et la confiance entre eux deux. Moins de deux semaines plus tard, le débiteur lui apportait un chèque de $4 000. Il lui raconta que ses paroles de confiance avaient ranimé son courage, son espoir et sa conviction qu'il pouvait réussir. Son nouvel espoir lui avait ramené des idées toutes neuves, qui suscitèrent pour lui des résultats prospères. Il remboursait bientôt tout le montant de la dette et fait encore affaires avec cette compagnie, aujourd'hui.

La discorde produit l'endettement

Pour se libérer de l'endettement et pour percevoir les dettes que les autres vous doivent, il est essentiel que vous soyez animé d'un esprit harmonieux et confiant. Vous remarquerez que sans exception, ceux qui n'ont pas un esprit harmonieux doivent travailler très dur pour atteindre la prospérité. Le manque d'harmonie repousse et dissipe très vite la substance de l'univers. Voilà pourquoi un certain vendeur ne vendait rien. Sa femme non plus ne réussissait pas à son poste de vendeuse. En parlant avec eux, on se rendait vite compte qu'ils ne cessaient de se quereller. Ils se critiquaient et se condamnaient l'un l'autre et ne se trouvaient jamais d'accord sur quoi que ce soit.

On leur dit qu'ils devraient développer une relation plus harmonieuse s'ils désiraient attirer les clients et se remettre à bien vendre. Ils acceptèrent de répéter ensemble la déclaration suivante: **Il n'y a pas de critique ni de condamnation entre nous. L'Amour divin règne de façon suprême et tout va bien chez nous et dans le monde qui nous entoure.** En deux semaines, ils concluaient de nouveau tous les deux d'innombrables ventes et leur mariage était plus heureux que jamais.

On peut se sortir de l'endettement

Même si l'endettement semble occuper une place monumentale dans votre vie, il ne sera que temporaire si vous avez l'audace de croire que vous pouvez vous en sortir. L'un des plus grands empêchements à se libérer de l'endettement est peut-être la crainte et le désespoir. Dès que vous les surmontez, vous commencez à vous libérer financièrement.

Je parlais il n'y a pas longtemps avec un homme dont l'épouse craignait qu'il ne se suicide. Écrasé sous les dettes, il ne savait plus comment s'en sortir. À la suite d'un accident, il lui avait fallu un an pour pouvoir se remettre à travailler. Entre-temps, il avait dû confier son entreprise à des gens qui avaient moins d'expérience et de connaissances que lui. Bien que cherchant consciencieusement à l'aider, ils l'avaient presque jeté à la faillite. Il avait trop de dettes et manquait de garantie pour obtenir un prêt d'une agence de services financiers et alléger ainsi sa situation. Il disait: «Si au moins je pouvais avoir cinq ou six mille dollars, je pourrais rembourser les dettes les plus urgentes et garder ma solvabilité jusqu'à ce que l'entreprise se remette à rouler». Il était désespéré lorsqu'il vint me voir.

Je découvris tout de suite les deux attitudes particulières qui empêchaient la solution d'apparaître: tout d'abord, cet excellent homme d'affaires s'était laissé dominer par le désespoir et le découragement. Il ne voyait aucune façon de s'en sortir et ne savait plus où se tourner. Ensuite, il considérait son année de maladie comme une grande perte. Il se répétait: «Si au moins je n'avais pas eu cet accident, tout ceci ne serait jamais arrivé.»

Il est tout à fait naturel que les personnes endettées aient de pareilles attitudes, mais en modifiant ces attitudes, on peut changer toute la situation - et vite! Il y a *toujours* une façon de se sortir de n'importe quel problème; il y a une solution divine. Pour vous aider à créer et maintenir une attitude prospère jusqu'à ce que les résultats se concrétisent, je vous suggère d'affirmer chaque jour de façon positive: **Il existe une solution divine à cette situation. La solution divine est la solution sublime. Je rends grâces de ce que la solution divine apparaît vite maintenant!**

Pour qu'il se débarrasse de l'impression d'avoir perdu l'année qu'il avait dû passer loin du travail, on lui suggéra les idées suivantes: «Bien que cette expérience vous semble négative pour l'instant, commencez à vous dire qu'elle n'implique pas une perte permanente. Tout ce que vous semblez avoir perdu durant cette année de maladie peut vous être *divinement rendu* financièrement ou autrement.» Pour l'aider à créer et à maintenir cette attitude, on tapa ces mots sur une carte qu'il devait garder dans son portefeuille. Tous les jours, dès qu'il se sentait envahi d'un sentiment de découragement ou de perte, on lui suggérait fortement de lire maintes fois les mots suivants: **Je rends grâces de ce que Dieu remet mon entreprise en état. La restauration divine accomplit maintenant un travail parfait pour toutes les personnes impliquées et le résultat parfait apparaît maintenant. Je rends grâces de ce que Dieu rembourse maintenant chaque obligation financière de la manière qu'il choisit selon sa sagesse merveilleuse.**

Pendant des semaines, cet homme d'affaires se répéta ces idées. Rien ne semblait se produire, mais il persista à croire qu'il existait une solution. Il persista à revendiquer la restauration divine.

Un jour, la situation commença à changer par une série d'événements peu ordinaires. Il se trouvait avec sa femme à une réunion de famille, lorsque la veuve de son frère le prit à part pour lui dire: «Il y a des années, lorsque tu as commencé à investir dans l'entreprise de mon mari qui est maintenant la tienne, j'ai trouvé qu'il t'avait trop demandé en acompte. Maintenant qu'il n'est plus, je ne veux plus garder l'immeuble où se trouve ton entreprise. Je tiens aussi à ce qu'on te rembourse une partie de cet énorme compte. Un évaluateur m'a dit que cet immeuble vaut $25 000 au comptant. Mais je serais heureuse de te le vendre pour $10 000». On fit d'autres évaluations, qui révélèrent que cet homme pouvait obtenir un prêt total de $16 000. Après l'achat de l'immeuble, il lui restait $6 000 pour rembourser ses dettes les plus urgentes et garder un fond de roulement. En voyant ses affaires s'améliorer, il se sentit envahi d'un nouvel espoir et il attira ainsi des contrats qui l'aidèrent à remettre ordre et prospérité dans une situation qui auparavant n'affichait que chaos et échec. Oui, il a vraiment connu la restauration divine!

Restez discret quant à vos dettes

Bien des gens ne resteraient pas endettés s'ils étaient plus discrets à propos de leurs affaires d'argent. En exagérant leurs obligations, ils ressèrent autour d'eux les chaînes de l'endettement. En restant discrets, en continuant d'aller de l'avant, en faisant de leur mieux et en affirmant positivement le bon conseil divin, la voie vers la libération financière s'ouvrirait toute grande devant eux.

L'histoire biblique bien connue d'Élisée et de la veuve en est un exemple subtil. Lorsque la veuve se lamenta auprès d'Élisée de sa triste condition et du fait que son créancier allait lui prendre ses fils, Élisée ne se mit pas à la plaindre. Il lui ordonna au contraire de rentrer chez elle, de fermer la porte et de se mettre à verser toute l'huile qu'elle avait sous la main. C'était une merveilleuse façon orientale de lui dire de cesser de geindre sur ses dettes et ses difficultés financières et de faire face à la situation avec toute la substance qu'elle avait sous la main, sachant que dès qu'elle aurait fait sa part, la substance allait se multiplier pour répondre à chacun de ses besoins.

Une veuve des temps modernes a, elle aussi, prouvé la puissance de prospérité du conseil d'Élisée. Sa vie était très troublée. Elle était seule, écrasée par les dettes, malheureuse au travail, insatisfaite de sa vie en général. Tout en essayant de se libérer de ses dettes, elle ne cessait de se plaindre de la façon cruelle dont la vie la traitait. Son endettement se resserra plus que jamais, même si elle recevait des augmentations de salaire et autres bénédictions financières.

Elle se rendit enfin compte qu'en parlant de ses difficultés, elle faisait de ses propres paroles ses pires ennemis. Elle ne parla plus de ses affaires d'argent. On lui demanda d'affirmer positivement la *restauration divine* de toutes les épreuves de sa vie et de se répéter la promesse du livre de Joël: *Je vous revaudrai les années qu'ont dévorées la sauterelle et le... Vous mangerez tout votre soûl, à satiété, et vous louerez le nom de Yahvé, votre Dieu, qui aura accompli pour vous des merveilles.* (Joël 2:25,26)

Lorsqu'elle se mit à méditer sur cette promesse, tout changea dans sa vie. Elle reçut une promotion et une augmentation de salaire. Une vieille amie qu'elle avait aidée un jour décida de lui donner $1 000 en guise d'appréciation! Avec cet argent, elle remboursa ses dettes et se retrouva financièrement libre pour la première fois depuis des années! Elle se maria bientôt avec bonheur, mettant ainsi fin à une longue solitude de vingt ans. On lui a *vraiment* restauré les années que la sauterelle de l'insuffisance financière avait dévorées!

Ne parlez qu'en termes de prospérité

Au lieu de vous inquiéter, de vous agiter et de parler de vos dettes, vous y gagnerez à affirmer positivement des résultats prospères et à ne parler qu'en termes de prospérité. Forcée par la maladie à ne pas travailler, une femme était écrasée par les dettes, mais elle parlait continuellement de sa situation en termes négatifs. Un soir, elle assista avec sa fille à une conférence sur la prospérité. En rentrant à la maison, elles décidèrent d'utiliser l'affirmation positive suggérée par le conférencier: **Tout et tout le monde nous fait maintenant prospérer et nous faisons maintenant prospérer tout et tout le monde.** Elles se mirent ensemble à répéter cette déclaration chaque soir pendant cinq minutes avant de se coucher. Au bout d'une semaine, elles reçurent un chèque de $2 500 pour une dette qui leur était due depuis longtemps, mais que leur avocat avait été incapable de percevoir. Il sembla que dès qu'elles se mirent à parler de leurs affaires d'argent de façon différente, toutes les choses et les personnes impliquées désirèrent soudain les faire prospérer plutôt que de retenir tout ce qui leur était dû.

Incapable de vendre ses toiles depuis plusieurs mois, une artiste s'était endettée. Un soir, elle assista à une réunion de prières où l'on insista particulièrement sur la puissance qu'avait la prière pour résoudre les difficultés financières. Cette idée lui sembla entièrement nouvelle, car elle n'avait jamais osé prier pour de l'argent ni pour ses difficultés financières. Elle se mit joyeusement à déclarer chaque jour: **Tout et tout le monde me fait prospérer maintenant et je fais prospérer maintenant tout et tout le monde.** Quatre jours plus tard, elle vendait une toile pour $75 - sa première vente depuis des mois. Elle fit immédiatement d'autres ventes et réussit ainsi à payer toutes ses obligations financières.

Personne ne peut entraver votre prospérité

Beaucoup de gens ne réussissent pas à se débarrasser de leur insuffisance financière parce qu'ils pensent que quelqu'un les empêche de prospérer. Tant qu'ils pensent que quelqu'un d'autre détient ce pouvoir, ils s'affirment à eux-mêmes que c'est vrai. Mais dès qu'ils se mettent à penser autrement, leur bien apparaît malgré les circonstances extérieures.

Ayant essayé en vain pendant plus d'un an de liquider la propriété de son mari, une veuve se retrouva profondément endettée à cause de l'apparition subite d'un héritier inattendu qui la força d'amener cette affaire devant un tribunal. Le tribunal avait pris le contrôle des fonds de la propriété. Elle s'était serré la ceinture pendant des mois espérant que la cause se réglerait bientôt et qu'elle allait recevoir le chèque d'héritage qui lui était dû. Chaque fois que la cause était sur le point de se régler, l'héritier émettait une opposition qui retardait à nouveau toute la procédure.

Alors que ces créanciers la pressaient de rembourser certaines factures de son mari décédé, l'une de ses amies lui donna quelques articles à lire sur la prospérité. Elle y trouva l'affirmation suivante: **Je dissous dans mon esprit et dans l'esprit de toutes les personnes impliquées qu'il est possible que l'on m'empêche de recevoir le bien qui m'appartient de droit divin. Les bénédictions financières qui m'appartiennent de droit divin m'arrivent maintenant en abondance et je les accepte maintenant avec joie.**

Fascinée par cette méthode toute simple d'aborder son problème, cette femme passa son après-midi à écrire et à répéter maintes fois cette déclaration. Elle se sentit petit à petit en plein contrôle de ses questions financières. Elle fut aussi envahie d'un sentiment plus aimable à l'égard de l'héritier inattendu qui cherchait à revendiquer la part d'héritage qui lui était due. Plus elle pensait paisiblement à cette personne, plus elle comprenait pourquoi cet homme sentait qu'il avait droit à une certaine partie des biens financiers.

Elle appela enfin son avocat pour lui dire de régler la cause comme il l'entendait et lui permettre d'accorder à cet héritier une certaine part des titres, des obligations et des titres de pétrole qu'il réclamait. Cette affaire, qui attendait depuis des mois, fut réglée en quelques jours et toutes les personnes impliquées reçurent satisfaction, prospérité et bénédiction. Cette femme pense maintenant que le bien qui lui appartenait *de droit divin* lui vint de la liquidation de la propriété et la part des biens financiers qu'elle partagea avec l'autre héritier ne lui manqua jamais.

Voyez grand, délibérément

Dans un autre cas, un agent immobilier s'endetta parce qu'il ne réussissait pas à louer ses appartements pendant la saison creuse d'été. Ses amis lui disaient: «Tu ne loueras jamais tes appartements à ce prix-là. Tu vois trop grand. Si tu coupes tes

loyers, tu réussiras peut-être à les louer à la saison prochaine.»
Cet homme entendit ces mots à une conférence sur la prospérité:
«Vous ne voyez jamais trop grand. Ayez l'audace de voir grand.
Ayez le courage d'affirmer des idées grandioses. Ayez l'audace
d'attendre des résultats grandioses. Cette attitude marque toute
la différence entre un prince et un pauvre.»

Cet homme se rendit compte qu'il devait délibérément voir
grand et parler en termes de prospérité s'il désirait louer ses appartements et payer ses dettes. Pour son désir de louer ses appartements, il se mit à affirmer positivement une déclaration qui
avait fait prospérer d'innombrables personnes: **J'aime ce que les
gens ont de plus élevé et de meilleur et j'attire maintenant à moi
les gens les plus élevés, les meilleurs et les plus prospères.** Alors
qu'auparavant il avait fait visiter ses appartements vacants
maintes fois sans résultat, le premier client qui se présenta
s'émerveilla de ses appartements et en loua un pour la saison au
prix de $2 500. En continuant à répéter cette déclaration de
prospérité, il réussit à louer facilement toutes ses autres propriétés. En un rien de temps, il avait accumulé une somme de
$8 000 qui lui permit de se libérer de ses dettes.

Commencez à payer comptant plus souvent

Il est bon d'accompagner votre attitude prospère envers vos
affaires d'argent de toutes les choses tangibles et intangibles que
vous pouvez trouver pour vous donner le sentiment que vous
vous libérez de vos dettes. Par exemple, mettez-vous à payer certains articles comptant, même si vous commencez avec de très
petites sommes. En libérant votre argent pour ces articles plutôt
que d'accumuler les comptes, vous vous donnez l'impression de
vous libérer de vos dettes.

Deux maîtresses de maison de ma connaissance décidèrent
qu'elles avaient justement l'occasion de prouver ce fait durant la
période des Fêtes. Cessant d'utiliser leurs cartes de crédit, elles
payèrent comptant tous leurs cadeaux de Noël. Plus tard, elles
déclarèrent que le seul fait de dépenser de l'argent leur apporta
une sensation de joie et de liberté. Dans chacun des cas, elles
remarquèrent qu'en bénissant Dieu et en le remerciant de les

aider à dépenser leur argent liquide avec sagesse, elles attiraient l'argent nécessaire à faire des cadeaux de Noël.

L'une des épouses traversa toute la période des Fêtes sans utiliser ses cartes de crédit. Elle affirma plus tard qu'elle n'avait jamais offert d'aussi beaux cadeaux. L'autre épouse se permit d'utiliser ses cartes pour quelques cadeaux, mais elle en avait déjà tellement payé comptant que les derniers qu'elle mit sur son compte ne lui laissèrent pas une sensation de fardeau. Elle ne se sentait pas affolée à l'idée de devoir en payer les factures au début de la nouvelle année et elle réussit à les payer rapidement dès qu'elle les reçut.

Oubliez vos erreurs financières passées

Voici une autre attitude face aux questions d'argent qui enchaîne les gens dans l'endettement: Tout comme la femme de Lot, ils continuent de regarder en arrière. Ils s'inquiètent des erreurs financières qu'ils ont commises dans le passé, ils cristallisent ainsi leurs pensées qui manifestent leur endettement présent. Lorsque vous regardez en arrière, vous ne laissez dans votre esprit aucune place pour des idées nouvelles qui pourraient corriger vos erreurs du passé et vous libérer de vos dettes.

Il est essentiel que vous vous pardonniez vous-même et que vous pardonniez aux autres d'avoir commis des erreurs dans le passé, si vous désirez vous libérer à jamais de vos fardeaux financiers. Lorsque de tels souvenirs vous hantent, répétez la déclaration suivante: **L'amour indulgent de l'intelligence divine m'a libéré de mon passé et des erreurs financières passées. Je fais maintenant face au présent et à l'avenir avec un esprit plein de sagesse, de sécurité et de courage.** Cette déclaration opérera des miracles pour vous et pour autrui. Comme nous l'avons mentionné dans le chapitre traitant de la loi du vide vers la prospérité, vous devez constamment vous pardonner et pardonner aux autres si vous désirez prospérer. Relisez ce chapitre pour vous aider, vous-même et ceux qui vous entourent, à surmonter l'endettement.

Demandez des idées de prospérité

Tout en vous créant une attitude de prospérité et en la nourrissant par des actions de prospérité, vous devriez demander des idées de prospérité pour vos questions financières. Ayant atteint l'âge de 40 ans, un homme d'affaires se rendit compte qu'il ne pourrait faire avancer sa compagnie que si l'un des propriétaires prenait sa retraite. Profondément chrétien, cet homme ne voulait pas réussir par de tels moyens, mais il commençait à désespérer. Bien que son épouse travaille elle aussi, ils s'étaient profondément endettés en essayant de joindre les deux bouts avec leur famille en pleine croissance. Ils ne distinguaient dans les circonstances aucun moyen d'augmenter leur revenu.

Cet homme vint me voir et me dit: «J'ai besoin de me convaincre que d'une façon ou d'une autre, je vais surmonter ma situation. Je suppose que j'ai aussi besoin de mieux organiser mes affaires pour voir dans quelle direction je devrais me lancer.» On lui suggéra d'effectuer cette réorganisation avec douceur et d'une façon satisfaisante, plutôt que de se montrer tout d'un coup agressif, ce qui susciterait de la confusion et des querelles. On lui suggéra également de consacrer soir et matin quelques minutes à méditer et demander à Dieu de le guider dans ses questions financières.

Il répliqua d'instinct: «À quoi est-ce que ça va servir? Vous voulez dire que Dieu se préoccupe de mes affaires financières?» Ce fut pour lui une révélation et un grand soulagement de découvrir que notre Père riche et plein d'amour se préoccupe des besoins financiers de ses enfants. On lui suggéra de faire la prière suivante: **Père, quelle est la riche vérité sur mes affaires d'argent? Quel est le plus grand bien pour toutes les personnes impliquées dans cette situation?**

Tout d'abord, il ne reçut aucune réponse à cette question mais il remarqua que pour la première fois depuis des années, il se sentait paisible intérieurement. Ce sentiment croissant de paix lui procura un meilleur contrôle de lui-même, de ses affaires de famille et de ses questions financières. Un soir, alors qu'il décrétait la *riche vérité*, une idée lui traversa l'esprit avec une telle force qu'il en tomba presque de sa chaise. Cette idée n'avait rien de nouveau; il l'avait eue bien des fois auparavant, mais il n'y avait pas porté attention. Il s'agissait de développer un nouveau service qui amènerait dans sa firme une croissance et une prospérité toutes fraîches. Cette idée ne l'avait jamais frappé avec assez de force pour qu'il en parle à ses supérieurs.

Le lendemain, il trouva une occasion parfaite pour en parler à son patron. Le patron fut aussi surpris qu'heureux de constater qu'un petit homme aussi timide pense en termes aussi grandioses, progressifs et prospères pour la compagnie. On lui permettait bientôt de développer son service spécial; il reçut également un nouveau titre et une augmentation de salaire. Puis il eut d'autres surprises financières: un membre de sa famille reçut un héritage inattendu. En priant et demandant à Dieu de le guider et de lui donner des idées divines, il réussit à rembourser de très vieilles dettes. Une vie prospère et toute nouvelle s'ouvrit à cet homme et à sa famille.

Voici pour cela une bonne déclaration à garder en mémoire: **L'intelligence divine m'inspire maintenant des idées de prospérité et une action divine pour réaliser parfaitement ces idées.**

L'endettement peut être une bénédiction déguisée

L'endettement peut être une bénédiction extraordinaire sous un déguisement. Les épreuves qui vous accablent sont souvent de nouveaux modes de vie ou de nouvelles méthodes de travail qui cherchent à s'ouvrir à vous. La plupart du temps, les personnes endettées sont des gens très bien qui cherchent à vivre d'une façon prospère avec un revenu limité. Mais s'ils ont des désirs riches, c'est qu'ils sont dotés de talents et de qualités riches qu'ils cherchent à exprimer.

Leur désir d'un bien plus riche est très ardent mais leur compte en banque n'est pas aussi bien développé. Ces gens font souvent un travail médiocre alors que leurs talents et leurs qualités, une fois développés, leur rapporteraient le revenu élevé qui exaucerait leurs riches désirs. Lorsque vous cherchez à résoudre vos problèmes d'argent, n'hésitez pas à actualiser les idées nouvelles qui vous viennent. Relisez, étudiez et suivez quelques-unes des suggestions données dans les chapitres qui traitent du travail et de l'indépendance financière.

Dès que vous commencez à aspirer à la liberté financière, attirez-la en déclarant souvent: **L'avenir me réserve de beaux jours. L'avenir me réserve des jours riches.** Lorsque vous vous sentez envahi par la crainte de vos problèmes actuels, rappelez-vous: **La voie que Dieu m'a préparée est pavée de joie, de sûreté et de sécurité. Je rends grâces de ce que je marche maintenant sur un sentier plaisant, prospère et paisible.** Si vous désirez développer vos talents et vos qualités pour qu'ils vous apportent plus de satisfaction, déclarez souvent: **La puissance illimitée qui a créé l'univers accomplit maintenant en moi et à travers moi tout ce qui concourt au plus grand bien de mon esprit, de mon corps et de mes affaires. Je rends grâces de ce que je suis divinement doté pour accomplir de grandes choses avec aisance.**

CHAPITRE 18

La santé par le raisonnement de la prospérité

La plus grande bénédiction que la vie puisse nous offrir, c'est la santé. Sans elle, on ne fait pas grand-chose. La santé accroît toutes les autres bénédictions.

En conseillant les gens sur leurs différents problèmes, je remarque de plus en plus que notre pensée influence directement notre santé. Tous ceux qui souffrent physiquement à cause de leurs problèmes d'argent sont étonnés de constater avec quelle rapidité leur santé s'améliore dès que leur situation financière commence à se régler.

Un excellent homme d'affaires, qui jouissait d'une bonne santé depuis des années, dut essuyer de grands revers dans le domaine des affaires. Il eut bientôt des ulcères à l'estomac, qui se révélèrent cancéreux. Il dut subir plusieurs opérations. Il est maintenant en voie de guérison complète, car ses médecins affirment que c'est possible. Cependant, sa femme déclarait récemment que chaque fois qu'il subit des pertes d'argent, il tombe malade. Mais que dès qu'il reçoit de bonnes nouvelles dans ses affaires, son moral remonte et il retrouve toute sa santé.

L'étude des maladies psychosomatiques aide merveilleusement les gens à découvrir avec quelle puissance leur état moral peut influencer leur condition physique.

Le raisonnement de la prospérité est sain

Nous avons démontré plus haut que l'on n'est prospère qu'à condition d'amener paix, santé et abondance dans son entourage. Dans d'autres chapitres, nous avons présenté certaines techniques permettant de développer un raisonnement de la prospérité et s'assurer ainsi de jouir de la paix de l'esprit et du succès financier. Étudions maintenant les attitudes de prospérité qui amélioreront votre santé. Le raisonnement de la prospérité est victorieux, harmonieux, positif et enthousiaste. Celui qui pense prospérité sait se libérer de toute hostilité, rancoeur, critique et irritation. Celui qui pense prospérité aspire à une pensée équilibrée et normale qui reflète sa *volonté de vaincre*. La mauvaise santé est souvent causée par la dépression morale et un sentiment de défaite.

Une dame se plaignait d'un rhume persistant qu'elle traînait depuis un an, été comme hiver. Elle commençait à se demander si elle n'avait pas autre chose qu'un simple rhume. Son médecin l'assura cependant qu'il ne trouvait aucune cause organique à son rhume.

Puisque, apparemment, cette dame se sentait irritée probablement depuis très longtemps par quelque fait du passé, je lui demandai de se remémorer les différents événements de sa vie qui avaient eu lieu avant l'apparition de son rhume. Après quelques minutes de conversation, elle raconta qu'elle occupait un poste qu'elle aimait beaucoup. Sans l'avertir ni lui demander son avis, son patron la transféra dans un autre service où le travail lui sembla détestable et irritant. Comme, à cause de son âge, elle craignait de perdre sa place, elle ne protesta pas et subit son transfert ainsi que toute la discorde qui régnait entre ses nouvelles collègues. Ceci ne fit qu'augmenter sa rebellion et sa rancoeur intérieures. On ne s'étonne donc pas que cette irritation intérieure se soit manifestée par ce rhume persistant.

Je lui suggérai de travailler à sa propre pensée pour surmonter son sentiment de désespoir, d'impuissance et de défaite, et d'adopter une attitude victorieuse en se répétant chaque jour les idées suivantes: **La sagesse et l'amour de Dieu marchent devant moi pour faciliter ma voie dans cette situation et m'apporter le succès. La solution divine apparaît maintenant rapidement et facilement. Je suis maintenant guidée, guérie, prospère et comblée!** Pendant plusieurs jours, elle nourrit son esprit de ces idées, en retirant un sentiment qu'elle n'avait plus connu depuis des années. Comme elle considérait le fait d'aller parler à son patron de son insatisfaction et de lui demander un transfert, un événement intéressant survint: on afficha un avis invitant tous les employés qui désiraient un transfert à aller voir le directeur car celui-ci désirait faire quelques changements. Elle eut donc l'occasion d'exprimer ses désirs qui furent réalisés. Lorsqu'elle eut retrouvé son harmonie intérieure, elle remarqua que son rhume, qui s'était mis à diminuer régulièrement, avait complètement disparu!

Le manque d'harmonie détériore la santé

La mauvaise santé recèle une situation qui a suscité la discorde intérieure de l'esprit, du corps et des affaires. La pensée prospère, harmonieuse en elle-même, aide à susciter l'harmonie dans le corps d'une personne tout comme dans ses relations et dans son milieu environnant.

Un enfant en bas âge souffrait d'hémorroïdes. Le médecin trouvait que cette affliction n'était pas normale chez un enfant si jeune. Il étudia discrètement la situation familiale de l'enfant pour voir si son état physique provenait d'un manque d'harmonie. Il découvrit rapidement que la mère ne savait rien de la puissance avec laquelle les attitudes influencent la santé. Elle insistait à chaque repas que ce petit garçon vide son assiette quel que soit son état physique ou son appétit. L'enfant avait sa petite personnalité. À quelques reprises, il refusa de manger. Pensant faire son devoir, la mère le sortit de table pour lui donner la fessée. On s'étonne donc que l'enfant n'ait rien développé de plus grave que des hémorroïdes.

Dès que la mère accepta de se montrer plus harmonieuse et tolérante envers l'enfant, le traitement médical commença à faire de l'effet.

La discorde, la querelle et la confusion générale dans le milieu de vie quotidienne se reflètent dans la santé des personnes impliquées. Notre corps est un instrument très sensible, directement influencé par nos pensées, nos émotions et les paroles que l'on exprime envers lui et par lui.

La pensée saine est un art ancien

On n'a rien inventé en découvrant les vérités qui révèlent avec quelle force les pensées et les sentiments contrôlent le corps. Si les sciences babyloniennes nous étaient arrivées intactes, notre civilisation serait beaucoup plus avancée qu'elle ne l'est actuellement. Non seulement les Babyloniens utilisaient d'étranges pierres de minerai pour traiter le cancer, mais ils étaients aussi experts en maladies psychosomatiques et savaient merveilleusement se servir de différentes techniques mentales et même de l'hypnose.

On pense qu'Abraham, qui vivait dans la ville babylonienne d'Ur, y avait appris à traiter les maladies psychosomatiques et il en enseigna les méthodes aux Juifs, qui s'en servirent avec succès pendant des siècles. Il est évident que les auteurs de la Bible semblaient comprendre que la maladie provenait de mauvaises pensées et de mauvais sentiments car leurs écrits en reflètent assurément l'enseignement.

Moïse insistait sur la puissance avec laquelle les bonnes attitudes et les bonnes réactions émotionnelles produisaient la santé, alors que les mauvaises attitudes et réactions émotionnelles la détérioraient. Miriam, sa soeur, critiqua son mariage avec une femme d'une race étrangère. (Nombres 12:1) La Bible suggère qu'à cause de son attitude critique, Miriam fut frappée de lèpre et ne put être guérie que grâce aux prières de Moïse. (Nombres 12)

Dans une autre histoire de l'Ancien Testament, nous découvrons que le roi Asa, l'un des rois de Juda, mourut à cause de sa mauvaise attitude. Il ne croyait pas en la possibilité d'une guérison spirituelle et lorsque ses pieds furent atteints sérieusement, il en mourut. (II Chroniques 16:11,12,13) Élie ainsi qu'Élisée opérèrent des guérisons par des méthodes mentales et spirituelles, tout comme le firent Jésus, Paul et les premiers chrétiens.

Même les sorciers des civilisations primitives reconnaissaient la nécessité de modifier l'attitude de leurs patients pour pouvoir les guérir. Dans le but d'attirer l'attention de leurs patients, ils portaient des masques, récitaient des incantations, dansaient et utilisaient d'autres méthodes qui nous semblent des plus étranges. Ils croyaient que dès que leurs patients réussissaient à détourner l'esprit de leurs problèmes, ils guérissaient.

Votre attitude peut vous guérir

Une maîtresse de maison racontait récemment à quel point sa santé s'améliora dès qu'elle eut changé d'attitude:

Pendant douze ans, j'ai souffert nuit et jour d'une mauvaise condition chronique de ma vésicule biliaire. Pendant plus d'un an, ceci s'est doublé d'une bursite qui empirait progressivement. Mon mari priait avec moi pour que je retrouve la santé. Nous avons essayé toutes sortes de traitements, mais en vain; la douleur refusait de disparaître.

Je commençais à me demander combien de temps je pourrais encore supporter cela. Puis on nous apprit qu'il se donnerait dans notre quartier une série de conférences sur la prospérité. Après avoir assisté à une conférence, qui portait sur la prospérité, et non sur la guérison, j'ai mieux compris comment orienter ma pensée vers la victoire. J'ai commencé à comprendre qu'il existait une façon de chasser la douleur de mon corps. Pour la première fois depuis des mois, mon mari et moi avons eu un sentiment d'élévation et d'inspiration spirituelle. Puis, le miracle est arrivé! Une semaine après la conférence, ma vésicule biliaire et ma bursite étaient complètement guéries. Je remercie Dieu tous les jours de m'avoir donné cette attitude positive et enthousiaste qui a ouvert pour mon corps le chemin de la guérison.

Cette dame et son mari continuent à assister aux conférences et elle est toujours heureuse et en bonne santé.

Une autre dame s'était cassé le bras. L'os s'était bien remis mais son bras restait si raide et douloureux que, incapable de conduire sa voiture, elle engagea un chauffeur pour se rendre aux conférences sur la prospérité. Une semaine plus tard, elle apparut à la seconde conférence toute joyeuse, affirmant que dès qu'elle avait osé penser que le succès et la prospérité étaient des dons de Dieu, la raideur douloureuse de son bras avait disparu pendant toute la semaine. Elle avait conduit sa voiture toute la semaine. Elle revint aux autres conférences par elle-même, libérée de ses douleurs. Elle avait appris que la pensée prospère développe tout notre être en lui donnant un bien nouveau et illimité, même dans le domaine de la santé.

Une cause émotionnelle de cancer

Nous pouvons constater autour de nous le besoin de transformer les émotions négatives pour rester en santé ou pour retrouver la santé. Ces derniers temps, on s'est mis à surnommer le cancer *la maladie de la haine*. Ceux qui l'attrapent nourrissent souvent une haine secrète et les personnes de leur entourage ne soupçonnent jamais le tourment émotionnel qui ronge ces malades.

Je parlais une fois avec un homme qui avait travaillé très fort pour se rendre au sommet. Il y arriva enfin et des centaines de gens se mirent à le respecter et à beaucoup l'admirer. Ses accomplissements financiers, le temps et le talent qu'il avait consacrés aux nombreux organismes civiques de sa communauté et son dévouement à l'église lui avaient attiré une grande popularité.

Il se trouvait au sommet de sa carrière lorsqu'on lui annonça qu'il avait le cancer. Les interventions chirurgicales prolongèrent sa vie pour quelques années. Il vint me parler vers la fin de cette période. À première vue, il semblait que le destin l'avait traité bien cruellement. Mais quelques-uns de ses proches me révélèrent qu'il avait été marié plusieurs fois; que chacun de ses mariages s'était terminé par un divorce suivi d'une hostilité amère; et qu'il détestait son épouse actuelle. Si elle était aussi terrible qu'il le disait, il avait humainement bien des raisons de se sentir ainsi car elle lui rendait la vie impossible.

Malheureusement, il pensait qu'un divorce, ou même une séparation, allait ruiner sa carrière. Alors il continuait à supporter sa vie misérable, année après année. De plus, comme il arrive souvent dans de telles situations, il avait cherché chez une autre femme l'amour et la compréhension que son épouse lui refusait. Il s'agissait d'une femme d'affaires veuve et solitaire. Petit à petit, cette femme se sentit si frustrée de ne pas pouvoir devenir l'épouse de cet homme que sa santé s'altéra. De plus, elle se mit à chercher l'oubli dans l'alcool et les drogues. Bientôt, elle en devint si confuse que, incapable de penser clairement, elle perdit toute une série de postes exceptionnels.

L'épouse détestée semblait être la seule à ne pas souffrir de cette situation de triangle. Elle resta calme malgré tout cela. Elle ne semblait pas se laisser envahir par la haine ou le tourment émotionnel qu'auraient dû lui causer son mari et cette *autre femme*. À la longue, c'est elle qui en ressortit victorieuse.

Le mari me déclara qu'il était incapable de pardonner à ses épouses tout le malheur qu'elles avaient causé dans sa vie. Il refusa d'essayer les méthodes de guérison présentées dans ce chapitre, ou de chercher à guérir par le pardon. Je remarquais que quand il parlait de sa femme, il semblait cracher un poison invisible. L'atmosphère de la salle semblait se charger d'une haine étouffante. Il continua à la détester et dut finalement retourner à l'hôpital pour une autre intervention chirurgicale qui fut en fait la dernière. Sur son lit de mort, il émit un juron contre son épouse. Sa haine avait fini par le tuer.

L'*autre femme* ne se présenta pas à l'enterrement: elle préféra rester seule avec sa douleur. À la mort de son mari, l'épouse ne se trouva pas seulement libérée de sa haine, mais elle hérita de sa fortune. Elle fut non seulement une femme libre, mais une dame riche; elle n'hésita pas une seconde à jouir de sa fortune. Un an plus tard, elle contractait un mariage heureux, basé sur un amour véritable et la sécurité financière. En refusant de rendre la haine qu'on lui prodiguait, cette femme fut la seule des trois personnes impliquées dans la situation à en sortir victorieuse.

Guérir par le pardon

Si vous êtes en discorde avec quelqu'un, si vous sentez encore de la rancune pour un malheur que l'on vous a causé dans le passé, si vous avez l'impression que l'on vous a traité injustement dans des questions d'argent ou dans votre vie privée, si vous pensez qu'une perte quelconque vous a privé du bonheur qui vous était dû de droit divin, si vous nourrissez une terrible rancoeur contre votre enfance malheureuse ou certaines expériences familiales, humainement, vous avez toutes les raisons au monde de vous sentir ainsi et d'entretenir ces sentiments. Vous pouvez peut-être justifier ces sentiments de mille façons différentes. Mais comme l'homme de notre histoire et comme l'*autre femme*, vous pouvez vous faire beaucoup de mal en agissant ainsi. En continuant à nourrir des émotions aussi négatives, vous allez détruire votre santé, votre prospérité, votre bonheur et votre paix spirituelle.

Si vous vous trouvez actuellement en mauvaise santé, c'est qu'il y a quelque chose, quelqu'un ou quelque souvenir que vous devez pardonner et effacer à jamais de vos sentiments. Vous n'êtes peut-être pas conscient de ce que ça peut être; mais votre subconscient, qui abrite vos sentiments, vos émotions et vos souvenirs, sait de quoi il s'agit. Lorsque vous le remplirez de pardon, tel que conseillé plus loin dans ce chapitre, il vous libérera et vous guérira.

Les philosophes et les sages de tous les temps ont cherché à faire comprendre que la santé de l'homme dépend de ses attitudes envers lui-même et envers les autres. Hippocrate, le médecin grec du 4ième siècle, écrivait: «Les hommes devraient savoir que notre plaisir, notre rire et nos plaisanteries, tout comme notre chagrin, notre douleur, nos peines et nos craintes, proviennent uniquement de notre cerveau.» Platon déclarait: «Pour que votre tête et votre corps se portent bien, commencez par traiter votre âme.» Le psalmiste nous avertissait en ces termes: *Trêve à la colère, renonce au courroux, ne t'échauffe pas, ce n'est que mal.* (Psaumes 37:8).

Salomon, le vieux sage, connaissait certainement la puissance de l'influence de la pensée et des sentiments sur le corps, lorsqu'il conseillait: *Coeur joyeux fait bon visage, coeur chagrin l'esprit abattu* (Prov. 15:13), *Les aimables propos sont un rayon de miel, doux au palais, salutaires au corps.* (Prov. 16:24); *Un regard bienveillant réjouit le coeur, une bonne nouvelle ranime les forces.* (Prov. 15:30); le meilleur conseil de Salomon sur la maladie psychosomatique était peut-être: *Coeur joyeux, excellent remède! Esprit déprimé dessèche les os.* (Prov. 17:22)

Le bonheur guérit

Une chose est certaine: l'esprit abattu, découragé ou déprimé provoque généralement une réaction physique. J'ai connu un enfant qui vécut pendant plusieurs années dans un foyer où l'on se querellait et où l'on se critiquait tout le temps. L'enfant avait toujours mal quelque part. Enfin, sa situation changea et il fut placé dans un milieu tranquille et harmonieux. Ses maux diminuèrent immédiatement et il développa une santé tellement forte qu'il n'attrapa aucune des maladies infantiles.

Je connais une famille qui entendit parler de l'influence de la pensée sur la santé et la maladie. Les parents décidèrent de ne jamais parler de sujets négatifs devant les enfants, de ne jamais parler de maladie, d'insuffisance, de difficultés ou de problèmes, quels qu'ils soient. Ils s'attachèrent à parler de sujets heureux à la maison. Ils en firent une habitude et ils formèrent une famille heureuse, en pleine santé et unie. Les membres de cette famille restèrent toujours en pleine santé et ils devinrent très prospères. Les enfants n'attrapèrent aucune maladie infantile. Ils développèrent aussi une attitude heureuse, pleine de confiance en soi et firent tous un bon mariage. Aujourd'hui, ils connaissent tous les succès, tout comme leurs parents.

Les bibliothèques regorgent maintenant de livres excellents écrits par des spécialistes sur les arts de la guérison et qui insistent sur l'importance de nourrir des émotions saines et heureuses pour jouir d'une pleine santé.

Le traitement des maux féminins

On entend souvent parler des différents types de malaises qui frappent les femmes. Dans presque chacun des cas, la femme qui souffre de tels malaises subit également des troubles émotionnels, souffre en secret de problèmes au foyer ou au travail desquels elle n'ose pas parler. Une enseignante racontait que ses menstruations s'arrêtèrent subitement lorsqu'elle se sentit fâchée contre le directeur de l'école qui, selon elle, était un tyran. En faisant des prières affirmatives, elle commença à se convaincre que *l'amour et la justice de Dieu* produiraient un changement. Pendant ce temps, le médecin ne réussissait pas à trouver la cause physique de ses difficultés, mais il lui fit une injection qui l'aiderait à traverser cette période difficile. Peu de temps après, le directeur fut transféré dans une autre école et elle commença à se détendre et à jouir à nouveau de son travail et ses menstruations redevinrent normales.

Un médecin avait annoncé à une femme qu'elle était stérile, malgré un long traitement pour provoquer la conception. Son mari et elle désiraient des enfants depuis très longtemps, mais elle me confia dans le secret qu'elle avait toujours craint la douleur et les malaises de la grossesse et de l'accouchement. Elle se rendait compte que ses craintes avaient probablement empêché la conception. Ils pensaient adopter un enfant, mais pour plusieurs raisons, ils décidèrent d'attendre.

Pour la première fois depuis des années, son mari et elle cessèrent de se désespérer de leur foyer sans enfants. Ils décidèrent au contraire de vivre une vie aussi normale et heureuse que possible, et de s'occuper de temps en temps des enfants sans foyer de leur région, pendant les vacances, par exemple. Dès qu'elle se débarrassa de sa tension de ne pas avoir d'enfants, cette femme eut un enfant, dans sa dixième année de mariage.

Les méthodes mentales et spirituelles de guérison ont l'immense avantage de faciliter le travail de votre médecin, qui peut beaucoup plus pour vous lorsque vous êtes animé d'attitudes et d'émotions constructives, et vous en retirez souvent beaucoup plus qu'une simple guérison physique.

Première étape de la guérison

Jésus faisait remarquer que le pardon est la clé de la guérison. Il dit au paralytique: *Tes péchés sont remis... prends ton grabat et marche.* (Marc 2:9) *Va et ne pèche plus* (ne pense plus négativement). Le plus grand de tous les guérisseurs insista aussi, dans son Sermon sur la Montagne, sur la nécessité de faire la paix avec les personnes avec lesquelles nous sommes en discorde, si nous désirons que nos efforts portent des fruits. Chacun de nous devrait appliquer chaque jour la méthode simple du pardon pour se réconcilier avec les autres et rétablir ainsi l'harmonie. C'est ainsi que nous susciterons la guérison physique, mentale, émotionnelle et spirituelle.

Au lieu d'analyser avec difficulté vos problèmes de santé d'un point de vue psychosomatique et d'essayer de trouver les raisons mentales et émotionnelles des différents problèmes de santé, d'argent ou de relations humaines dans votre vie, contentez-vous de déclarer: **Je pardonne entièrement et librement. Je dénoue et relâche. Je remets tout entre les mains du Dieu plein d'amour pour qu'il accomplisse son travail parfait en moi, à travers moi et pour moi. Je remets tout entre les mains de Dieu qui, avec tout son amour, accomplira son travail parfait dans les activités conscientes, subconscientes et superconscientes de mon esprit, mon corps et mes affaires. Je rends grâces de ce que la paix, la santé, l'abondance et le bonheur règnent maintenant suprêmement en moi et dans mon entourage.** Si vous ressentez encore de l'hostilité envers une personne, faites chaque jour cette déclaration de pardon pour elle.

J'ai vu deux cas différents où de jeunes femmes furent frappées de paralysie à cause de la rancoeur intense qu'elles avaient nourri contre leur mari qui avait divorcé. Dans les deux cas, ces femmes purent à nouveau se servir de leurs membres après avoir répété chaque jour une déclaration de pardon. Pardonner ne signifie pas que vous devez *vous traîner à genoux* devant ceux qui vous ont fait du tort. Il ne vous est pas nécessaire de faire une démarche extérieure envers ces gens, à moins que les circonstances ne vous y forcent. Vous pouvez être sûr que ces gens sentiront votre pardon mental et émotionnel et ils seront libérés de toute animosité qu'ils auront pu nourrir contre vous dès que vous leur pardonnerez et que vous vous libérerez vous-même de toute animosité envers eux. Ceci est un procédé très simple de guérison corporelle et de nettoyage spirituel que vous pouvez appliquer pour vous-même.

Lorsque vous commencez à affirmer le pardon positivement chaque jour, ne vous inquiétez pas si vous vous mettez à penser à des gens ou à des situations désagréables de votre passé. Au lieu de vous demander pourquoi elles vous reviennent à l'esprit, dites-vous tout simplement que ces gens et ces faits reçoivent inconsciemment votre pardon. Continuez à affirmer le pardon envers eux et bientôt vous vous sentirez tranquille et paisible en pensant à eux. Dès que vous vous sentez envahi d'un sentiment de paix, vous savez que le procédé de pardon a accompli son oeuvre parfaite, vous libérant de toute pensée de mauvaise volonté. Dès lors, vous ne penserez à cette personne ou à cette situation qu'avec une sensation de paix.

Votre régime d'amaigrissement

Une femme très riche que je connais essayait désespérément de perdre du poids. Elle suivit plusieurs fois des régimes sévères que lui avaient prescrits des spécialistes à l'hôpital. Mais après que son poids diminuait, elle ne réussissait pas à le maintenir. Elle finit par écrire pour exprimer à quel point son poids la désespérait car elle n'arrivait pas à rester mince. La connaissant personnellement, je savais qu'elle avait voyagé de par le monde avec son mari; ils avaient une grande maison de campagne pleine d'objets intéressants qu'elle avait recueillis au cours de ses voyages. Son mari se plaignait souvent que ces choses l'embarrassaient, car il était obligé de laisser un groupe de serviteurs dans la maison pour s'occuper de leurs biens. Cette femme avait rangé de nombreux autres objets dans sa cave, ainsi que dans des armoires et autres espaces de rangement.

Je lui suggérai de penser à suivre la méthode du vide par la prière (telle que présentée au chapitre 3) et de demander conseil à Dieu pour savoir ce qu'elle avait à libérer de ses émotions et peut-être même de sa vie, pour perdre du poids et rester mince. Plus tard, elle se rendit compte en méditant que depuis longtemps elle nourrissait de la rancoeur contre un parent qui lui avait causé bien du tort. Elle se mit à déclarer chaque jour le pardon et la libération de ce sentiment.

Elle eut aussi le sentiment qu'elle devait tenir compte du souhait de son mari, de vider la maison des objets qui sans doute encombraient l'atmosphère. Elle vida les placards, la cave et les autres espaces de rangement, appela l'Armée du Salut, leur donna les objets non utilisés et qui auraient sûrement leur place quelque part. Son mari fut transporté de joie. Elle dit que le fait de libérer ses possessions lui donna une sensation de liberté et de paix qu'elle n'avait pas ressentie depuis des années. Assez étonnamment, elle suivit par la suite un autre régime et fut en mesure de conserver le poids qu'elle avait atteint. Elle déclare maintenant que c'était le fait de pardonner, de se libérer aussi concrètement que mentalement en nettoyant sa maison de toutes ces choses qui lui amena ce qu'elle avait désiré.

Deuxième étape de la guérison

Il n'y a rien d'étrange ni de mystérieux dans l'utilisation de la pensée affirmative et de la prière pour guérir. Les Hindous, les Japonais, les Chinois et plusieurs autres peuples se servent encore de différentes façons de la puissance des mots sacrés pour apaiser les malaises.

Dans toute la Bible, on trouve des allusions au pouvoir qu'ont les mots pour amener le bien. L'histoire de la création commence par cette affirmation: *Que... soit, et...fut* (Gen. 1) Jean met l'accent sur le mot en tant que puissance de Dieu lorsqu'il dit: «*Au commencement était le Verbe... et le Verbe était Dieu*» (Jean 1), Jésus disait que ses mots étaient l'esprit et la vie. L'auteur des Proverbes aurait pu parler du pouvoir des mots dans la guérison lorsqu'il écrivit: Mort et vie *sont au pouvoir de la langue! Ceux qui la chérissent mangeront de son fruit.* (Prov. 18:21)

Pendant longtemps dans le monde religieux, on a cru avoir perdu un *mot de puissance* qui pourrait tout arranger dès qu'on l'aurait retrouvé et prononcé. Les Juifs croyaient que ce mot perdu se cachait dans le nom de *Yahvé,* qui est le nom de Dieu en hébreu. Ils croient que l'homme ne sait plus le prononcer correctement. Ils prétendent qu'autrefois, leur sacerdoce connaissait ce *mot perdu.* Lorsqu'on le prononçait correctement, il déclenchait la puissance de Dieu, qui accomplissait alors en un instant des oeuvres monumentales.

Tout bon mot ou toute bonne phrase qui amène la paix, la satisfaction et éveille une réponse positive et harmonieuse dans la pensée et les sentiments d'une personne, équivaut au *mot perdu* recherché par les Juifs. Ce mot de puissance perdu peut renaître par nos attitudes constructives et nos prières affirmatives. Une adolescente, qui apprenait que le pouvoir des mots pouvait produire de bons résultats, décida de tester ce pouvoir sur un rhume qu'elle sentait venir. Elle dit et redit: **Dieu est ma santé, je ne peux pas être malade. Dieu est ma force, infaillible et prompte à m'aider!**

Dieu dit à Moïse de s'accrocher à la phrase **Je suis ce que je suis** afin qu'il puisse acquérir un pouvoir spirituel et la sagesse requise pour guider les enfants d'Israël hors de la servitude égyptienne. Quelquefois, ce pouvoir du mot perdu renaît lorsque nous nous concentrons sur le nom de Jésus-Christ. Jésus parlait du grand pouvoir de la prière en son nom. Quelquefois, ce pouvoir du mot perdu renaît lorsque nous méditons sur une merveilleuse promesse biblique ou sur le Notre Père.

Le Notre Père a un pouvoir guérisseur

Une femme entreprit un long voyage pour aller voir un guérisseur spirituel réputé afin de se débarrasser d'une maladie chronique qui la faisait beaucoup souffrir. Elle fut étonnée lorsque le guérisseur l'invita à réciter le Notre Père. À la fin de leur session de prière, le guérisseur dit à la femme de rentrer chez elle et de dire le Notre Père plusieurs fois par jour, lui disant que c'était la meilleure prière de guérison. Malgré son scepticisme face à une méthode de guérison aussi simple, elle suivit les instructions de cet homme. En quelques semaines, sa souffrance disparut à jamais.

Une enseignante, qui avait entendu parler du pouvoir de guérison du Notre Père, eut l'occasion de la mettre en pratique lorsqu'elle fut atteinte d'une pneumonie. Elle essaya de guérir par les médicaments, mais sa pneumonie persista. Un vendredi, on lui dit qu'il n'y avait pas de professeur disponible pour la remplacer le lundi suivant, où elle devait donner un nouveau cours spécialisé pour des gens venant de partout. C'est alors qu'elle commença à réciter sans cesse le Notre Père. En persistant, le dimanche sa fièvre avait disparu et elle se sentait plus forte. En continuant de réciter le Notre Père, elle fut en mesure d'enseigner le lundi et bientôt, ses forces lui revinrent complètement.

Le Notre Père est un moyen de guérison puissant, car il fait appel principalement à des affirmations positives puissantes, dans lesquelles s'expriment le pouvoir, la substance, les conseils et la bonté de Dieu. L'affirmation n'est pas seulement un art ancien de guérison, mais aussi une technique scientifique et moderne. Les savants affirment maintenant que notre corps, autant que l'univers, est rempli d'une intelligence innée.

En choisissant des affirmations remplies de mots puissants et en les récitant sans cesse, l'homme prend conscience de l'intelligence innée qui régit activement les fonctions subconscientes de son corps. En continuant de nourrir son esprit de mots puissants, l'homme stimule cette intelligence innée, qui produit alors des résultats positifs, autant conscients qu'inconscients. Notre corps, avec ses problèmes physiques, est le serviteur de notre esprit, et se moule à nos pensées et à nos paroles. Lorsque nos pensées et nos paroles s'élèvent, elles insufflent la vie à notre monde physique.

Les grognons se rendent malades

Grogner peut vous rendre malade; vos paroles et vos sentiments négatifs peuvent entraîner toutes sortes de maux. J'ai connu une secrétaire et maîtresse de maison qui grognait constamment. Elle n'aimait pas sa belle-mère qui, pour des raisons économiques était contrainte de vivre avec elle et son mari. Elle grognait contre ça, contre la température, contre le monde, et spécialement contre son patron. Grogner était pour elle une habitude quotidienne et sans arrêt, elle se plaignait qu'elle se sentait mal. Elle dépensait des centaines de dollars pour des soins médicaux, des médicaments, des vitamines, des traitements chiropratiques afin de faire disparaître les maux et les douleurs qui l'accablaient. Comme elle persistait à grogner à propos de tout et de rien, son cercle d'amis diminua, son patron lui refusa une augmentation et sa belle-mère lui causa de graves problèmes. Grogner la rendait malade et la maintenait ainsi.

Lorsqu'on lui proposa, pour se guérir, la méthode de la pensée affirmative et de la prière, elle la méprisa, déclarant que c'était trop simple pour être efficace. Elle continue d'obtenir des résultats négatifs par sa pensée négative, une méthode mentale qui semble assez simple pour lui réussir!

Vos prières pour la guérison des autres ont de la puissance

Peut-être connaissez-vous quelqu'un que vous voudriez aider à guérir, mais vous hésitez à le faire car vous pensez qu'il pourrait ne pas être d'accord. Dans ce cas, commencez à dire des affirmations pour lui, ou demandez à un groupe de prière ou à un ami en qui vous avez confiance de se joindre à vous pour prier. Récemment, une mère démontra ce pouvoir dans le cas de sa fille, une excellente administratrice dans le domaine des relations publiques. Suite à l'échec de son mariage, cette fille tomba dans une dépression nerveuse. Même si elle avait reçu les meilleurs soins médicaux et psychiatriques, son état de dépression persistait.

La fille affirmait qu'elle ne s'intéressait pas du tout à la religion et qu'elle ne croyait pas au pouvoir guérisseur de la prière. Comme rien ne semblait amener de guérison, la mère demanda à un groupe qui pratiquait la prière affirmative de prier pour sa fille. En quelques jours, la fille sortit de son lit pour la première fois depuis des semaines. Elle retourna très bientôt au travail, tout en continuant de suivre des traitements psychiatriques pour un certain temps.

Elle reprit très vite contrôle de sa vie. Elle décida d'accepter une nouvelle place lui donnant plus de responsabilités, mais lui apportant un revenu de quelques milliers de dollars de plus annuellement. C'est seulement à ce stade victorieux que sa mère lui parla des prières que l'on avait faites pour sa guérison. Réalisant qu'elles avaient certainement amené en elle ce changement de condition, cette jeune administratrice commença à utiliser la prière positive pour garder la santé, le succès et le bonheur et avec une grande joie intérieure, elle se mit à prier pour ses amis et ses associés.

Ce livre est rempli de prières positives et des résultats qu'elles ont apportés à d'innombrables personnes dans tous les domaines de la vie, amenant une paix nouvelle, une santé nouvelle et une richesse nouvelle. Mais relisez tout de même le chapitre qui s'intitule: *Les lois de la prospérité - le commandement* qui se rapporte à la guérison par l'affirmation positive.

Troisième étape de la guérison

Imaginez-vous mentalement, vous-même ou les personnes qui cherchent à guérir, comme étant forts et en bonne santé. Comme on l'a déjà dit dans le chapitre s'intitulant *Les lois de la prospérité - l'image mentale,* les images mentales préparent notre esprit, notre corps et nos affaires mais c'est à nous de créer intentionnellement les images mentales de la vie que nous voulons. Autrement, en entretenant dans notre esprit des images déformées, nous obtenons des résultats déformés.

L'image mentale est particulièrement puissante en ce qui concerne la guérison. En créant dans votre esprit les images des résultats que vous désirez et en vous accrochant à ces images mentales, vous stimulez votre foi qui travaille alors d'une manière simple, mais suprême, à obtenir des résultats merveilleux.

Une maîtresse de maison racontait il n'y a pas longtemps de quelle manière elle avait utilisé le pouvoir de l'image mentale pour guérir volontairement. Elle avait souffert d'une sérieuse infection au genou qui, après plusieurs semaines, continuait à être enflé, infecté et très douloureux. Incapable d'obtenir de quiconque une vraie guérison, cette femme décida d'invoquer son pouvoir de l'image mentale pour se convaincre qu'il lui était encore possible de guérir.

Chaque jour, elle s'assit dans le calme pendant un moment et se concentra sur son genou enflé, remercia pour sa santé et s'imagina fortement son genou tel qu'il était auparavant. Chaque jour, elle reprit cet exercice. Lorsque quelqu'un lui demandait des nouvelles de son genou, elle lui transmettait son image de guérison en lui disant que son genou guérissait merveilleusement bien. À ce stade, ce n'était qu'une prière positive, un acte de foi.

Pendant plusieurs jours, son genou ne sembla pas s'améliorer, mais cette femme eut le courage de persévérer en entretenant son image mentale. Un matin, après des semaines de douleurs et d'enflure, elle se réveilla et constata que pendant la nuit l'enflure avait disparu, que son genou avait perdu sa déformation et qu'il avait repris sa grosseur normale. En regardant de plus près, c'était comme si sa peau avait été piquée à plusieurs endroits et que la substance infectieuse s'était tout simplement évaporée! Son mari, un homme d'affaires accompli, m'assura que c'était vrai. Ils me racontèrent tous les deux la joie de leur médecin lorsqu'il vit le genou ce matin-là; il leur certifia qu'ils avaient été témoins d'un miracle!

Faites une roue de fortune pour votre santé

Si vous désirez une méthode plus sûre et concrète pour utiliser votre pouvoir de l'image mentale pour la guérison, je vous suggère d'utiliser la méthode de la *roue de fortune* présentée au chapitre 5.

Un docteur me demanda un jour de visiter une de ses patientes qui était paralysée d'un côté et qui n'avait pas marché depuis plusieurs années. Il me dit que si l'espoir ne lui était pas rendu, il ne pourrait plus rien pour elle. Elle avait lu plusieurs livres sur le pouvoir de la pensée et il pensait qu'elle accueillerait avec joie toutes suggestions quant à sa guérison.

À ma première visite, je l'ai trouvée au lit, déprimée, découragée, désespérant de toute guérison. Je lui parlai du pouvoir fabuleux des images mentales pour la guérison et je lui suggérai de faire immédiatement une roue de fortune pour sa santé, ce qu'elle fit. Sur la roue de fortune, elle mit plusieurs images, découpées dans des revues, qui montraient des gens marchant, marchant! Elle disposa cette roue de fortune à un endroit où elle pouvait la regarder pendant des heures chaque jour. Je lui suggérai aussi d'employer la méthode de prière du pardon mentionnée plus tôt dans ce chapitre. Elle semblait heureuse de suivre toutes ces suggestions.

Lorsqu'un mois plus tard je lui rendis visite, elle était assise sur une chaise! Elle avait dû être portée sur la chaise, mais elle était assise. En continuant d'imaginer et d'affirmer l'état normal, c'était comme si les forces du ciel et de la terre s'unissaient pour l'aider. Une voisine, qui était en voyage outre-mer avec son mari, envoya un chèque à cette jeune femme, lui suggérant de l'utiliser pour suivre une physiothérapie, ce qui constituerait sûrement une autre étape de sa guérison. Un chiropraticien qui l'avait soignée dans le passé lui rendit visite. Il lui dit qu'il voulait la soigner régulièrement, sans frais, afin de voir à quel point la chiropractie serait efficace dans un tel cas.

Un autre voisin lui promit que lorsqu'elle serait prête à utiliser une chaise roulante, il la lui achèterait; un autre lui offrit de lui acheter des appareils pour ses pieds et ses chevilles, lorsqu'elle aurait atteint ce stade de guérison. Graduellement, en continuant à regarder les images des gens qui marchaient sur sa roue de fortune, elle devint plus forte. Finalement, un autre voisin lui construisit une rampe de l'entrée de la maison jusqu'au jardin pour qu'elle puisse rouler sa chaise au soleil et à l'air frais. Les dernières fois que j'ai vu cette jeune femme, elle commençait à marcher toute seule! Ça, c'est le pouvoir guérisseur de l'image mentale lorsqu'il est invoqué de façon constructive et avec assurance vers les résultats de santé désirés.

Maigrissez par l'image mentale

La méthode de l'image mentale est efficace dans tous les domaines de la santé. Un homme d'affaires, qui avait suivi toute sorte de régimes et avait tout abandonné, entendit parler du pouvoir de l'image mentale pour guérir. Il réalisa alors que malgré tous les régimes sévères qu'il avait suivis, il gardait toujours de lui cette image d'embonpoint et que cette image mentale avait produit la chose qu'il ne voulait pas.

Il découpa dans des revues des images d'hommes d'affaires en santé, vigoureux et minces et les plaça sur sa table de nuit. Il allait regarder calmement ces images, remplissant son esprit d'images précises avant de s'endormir. Il en colla sur des petites cartes et les transporta dans son portefeuille, les regardant pendant la journée. Par ce moyen, il perdit 18 kilos en faisant un régime lui imposant un minimum d'effort et de discipline et depuis, il a perdu encore plus de poids. Il ressemble maintenant à ces photos qu'il transporte encore dans son portefeuille.

Pour arrêter de fumer

J'ai connu plusieurs hommes d'affaires qui ont utilisé la méthode de l'image mentale pour arrêter de fumer. Un vendeur, un médecin et un administrateur ont récemment prouvé que la cigarette était la mauvaise habitude la plus facile à vaincre. Leur méthode était simple et agréable. Ils n'arrêtèrent pas de fumer... ils n'essayèrent même pas. Ils se forgèrent plutôt des images mentales du mauvais goût de la cigarette et finalement du fait qu'ils ne pouvaient plus fumer du tout. Ils se représentaient cette image mentale du mauvais goût de la cigarette chaque fois qu'ils en allumaient une. Il fallut plusieurs semaines avant que les images mentales produisent des résultats, mais elles en produisirent. Leurs cigarettes avaient un goût désagréable et rapidement, ils perdirent toute envie de fumer. En six semaines, l'envie disparut totalement et à jamais. Ils avaient gardé sous la main un demi-paquet de cigarettes, qu'ils jetèrent par la suite. Ils ne parlèrent à personne de leur désir d'arrêter de fumer ni de la méthode qu'ils utilisaient. De cette manière, personne ne pouvait briser l'image mentale qu'ils s'étaient créée, ni essayer de les persuader d'utiliser une autre méthode moins simple que celle-ci.

Une méthode excellente pour guérir l'alcoolisme

J'ai connu beaucoup de gens qui se sont servi de la méthode de l'image mentale pour amener la guérison d'êtres qu'ils chérissaient. Un groupe de personnes, hommes et femmes, me racontaient récemment qu'ils avaient osé imaginer la sobriété pour leurs associés qui étaient devenus de vrais alcooliques. Ils persistèrent à les imaginer guéris et petit à petit, ces personnes s'améliorèrent et finalement furent libérées à jamais du désir de l'alcool.

Récemment, je dînais avec un couple comme ceux-ci. Il y a quelques années, le mari était considéré comme un *déchu* mais maintenant, c'est un administrateur qui a réussi et c'est un des hommes les plus posés, calmes et charmants que j'aie jamais rencontrés. Comme nous discutions du sujet, il me dit:

«Tout ce temps-là, je savais que ma femme *mijotait* quelque chose en essayant d'accélérer ma guérison, mais je ne savais pas ce qu'elle faisait et comme cela me paraissait sans douleur, je ne fis pas attention à la méthode qu'elle employait. Je me suis senti tellement mieux que j'espérais qu'elle continue jusqu'à ce que je sois complètement rétabli. Dieu merci, elle n'a pas abandonné!»

Sa femme s'était créé l'image mentale d'un mari sobre, heureux, prospère, vainqueur et de mois en mois, de jour en jour, elle s'accrochait à cette image mentale. Son mari est aujourd'hui l'homme merveilleux qu'elle s'était imaginé.

La Bible enseigne cette technique de guérison

Un grand nombre de guérisseurs dans la Bible ont sagement utilisé le pouvoir de l'image mentale pour opérer des guérisons. Un fait intéressant est à noter dans l'histoire de Jésus guérissant l'aveugle-né. Lorsque les disciples demandèrent à Jésus qui avait péché pour rendre cet homme ainsi aveugle, au lieu de porter un tel jugement, Jésus se tourna et le guérit. Sa méthode est claire pour ceux qui comprennent le processus mental. Premièrement, Jésus cracha sur le sol et fit de la boue. Puis il couvrit les yeux de l'homme avec cette boue et lui dit: «Va te laver à la piscine de Siloé.» Cette phrase dans l'esprit de l'homme créa une image mentale de guérison certaine et le motiva à agir d'après cette image. Ainsi, il suivit cette image mentale de guérison: *L'aveugle s'en alla, il se lava et il revint voyant clair.* (Jean 9:7)

Les premiers chrétiens surent prouver le pouvoir guérisseur de l'image mentale. Lorsque Jean et Pierre s'en allèrent au temple, ils rencontrèrent à la porte du temple un mendiant qui avait été infirme depuis sa naissance. En réponse à la requête d'une aumône de la part du mendiant, Pierre posa les yeux (pouvoir de l'image) sur le mendiant et avec Jean, lui dit: «*Regarde nous!*» et il les regardait attentivement, s'attendant à recevoir d'eux quelque chose.

C'est alors que Pierre déclara cette forte affirmation positive qui provoqua l'image de guérison dans la tête du mendiant: *De l'argent et de l'or, je n'en ai pas, mais ce que j'ai, je te le donne. Au nom de Jésus-Christ le Nazaréen, marche! Et le saisissant par la main droite, il le releva... d'un bond il fut debout, et le voilà qui marchait.* (Actes 3:6,7,8)

Ainsi, avec les méthodes courantes d'obtenir la santé et de rester en bonne santé, adoptez les techniques et les méthodes suggérées dans ce chapitre. Donnez-leur l'occasion de vous prouver leur puissance!

À cette fin, j'aimerais partager avec vous cette affirmation préférée pour la santé: **Je rends grâces de ce que je suis une expression d'éternel déploiement d'une vie, d'une santé et d'une énergie infinie.** Pour l'intégrité d'esprit, de corps et des affaires, qui est la seule vraie santé, je suggère: **Je suis l'enfant rayonnant de Dieu. Mon esprit, mon corps et mes affaires expriment maintenant sa perfection rayonnante!** Vraiment, en adoptant la pensée prospère pour la santé, il en sera ainsi, *ta blessure sera vite cicatrisée.* (Isaïe 58:8)

CONCLUSION

Lorsque la poudre d'or se dépose

Vous vous souviendrez de notre ami le vendeur, dont la réponse à la question: *Comment vont les affaires?* était toujours: *Les affaires sont merveilleuses, car il y a de la poudre d'or dans l'air.*

En lisant ce livre, je crois que la poudre d'or vous a déjà atteint, comme elle m'a atteinte. J'ai commencé à écrire ce livre lorsque j'étais au service de Unity dans l'extrême Sud. Des mois plus tard, je termine ces pages au coeur du Texas, où je continue à donner des conférences et à écrire. Je mène maintenant une nouvelle vie heureuse avec mon merveilleux mari; nous nous sommes épousés pendant la rédaction de ce livre. Vraiment, *mes* rêves se sont réalisés!

Je ne pouvais m'imaginer, lorsque je commençai à utiliser le pouvoir du raisonnement de la prospérité, à quel point ma vie pouvait changer pendant que je développais et que j'écrivais ces idées. Mais ce fut délicieux, enivrant et profitable!

Ceci peut être vrai pour vous aussi. Continuez d'étudier et d'appliquer chaque jour ces lois de la prospérité. Continuez d'invoquer le raisonnement de la prospérité délibérément et avec précision. Faites-le joyeusement et avec confiance. En persistant, la poudre d'or que Dieu vous a réservée vous apparaîtra assurément sous forme de paix, de santé et d'abondance dans votre vie. Acceptez avec joie les résultats de la poudre d'or. Ils font partie de l'héritage divin que votre *père*, riche et plein d'amour, vous a préparé.

Ils ajouteront une grande valeur et un grand bonheur à votre vie; de plus, vous apporterez à votre prochain d'innombrables bénédictions merveilleuses, en notre ère spaciale passionnante.

Dans cet esprit joyeux, je désire vous faire part d'une bénédiction des Écritures, qui fut donnée à une autre époque dans un effort constant de l'homme d'affirmer les riches promesses de Dieu :

Très cher, je souhaite que tu te portes bien sous tous les rapports et que ton corps soit en aussi bonne santé que ton âme. (3 Jean:2)

Homme est le reflet de ses pensées (L') *Allen, James*
Homme le plus riche de Babylone (L') *Clason, George S.*
Homme miracle (L') *Goodman, Morris*
Homme qui voulait devenir millionnaire (L') *Fisher, Mark*
Images de gagnants *Shook, Robert L.*
Jouez gagnant *Glass, Bill*
Joseph Murphy se raconte à Bernard Cantin *Cantin, Bernard*
Lois du succès (Les), tomes I, II et III *Hill, Napoleon*
Lois du succès (Les) ensemble coffret *Hill, Napoleon*
Lois dynamiques de la prospérité (Les) *Ponder, Catherine*
Magie de croire (La) *Bristol, Claude M.*
Magie de penser succès (La) *Schwartz, David J.*
Magie de s'auto-diriger (La) *Schwartz, David J.*
Magie de vivre ses rêves (La) *Schwartz, David J.*
Magie de voir grand (La) *Schwartz, David J.* (Français, Italien)
Manager de la nouvelle génération (Le) *Ouimet, Denis*
Mémorandum de Dieu (Le) *Mandino, Og*
Mission : Succès *Mandino, Og*
Mon livre *Un monde différent ltée*
Monde invisible, Monde d'amour *Champagne, Carole et
    Boivin, Joanne*
Parole d'honneur *Conn, Charles P.*
Parole est d'argent (La) *Holland, Ron*
Pensée positive (La) *Peale, Norman V.*
Pensez possibilités ! *Schuller, Robert H.*
Performance maximum *Ziglar, Zig*
Personnalité plus *Littauer, Florence*
Plan Templeton (Le) *Templeton, John Marks*
Plus grand miracle du monde (Le) *Mandino, Og*
Plus grand secret du monde (Le) *Mandino, Og*
Plus grand succès du monde (Le) *Mandino, Og*
Plus grand vendeur du monde (Le), partie 2, suite et fin
    Mandino, Og
Plus grande chose au monde (La) *Drummond, Henry*
Potentiel illimité *Proctor, Bob*
Poursuis tes rêves *Burns, Maureen*
Pouvoir ultime (Le) *Grant, Dave*
Prospérité... récoltez-la en abondance (La) *Addington,
    Jack et Cornelia*
Psychocybernétique et les jeunes (La) *Maltz, Maxwell*
Quand on veut, on peut ! *Peale, Norman V.*
Que manges-tu ? Ton corps te parle *Demartini, John F.*
Réflexions sur la vie *Demartini, John F.*
Réincarnation : Il faut s'informer (La) *Fisher, Joe*
Relations humaines, secret de la réussite (Les) *Wheeler, Elmer*
Rendez-vous au sommet *Ziglar, Zig*
Rêve possible (Le) *Conn, Charles P.*
S'aimer soi-même *Schuller, Robert H.*
Se prendre en main *Nadler, Beverly*

Secrets de la confiance en soi (Les) *Anthony, Robert*
Secrets du succès dans la vente (Les) *Gyger, Armand*
Secrets pour conclure la vente (Les) *Ziglar, Zig*
Sens de l'organisation (Le) *Winston, Stephanie*
Stratégies de prospérité *Rohn, Jim*
Stratégies pour conquérir la personne de vos rêves
    McKnight, Thomas W.
Stress dans votre vie (Le) *Powell, Ken*
Succès d'après la méthode de Glenn Bland (Le) *Bland, Glenn*
Succès de A à Z, tomes I et II (Le) *Bienvenue, André*
Succès n'a pas de fin, l'échec n'est pas la fin ! (Le)
    Schuller, Robert H.
Télépsychique (La) *Murphy, Joseph*
Tout est possible *Schuller, Robert H.* (Français, Espagnol, Italien)
Transformez votre univers en 12 semaines *De Moss, A. et Enlow, D.*
Triomphez de vos soucis *McClure, Mary et Goulding, Robert L.*
Trois clés du succès (Les) *Beaverbrook, Lord*
Un *Bach, Richard*
Un guide de maîtrise de soi *Peale, Norman V.*
Un nouvel art de vivre *Peale, Norman V.*
Une meilleure façon de vivre *Mandino, Og*
Université du succès (L'), tomes I, II et III *Mandino, Og*
Vente : Une excellente façon de s'enrichir (La) *Gandolfo, Joe*
Vie de Dale Carnegie (La) *Kemp, Giles et Claflin, Edward*
Vie est magnifique (La) *Jones, Charles E.*
Vivez en première classe *Thurston Hurst, Kenneth*
Votre désir brûlant *Atkinson, W.W. et Beals, Edward E.*
Votre droit absolu à la richesse *Murphy, Joseph*
Votre foi totale *Atkinson, W.W. et Beals, Edward E.*
Votre force intérieure = T.N.T. *Bristol, Claude M. et*
    Sherman, Harold
Votre passe-partout vers la richesse *Hill, Napoleon*
Votre plus grand pouvoir *Kohe, J. Martin*
Votre pouvoir personnel *Atkinson, W.W. et Beals, Edward E.*
Votre puissance créatrice *Atkinson, W.W. et Beals, Edward E.*
Votre subconscient et ses pouvoirs *Atkinson, W.W. et*
    Beals, Edward E.
Votre volonté de gagner *Atkinson, W.W. et Beals, Edward E.*

CASSETTES

Après la pluie, le beau temps ! *Schuller, Robert H.*
    Narrateur : Jean Yale
Assurez-vous de gagner *Waitley, Denis*
    Narrateur : Marc Fortin
Comment attirer l'argent *Murphy, Joseph*
    Narrateur : Mario Desmarais
Comment contrôler votre temps et votre vie *Lakein, Alan*
    Narrateur : Gaétan Montreuil

Comment se fixer des buts et les atteindre *Addington, Jack E.*
  Narrateur : Jean Fontaine
De l'échec au succès *Bettger, Frank*
  Narrateur : Robert Richer
Dites oui à votre potentiel *Ross, Skip*
  Narrateur : Jean-Pierre Manseau
Fortune à votre portée (La) *Conwell, Russell H.*
  Narrateur : Henri Bergeron
Homme est le reflet de ses pensées (L') *Allen, James*
  Narrateur : Henri Bergeron
Je vous défie ! *Danforth, William H.*
  Narrateur : Pierre Bruneau
Magie de croire (La) *Bristol, Claude M.*
  Narrateur : Julien Bessette
Magie de penser succès (La) *Schwartz, David J.*
  Narrateur : Ronald France
Magie de voir grand (La) *Schwartz, David J.*
  Narrateur : Marc Bellier
Mémorandum de Dieu (Le) *Mandino, Og*
  Narrateur : Roland Chenail
Plus grand vendeur du monde (Le), parties I et II *Mandino, Og*
  Narrateurs : Guy Provost et Marc Grégoire
Puissance de votre subconscient (La), parties I et II
  Murphy, Joseph
  Narrateur : Henri St-Georges
Réfléchissez et devenez riche *Hill, Napoleon*
  Narrateur : Henri Bergeron
Rendez-vous au sommet *Ziglar, Zig*
  Narrateur : Alain Montpetit
Secrets pour conclure la vente (Les) *Ziglar, Zig*
  Narrateur : Daniel Tremblay
Votre plus grand pouvoir *Kohe, J. Martin*
  Narratrice : Christine Mercier

Cartes de motivation – Vertes
Cartes de motivation – Bleues
Cartes de motivation et cassettes : taxe en sus

En vente chez votre libraire ou à la maison d'édition
Prix sujets à changement sans préavis

Si vous désirez recevoir le catalogue de nos parutions,
il vous suffit d'écrire à la maison d'édition:
Les éditions Un monde différent ltée
3925 Grande-Allée
Saint-Hubert, (Québec) J4T 2V8
Tél.: (514) 656-2660
Fax.: (514) 445-9098

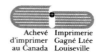

Achevé   Imprimerie
d'imprimer Gagné Ltée
au Canada Louiseville